RIVISTA

RIVISTA

Antonio Carrara
University of Massachusetts - Boston

Nancy Levy-Konesky
Brandeis University

Karen Daggett
Boston College

HOLT, RINEHART AND WINSTON
HARCOURT BRACE COLLEGE PUBLISHERS
Fort Worth Philadelphia San Diego New York Orlando Austin San Antonio
Toronto Montreal London Sydney Tokyo

Publisher	Ted Buchholz
Senior Acquisitions Editor	Jim Harmon
Developmental Editor	Steven-Michael Patterson
Foreign Language Project Editor	Lupe Garcia Ortiz
Senior Production Manager	Ken Dunaway
Book Designer	Terry Rasberry/Burl Sloan
Senior Photo/Permissions Editor	S. Webster
Compositor	Monotype Composition Company, Inc.
Printer	Press of Ohio
Cover Images	Tony Stone Worldwide Images

Literary credits appear on page 246.

Comstock: Introductory page. Photo Edit: 34. Photo Edit: 37. Stuart Cohen/Comstock: 59. Stuart Cohen/Comstock: 59. Photo Edit: 60. Schito/Photo Edit: 61. April Chapele/Photo Edit: 62. Peter Menzel: 82. Guseppe Calzuola/Photo Edit: 84. Peter Menzel: 84. Monkmeyer Press: 84. Courtesy of Alitalia: 101. Photo Edit: 105. Stuart Cohen/Comstock: 124. Michael Dwery/Stock Boston: 126. Owen Franklin/Stock Boston: 126. Michael Bry/Monkmeyer Press: 126. Photo Edit: 139. AP Wide World Photos: 138. Bettmann Archive: 138; Bettmann Archive: 138. Ubaldini/Photo Edit: 139. Stuart Cohen/Comstock: 170. AP/Wide World Photos: 190. Reuters/Bettmann: 183. AP/Wide World Photos: 190. Photo Edit: 202. Super Stock: 203. Courtesy of American Wine & Importing Company: 207. Greg Meadors: 208.

Printed in the United States of America
Library of Congress Catalog Card Number: 92-73322

ISBN 0-03-033382-2

Address for Editorial Correspondence:
Harcourt Brace College Publishers, 301 Commerce Street, Suite 3700, Fort Worth, TX 76102.

Address for Orders:
Harcourt Brace & Company, 6277 Sea Harbor Drive, Orlando, FL 32887. 1-800-782-4479 or
1-800-443-0001 (in Florida).

6 7 085 9 8 7 6 5 4 3 2

Holt, Rinehart and Winston
HARCOURT BRACE COLLEGE PUBLISHERS
Fort Worth Philadelphia San Diego New York Orlando Austin San Antonio
Toronto Montreal London Sydney Tokyo

PREFACE

Rivista, as a conversational activity book and a cultural reader, is meant to be a response to the needs of those students who wish to pursue the study of Italian beyond the first-year level. The up-to-date material included is meant to stimulate their interest and to provide information about everyday Italian life and culture. The activities based on this material create an ideal medium for the practical application and conversational practice needed to facilitate language acquisition.

Rivista offers a combination of reading selections and realia. It brings the reality of the Italian language and Italian life into the classroom and puts the students in direct contact with genuine Italian materials. The realia is used actively to reinforce grammar, to teach culture, and to serve as a point of departure for meaningful verbal exchange in the target language. The exercises and activities, both written and oral, are based on the content of the realia. Original readings prepared especially for this book, and selections adapted from popular Italian newspapers and magazines are incorporated into the text, giving students the opportunity to practice the four language skills: listening, speaking, reading, and writing.

The format of *Rivista* provides maximum flexibility that will make it appealing to college students and to advanced high school students as well. The sections are independent of one another; the subdivisions within the sections can be easily adapted to a variety of class structures and schedules. The instructor has the freedom to choose the readings and activities that will most interest the class and that are most appropriate to their level. *Rivista* has been designed for intermediate and conversation courses in college, although the needs and interests of the third- and fourth-year high school student have also been kept in mind. The text can be used alone or in combination with texts whose form is primarily one of grammar or reading.

We would like to express our gratitude to the following reviewers for their insightful and much appreciated comments: Sebastiano Cassorino, San José State University; Mirella Cheeseman, UCLA; Sebastiano Di Blasi, St. Joseph's University; Elvira G. DiFabio, Harvard University; Sylvia Giustina, University of Oregon; Ernesto Livorni, Yale University; Karen Abbondanza De La Motte, UNC—Chapel Hill; Rinamaria Narducci, Drexel University; Brian O'Connor, Boston College; Carlo Prisco, County College of Morris, New Jersey; Douglas Radcliff-Umstead, Kent State University; Alberto Sbragia, University of Washington—Seattle; Beatrice Stiglitz, College of Charleston; Andrea di Tommaso, Wayne State University.

INDICE

RIVISTA

CAPITOLO I

Sezione: La scuola
Sezione: L'università
Sezione: Dopo gli studi, una carriera?

I giovani in Italia: la scuola e il lavoro

SEZIONE: La scuola

IN POCHE PAROLE

Mentre possiamo notare alcune similarità fra il sistema scolastico italiano e quello americano, la scuola in Italia è abbastanza diversa da quella degli Stati Uniti.

Innanzi tutto, l'istruzione pubblica in Italia è praticamente gratuita, anche quella universitaria. Le scuole secondarie (dalle elementari al liceo) sono completamente gratis e lo studente universitario paga una tassa d'iscrizione[1] che generalmente va dalle 120 alle 200 mila lire l'anno.

La scuola è obbligatoria dall'età dei 6 fino ai 14 anni. La scuola elementare dura cinque anni e la scuola media inferiore dura tre anni. Alla fine della scuola media, lo studente decide se continuare gli studi, scegliere un mestiere[2] o andare a lavorare. Lo studente che sceglie di continuare gli studi può iscriversi ad uno dei tanti istituti tecnici e professionali, o frequentare le scuole superiori che durano altri cinque anni. Nelle scuole superiori il corso di studi è abbastanza rigido: il giovane comincia a scegliere il suo orientamento e inizia la sua specializzazione frequentando il liceo classico, scientifico o quello linguistico. Al liceo i corsi sono abbastanza difficili e rigorosi e gli esami sono sia orali che[3] scritti. Le attività extrascolastiche organizzate, che sono molto comuni e frequenti nelle scuole americane, quali[4] gli sport, i club o circoli, non fanno parte della vita scolastica dello studente italiano. Il programma di studi è relativamente specializzato, e lo studente frequenta soltanto le lezioni che ha in quella particolare giornata; il resto del tempo è libero di fare quello che vuole. I concetti di *homeroom*, di *study hall* o *study period* e di *lunch period* sono sconosciuti allo studente delle scuole superiori.

Prima di accedere all'università, gli studenti italiani devono superare un esame nazionale che si chiama «esame di maturità». Il contenuto dell'esame viene deciso ogni anno dal Ministero della Pubblica Istruzione[5], e consiste di due materie scritte e di una «prova» o discussione orale davanti ad una commissione di professori. I professori che fanno parte di queste commissioni non appartengono alla scuola frequentata dallo studente ma provengono da altre scuole, città o regioni dell'Italia.

---

[1] tuition
[2] trade
[3] both . . . and
[4] such as
[5] Ministry of Public Education. Similar to the Department of Education in the United States but with much more power.

IN ALTRE PAROLE

A. Completate le seguenti frasi con la parola o l'espressione più adatta.

1. Il sistema scolastico italiano è ... quello americano.
   a. uguale a
   b. differente con
   c. simile
   d. differente da
2. L'istruzione in Italia ...
   a. è libera
   b. costa pochissimo
   c. è cara
   d. è costosa
3. All'università è necessario pagare ...
   a. le tasse annue
   b. la tassa annua
   c. la tassa mensile
   d. i corsi
4. Quando i ragazzi italiani completano le scuole medie possono ...
   a. andare all'università
   b. andare in vacanza
   c. restare a casa
   d. continuare a studiare
5. Nelle scuole italiane ...
   a. non ci sono esami
   b. ci sono solo esami scritti
   c. ci sono esami orali e scritti
   d. ci sono solo esami orali
6. Le attività extrascolastiche nella scuola italiana ...
   a. sono molte
   b. sono gratuite
   c. non ci sono
   d. sono popolari
7. L'esame di maturità in Italia è un esame ...
   a. per adulti
   b. per entrare nell'università
   c. per completare l'università
   d. per non pagare l'università
8. Lo studente delle scuole superiori italiane è a scuola ...
   a. tutto il giorno
   b. solo quando ha lezione
   c. quando non ha lezione
   d. quando ha tempo
9. I ragazzi italiani devono andare a scuola ...
   a. a quattordici anni
   b. fino a quattordici anni
   c. fino a sei anni
   d. per quattordici anni
10. L'esame di maturità è ...
   a. differente in ogni città
   b. lo stesso per tutta l'Italia
   c. lo stesso ogni anno
   d. deciso dai professori

B. Completate le espressioni della prima colonna con il termine più adatto della seconda colonna.

A	B
1. esame di	a. pubblica
2. commissione di	b. scritti
3. programma di	c. inferiore
4. liceo	d. professori
5. istruzione	e. tecnico
6. materia	f. superiore
7. tassa di	g. orale
8. scuola	h. maturità
9. istituto	i. studi
10. discussione	j. classico
	k. iscrizione

C. Riscrivete le seguenti frasi usando sinonimi o altre espressioni per le parole indicate.

1. L'istruzione in Italia è <u>gratuita</u>.
2. La scuola italiana è <u>obbligatoria</u> fino all'età di quattordici anni.
3. Le scuole superiori <u>durano</u> cinque anni.
4. Le attività <u>extrascolastiche</u> sono rare.
5. L'idea di *homeroom* o *study period* è <u>sconosciuta</u> allo studente italiano.

PARLIAMONE INSIEME

1. Cosa pensate del sistema scolastico italiano? Quali sono alcune differenze fra la scuola superiore italiana e quella che frequentate (o avete frequentato)? A quale età dovrebbe cominciare a specializzarsi lo studente? Preferireste studiare nel sistema italiano o in quello degli Stati Uniti? Perché?

2. Negli Stati Uniti ci sono esami per essere ammessi all'università? Secondo voi, dovrebbero esserci esami di ammissione? Cosa pensate degli esami orali? Li preferireste a quelli scritti? Vi piace avere esami in ogni materia e alla fine di ogni semestre? Preferireste decidere personalmente quando dare un esame? Spiegate il perché.

3. Pensate che sia una buona esperienza lavorare durante gli anni universitari? Voi lavorate durante l'anno scolastico? Perché?

4. Preferite frequentare un'università grande con molti studenti o una piccola? Quali sono i vantaggi e gli svantaggi di ognuna?

All'inizio dell'anno scolastico, diamo un'occhiata ad alcuni aspetti della vita studentesca.

un sacco di bei programmi, *lots of programs*
me la sono cavata bene, *I did well*
a comporla, *to compose it*
l'informatica, *computers, computer science, data processing*
non vi pare, *don't you agree*
è... un affare, *it's a good deal*
pagella, *report (score) card*

VEDIAMO INSIEME

A. Ripetete le seguenti frasi esprimendo in parole vostre le parti indicate.

1. A scuola me la sono sempre cavata bene.
2. Con il computer ho imparato ad apprezzare la musica e a comporla.
3. Adesso che sto per entrare nel mondo del lavoro non ho problemi.
4. Il linguaggio dell'informatica mi è familiare.
5. L'informatica diventa protagonista di tutte le professioni.
6. Dopo la scuola ho un sacco di programmi per il futuro.

B. Rispondete alle seguenti domande.

1. Chi appare nella pubblicità? Fatene una breve descrizione. Secondo voi, a chi è diretta questa pubblicità? Spiegate.
2. Quale delle affermazioni vi sembra più esatta? Qual è più esagerata? Perché?
3. Quale informazione si può avere se si telefona allo 02/ 66123.1?
4. Cosa vuol dire lo slogan «Perché dopo la scuola ha un sacco di bei programmi per il mio futuro»?
5. Questa pubblicità vi convincerebbe a comprare questo computer particolare? Spiegate il perché.

A VOI LA PAROLA

1. Avete un computer in casa? Di quale marca è? Perché avete scelto quella particolare marca? Quando lo usate voi? Per che cosa l'usate?

2. Desiderate avere un computer e volete che i genitori ve lo regalino? Elencate, in ordine d'importanza, dieci ragioni per convincerli a comprarvelo.

3. La specializzazione in Italia inizia con l'istruzione secondaria superiore. Pensate che sia troppo presto? Secondo voi è giusto che una persona prenda una decisione del genere (*such a decision*) a quindici anni? Spiegate il perché.

4. In Italia gli studenti frequentano la scuola dal lunedì al sabato. Voi preferireste essere a scuola cinque o sei giorni la settimana? Perché?

IN POCHE PAROLE

La nuova elementare

Come sarà la scuola elementare italiana negli anni Novanta? Secondo una nuova legge approvata dalla Camera dei Deputati[1], molte cose cambieranno nella scuola elementare italiana. Le novità principali riguardano il ruolo dell'insegnante nella classe, e lo studio di una lingua straniera a partire dal[2] primo anno di scuola. Inoltre, l'orario delle lezioni, che ora è di ventiquattro ore settimanali, sarà di trenta ore la settimana; i libri di testo saranno gratuiti soltanto per i meno abbienti[3] e si studieranno nuove materie come l'educazione alla musica e all'immagine.

Nel nuovo sistema non ci sarà più un solo insegnante per ogni classe di bambini. Invece, due o tre insegnanti, ognuno con una sua specializzazione, si occuperanno di due o tre classi.

Come in altri paesi del mondo industriale, anche in Italia, oggi, spesso tutti e due i genitori lavorano; quindi la maggior parte dei bambini italiani fra i tre e cinque anni frequentano le scuole materne[4]. Essi sono già abituati ad essere fuori casa e lontani dalla mamma e quindi sentono meno il bisogno di un'insegnante che stia con loro per l'intero periodo.

La seconda grande novità è quella che concerne l'introduzione di una lingua straniera fin dalla prima elementare. Nell'Europa unita e quasi senza frontiere a partire dal 1992 sarà importante che il nuovo «cittadino europeo» cominci lo studio di una seconda lingua ad una età quando è più facile imparare. Cominciare a studiare una seconda lingua all'età di cinque, sei anni non confonde[5] il bambino, è utile ed è importante. Naturalmente il bambino continuerà lo studio della lingua straniera durante tutti gli anni della scuola elementare. A partire dalla prima media lo studente dovrà, probabilmente, continuare lo studio della lingua imparata alle elementari e cominciare lo studio di una seconda lingua straniera.

---

1 Chamber of Deputies. A branch of Italian government that has functions somewhat similar to those of the House of Representatives in the United States
2 beginning with
3 those with a lower income (*lit.:* those having less)
4 pre-school
5 does not confuse

IN ALTRE PAROLE

Vero o falso? Indicate quali delle seguenti asserzioni sono vere e quali sono false. Correggete quelle false.

1. Nella nuova scuola elementare la settimana sarà più breve.
2. La maggior parte dei bambini italiani non è mai stata a scuola prima di cominciare le elementari.
3. Nella nuova elementare ogni classe avrà un solo insegnante.
4. Secondo il brano è difficile imparare una lingua straniera a qualunque età.
5. Studiare una seconda lingua è molto importante.
6. I bambini italiani studieranno una nuova lingua ogni anno.
7. Nelle scuole medie i bambini potranno studiare un'altra lingua straniera.

TAVOLA ROTONDA

Argomenti di discussione. Discutete uno dei seguenti argomenti in un dibattito fra due individui o due gruppi.

1. Pensate che sia utile imparare una lingua straniera?
2. Anche nelle scuole americane si dovrebbe introdurre lo studio obbligatorio di una lingua straniera nelle scuole elementari.
3. L'inglese è già una «lingua universale».

ANGOLINO DEL RELAX

– Manca molto alla fine dell'anno scolastico?

NELLA VIGNETTA PRECEDENTE...

1. Dove si trova il bambino? Che giorno è?
2. Dov'è seduta la maestra? Cosa penserà?
3. Pensate che il bambino sia contento di essere a scuola?
4. Se voi foste l'insegnante, che cosa risponderestu?

— Però, abbiamo proprio una brava maestra...

NELLA VIGNETTA PRECEDENTE...

1. Dove si trova il bambino? Cosa sta facendo?
2. Perché gli altri dicono che la maestra è brava? Cosa vuol dire «brava» in questo contesto?
3. Voi, avete mai avuto un'esperienza simile nella vostra vita di studenti? Raccontatela.

* **errare humanum est,** Latin saying meaning "to err is human"

A VOI LA PAROLA

Pensate ad una situazione scolastica che si presterebbe ad una breve e divertente vignetta. Descrivetela e date una o due battute *(remarks)*.

quadriennale, *four-year*
brillante inserimento, *successful introduction*
corsi di recupero, *make-up, remedial courses*
tagliando, *coupon*

VEDIAMO INSIEME

A. Quale delle scelte suggerite spiega meglio la parola o espressione indicata?

1. L'ambiente sereno.
   a. Fa bel tempo.
   b. Tutti sono felici.
   c. Si studia in tranquillità.
2. Una sicura base di partenza.
   a. stazione.
   b. punto da cui cominciare.
   c. centro militare.
3. L'attività intellettuale è integrata da numerosi sport.
   a. Ci sono anche sport.
   b. Gli sport sono per ragazzi e ragazze.
   c. Si studiano gli sport.
4. Unico della Svizzera italiana legalmente riconosciuto.
   a. È il migliore.
   b. È il più raro.
   c. È il solo.

B. Rispondete alle seguenti domande.

1. Quanto tempo dura un corso di studi al College Leonardo da Vinci?
2. In quale parte della Svizzera si trova questo college? Il college è aperto a tutti?
3. È una scuola riservata ai maschi?
4. In quali programmi può iscriversi uno studente/una studentessa?
5. Dove bisogna inviare il tagliando? In quale altro modo si possono avere informazioni riguardo questa scuola?
6. Chi è Leonardo da Vinci? Secondo voi, perché il collegio si chiama Leonardo da Vinci?

A VOI LA PAROLA

1. Secondo l'annuncio, quali sono alcuni dei vantaggi che questo college offre? Vi sembrano interessanti? Perché? Qual è quello che vi attira di più?

2. Fate finta di essere un genitore che si interessa a mandare il figlio o la figlia a studiare in questo college. Date le informazioni richieste dal tagliando; aggiungete una breve lettera in cui spiegate perché vi interessa questa scuola.

3. Con un compagno di classe presentate una conversazione telefonica fra un genitore e il direttore/la direttrice della scuola. Dite chi siete, da dove telefonate, dove avete visto l'annuncio, perché vi interessa, e chiedete altre informazioni riguardanti la scuola.

Per un modo piacevole per imparare un'altra lingua...

ALITUR

CENTRO INTERNAZIONALE
SPECIALIZZATO IN VIAGGI STUDIO
ALL'ESTERO

Per ragazzi a partire dai 7 anni
Vacanze Studio Estive in gruppo

Per adulti di tutte le età
Viaggi Studio in ogni periodo dell'anno

80 Centri in varie nazioni
con corsi differenziati per ogni
esigenza gestiti dalle più prestigiose
scuole internazionali

Sistemazione in
College, Famiglia, Hotel

Europa e America
esclusivamente con voli di linea

Ritagliare e spedire in busta chiusa a:
Alitur 20124 Milano Via Napo Torriani, 29 Tel. 02/6575941
Alitur 00186 Roma Via Giustiniani, 23 Tel. 06/6543030-6547359

☐ Desidero ricevere il Catalogo Vacanze Studio Estive per ragazzi
☐ Desidero ricevere il Catalogo Viaggi Studio per adulti GR1

Cognome e Nome ______

Età ______ Professione ______

Via ______ n. ______ Tel. ______

Cap ______ Città ______

a partire da, *from*
Vacanze Studio Estive, *summer study-vacation*
ogni esigenza, *every need*
gestiti, *run*
sistemazione, *lodging, housing*
con voli di linea, *scheduled flights (not charters)*

VEDIAMO INSIEME

1. Chi può partecipare in queste vacanze? Che tipo di vacanze sono? Si tratta di vacanze di puro divertimento? Spiegate.
2. Dove hanno luogo queste vacanze? Chi organizza questo genere di vacanza? Chi gestisce i corsi? La scelta dei corsi è limitata? Spiegate.
3. Cosa è incluso nel viaggio studio? Vi interesserebbe fare una vacanza studio? Perché? Dove vi piacerebbe trascorrerla? Per quanto tempo?
4. Durante una vacanza studio preferireste vivere in un college, in albergo o presso una famiglia? Quali sono i vantaggi e gli svantaggi di ognuno? Giustificate la vostra scelta.

A VOI LA PAROLA

1. Pensate che la vacanza studio sia un buon modo di imparare una lingua? Perché? Nella vostra città ci sono organizzazioni che offrono vacanze studio?
2. Vacanza studio e studio a scuola. Quale modo preferireste per imparare una lingua? Quale pensate che sia il più pratico? Il più efficace? Il più divertente? Il più economico?

TAVOLA ROTONDA

Con un altro membro della classe, o in un piccolo gruppo, discutete uno dei seguenti argomenti davanti al resto della classe.

1. Il fine della scuola è di preparare lo studente al lavoro o dare una cultura generale?
2. La scuola è capace di preparare lo studente al mondo del lavoro?
3. Per assicurarsi un buon lavoro è indispensabile avere un diploma.
4. Qual è la cosa più importante che la scuola deve insegnare ai ragazzi: obbedire e rispettare le regole, studiare per riuscire o essere indipendenti?

SEZIONE: L'università

IN POCHE PAROLE

In Italia ci sono più di sessanta università statali, distribuite in una quarantina di città. Praticamente ogni regione ha almeno un'università; la più antica università italiana è quella di Bologna, fondata nel 1135, e ancora famosa in Italia e nel mondo per la sua Facoltà di Medicina[1]. L'Università di Roma, fondata nel 1303, è probabilmente la più grande, con più di 200 mila studenti iscritti[2] regolarmente nelle molte facoltà.

Nel sistema universitario italiano, una «facoltà» è un corso di studi che porta ad una specializzazione, come per esempio medicina, legge, lettere e filosofia, economia e commercio, ecc. In passato, le facoltà più «popolari» in Italia erano quella di medicina e quella di legge; negli ultimi anni lo studente italiano manifesta[3] una sempre maggiore preferenza per le materie scientifiche e per quelle tecniche: economia e commercio in modo particolare.

In Italia gli studenti universitari non sono obbligati a frequentare le lezioni, tranne per quelli iscritti ad alcune facoltà, come quella di medicina; in generale non ci sono esami durante il corso delle lezioni. L'anno accademico inizia verso ottobre e finisce a giugno e non è diviso in «semestri» come quello americano. Alla fine di ogni anno accademico, c'è una sessione generale di esami, e lo studente deve decidere se dare[4] un esame e quale esame è pronto a dare. Da questo potremmo pensare che gli studenti italiani hanno molta più autonomia di quelli americani; in un certo senso questo è vero. D'altro canto, lo studente in Italia deve superare un certo numero di esami, in media 4–5 ogni anno di corso. Tutti gli esami universitari sono orali, ma molti sono anche preceduti da un esame (o prova) scritto. Lo studente deve anche sostenere un esame di laurea, amministrato da una commissione di professori. Inoltre, al termine degli studi gli studenti devono anche scrivere e sostenere[5] una tesi di laurea per conseguire la laurea, o dottorato.

Quasi tutte le università italiane si trovano in centri urbani e il *campus,* così familiare allo studente americano, è praticamente inesistente. Anche le residenze per gli studenti sono rare e il giovane universitario italiano spesso vive con la propria famiglia fino alla laurea. Se l'università che frequenta è in un'altra città spesso lo studente è ospite di parenti o conoscenti, o prende in affitto[6] una camera in famiglia o in una pensione.

Gli studenti che vengono da famiglie povere o non agiate[7] possono ricevere aiuti dal governo sotto forma di borse di studio[8] o di «presalario». Questo è una somma mensile, data dal governo, che aiuta lo studente universitario a far fronte[9] alle sue spese durante il periodo di studi. In un recente sondaggio[10] il 35% degli studenti universitari ha detto di essere pronto a lavorare per aiutarsi durante il periodo di studi. Malgrado questo, per una varietà di cause (come l'economia, la difficoltà degli studi e la struttura della famiglia) sono pochissimi gli studenti italiani che lavorano, sia durante l'estate che durante l'anno scolastico.

---
1 Medical School
2 enrolled
3 shows
4 whether to take
5 defend
6 rents
7 low-income
8 scholarships
9 meet, pay
10 poll

IN ALTRE PAROLE

A. Vero o falso? Indicate quali delle seguenti asserzioni sono vere e quali sono false. Correggete quelle false.

1. La maggior parte delle università italiane sono private.
2. Tutte le università italiane sono molto nuove.
3. L'Università di Roma è nuova ed ha pochi studenti.
4. Gli studenti italiani preferiscono studiare le materie letterarie.
5. Una «facoltà» è un corso di studi o una specializzazione.
6. Gli studenti italiani non danno esami.
7. Gli studenti in Italia non sono obbligati a frequentare le lezioni.
8. In Italia bisogna scrivere una tesi per laurearsi dall'università.
9. In Italia non ci sono università urbane.
10. La maggior parte degli studenti italiani vive in residenze studentesche sul *campus*.
11. La maggior parte degli studenti italiani preferisce non lavorare mentre studia.
12. In Italia, chi non ha soldi non può studiare.

B. Spiegate o, con l'aiuto di un vocabolario, trovate un sinonimo per le seguenti parole. Poi usate ognuna delle parole, o il suo sinonimo, in una frase originale che ne mostri chiaramente il significato.

1. quarantina
2. popolare
3. frequentare
4. essere obbligato
5. autonomia
6. superare un esame
7. centro urbano
8. ospite
9. agiato
10. mensile

L'abbicci dell'università

Le facoltà: Le università italiane sono divise in facoltà. In nessuna università sono presenti tutte le facoltà. Alcune delle facoltà incluse nell'organizzazione universitaria sono: architettura, chimica industriale, economia e commercio, farmacia, giurisprudenza, ingegneria, lettere e filosofia, lingue e letterature straniere, medicina e chirurgia, scienze economiche e bancarie, scienze economiche e sociali, scienze fisiche e naturali, scienze nautiche, sociologia. Le facoltà di alcune università sono divenute famose per tutta Italia e in alcuni casi, anche all'estero[1]. Tra queste, troviamo quella di economia aziendale presso[2] l'università Bocconi di Milano, o quella di ingegneria chimica a Torino, e quella di scienze bancarie a Siena.

Corsi di laurea: La durata dei corsi di laurea[3] varia da quattro a sei anni. Presso una facoltà ci possono essere vari corsi di laurea e quindi gli studenti possono conseguire[4] lauree diverse. Per esempio, uno studente può iscriversi alla facoltà di lettere e filosofia e laurearsi in lingue e letterature straniere, o in geografia o anche in lingue e civiltà orientali.

I dipartimenti: All'interno[5] dell'università, il dipartimento è una struttura relativamente nuova che sta sostituendo gli istituti. I dipartimenti sono organizzazioni di ricerca[6] che mettono insieme studiosi[7] che si interessano alla stessa area di studio. Alcuni dipartimenti, per esempio, sono quelli di economia, psicologia, sociologia, ecc.

L'Opera Universitaria: In ogni università italiana è presente un' Opera Universitaria. Questa è un'organizzazione che assiste gli studenti in vari aspetti e problemi della vita studentesca[8]. Lo studente si rivolge[9] a questa per la dispensa[10] dal pagamento delle tasse universitarie, per informazioni sull' assistenza sanitaria[11], sussidi finanziari (come buoni libro o buoni vitto[12]).

---

[1] abroad, in foreign countries
[2] in
[3] degree programs
[4] earn
[5] within
[6] research
[7] scholars
[8] student life
[9] turns to
[10] exemption
[11] health
[12] food and book coupons

IN ALTRE PAROLE

A. Completate le seguenti frasi in parole vostre.

1. La facoltà universitaria è...
2. Un corso di laurea è...
3. Alla fine di un corso di laurea lo studente...
4. Uno studente si iscrive...
5. In un dipartimento troviamo...
6. L'Opera Universitaria aiuta...

B. Completate le seguenti frasi scegliendo l'espressione più adatta.

1. L'Opera Universitaria è di aiuto per...
   a. trovare lavoro
   b. iscriversi all'università
   c. studiare
   d. varie informazioni
2. La facoltà è...
   a. un'unità dell'università
   b. una laurea
   c. una specializzazione
   d. un palazzo dell'università
3. Gli studenti italiani ottengono la laurea...
   a. alla fine del liceo
   b. alla fine degli studi universitari
   c. prima di iscriversi
   d. dopo l'iscrizione ad un corso
4. Un dipartimento è...
   a. l'ufficio di un professore
   b. l'ufficio di uno studioso
   c. un gruppo di ricerca
   d. una suddivisione della facoltà

C. Se studio, divento... Nel primo elenco troverete alcune facoltà dell'università italiana. Trovate l'equivalente inglese nella colonna **B** e la professione corrispondente nella colonna **C.**

A	B	C
1. Architettura	a. law	i. ingegnere
2. Medicina	b. chemistry	ii. insegnante
3. Sociologia	c. pharmacy	iii. avvocato
4. Psicologia	d. sociology	iv. architetto
5. Ingegneria	e. business	v. chimico
6. Pedagogia	f. psychology	vi. commercialista
7. Chimica	g. architecture	vii. farmacista
8. Economia e Commercio	h. engineering	viii. psicologo
9. Giurisprudenza	i. education	ix. dottore
10. Farmacia	j. medicine	x. sociologo

D. Situazione. Vi trovate in un bar con alcuni compagni/compagne di università. Uno/una di loro sta pensando di cambiare indirizzo (*major*) e vi chiede informazioni sull'indirizzo che voi avete scelto. Ognuno di voi vuole incoraggiarlo/incoraggiarla ad iscriversi alla propria facoltà (includete i vantaggi, prospettive di lavoro, professori, ecc.).

E. Componimento. Desiderate iscrivervi ad una facoltà dell'Università di.... Spiegate la vostra scelta e includete le seguenti informazioni:

1. studi già completati e scuola.
2. piani per il futuro.
3. attitudine per il campo scelto.

Per pagare la tassa universitaria si può fare un versamento[1] su un conto corrente[2] bancario...

TUTO UNIVERSITARIO di BERGAMO

evuta di versamento della somma di

....

l c/c 5018 della BANCA
OPOLARE DI BERGAMO, Tesoreria
ell'Istituto Universitario di Bergamo,
ia Gombito, 2 - 24100 BERGAMO (Italia).

eseguito da ....

....

residente in ....

via ....

stato ....

❑ ANTICIPO ❑ SALDO

della quota di partecipazione.

Data, ...

TIMBRO A CALENDARIO
E FIRMA DELLA BANCA

1 parte per lo studente

ISTITUTO UNIVERSITARIO di BERGAMO

Ricevuta di versamento della somma di

L. ....

sul c/c 5018 della BANCA
POPOLARE DI BERGAMO, Tesoreria
dell'Istituto Universitario di Bergamo,
via Gombito, 2 - 24100 BERGAMO (Italia).

eseguito da ....

....

residente in ....

via ....

stato ....

❑ ANTICIPO ❑ SALDO

della quota di partecipazione.

Data, ...

TIMBRO A CALENDARIO
E FIRMA DELLA BANCA

2 parte per la Banca accettante

eseguito da, *filled out by*
anticipo, *down payment*
saldo, *balance*
quota di partecipazione, *fee*
da rimettere, *to be given*

[1] payment
[2] account

VEDIAMO INSIEME

Riempite il modulo con le informazioni richieste. Quale parte della ricevuta rimarrebbe a voi?

Scegliamo insieme un corso:

Le università italiane mettono a disposizione (*make available*) degli studenti una guida che elenca (*lists*) i corsi e i seminari offerti in quell'anno accademico. In questa guida lo studente può trovare informazioni generali riguardanti il contenuto del corso e le letture (*readings*) da fare. Vediamo insieme un esempio di corsi offerti dalla Facoltà di Magistero dell'Università degli Studi di Firenze.

GEOGRAFIA **prof. Franca Monaco**

Istituto Interfacoltà di Geografia; sede delle lezioni: via S. Gallo 10

Corso per la laurea in Materie Letterarie.

La geografia di fronte ai problemi dell'ambiente.

Il corso ha lo scopo di analizzare i più significativi contributi offerti dalla geografia moderna al dibattito sui problemi ambientali, a confronto con le opere più apprezzabili che ci vengono da altri ambiti disciplinari.

Il rapporto uomo-ambiente. Parchi e aree protette. Speculazione edilizia, abusivismo. Spazi costieri e sviluppo turistico. Erosione costiera. Le «calamità naturali» e la difesa del suolo. La «desertificazione». Bonifiche, laghi e aree umide. Inquinamento e fonti di energia. Paesaggio, beni culturali e centri storici. La «qualità della vita» nelle aree urbane e l'uso sociale del verde.

Gli studenti frequentanti dovranno portare un primo contributo di lettura relativo alla più recente produzione scientifica geografica (e non) in materia ambientale e un secondo contributo (scritto) di ricerca e di analisi territoriale: i risultati saranno esposti e discussi in sede di seminario.

Alcune esercitazioni saranno dedicate alla interpretazione delle carte topografiche come strumento di base per la lettura del territorio.

Programma d'esame:

F. Braudel, *Il mondo attuale,* Einaudi, 2 voll.
R. Biasutti, *Il paesaggio terrestre,* UTET.
Y. Lacoste, *Geografia del sottosviluppo,* Il Saggiatore.

Una conoscenza essenziale della geografia dell'Italia e del mondo (vedi, per esempio, il *Corso di Geografia,* Zanichelli).

sede delle lezioni, *courses are held*
problemi ambientali, *environmental problems*
a confronto di, *compared to*
ambiti disciplinari, *fields*
rapporto, *relationship*
speculazione edilizia, *speculation in construction*
bonifiche, *land reclamation*
inquinamento, *pollution*
saranno esposti... in sede di seminario, *will be presented and discussed in the seminar*

VEDIAMO INSIEME

1. Dove hanno luogo le lezioni di Geografia?
2. Quali sono alcuni argomenti che saranno trattati nel corso delle lezioni?
3. Cosa devono leggere gli studenti che frequentano questo corso?
4. Cosa devono leggere gli studenti per l'esame di Geografia? Cosa devono conoscere per l'esame?
5. Cos'è una carta topografica? A che cosa serviranno le carte topografiche?

A VOI LA PAROLA

Vi sembrano rilevanti gli argomenti che saranno discussi nelle lezioni di Geografia? Ci sono altri argomenti importanti che mancano? Cosa eliminereste dal corso? Cosa aggiungereste? Sarebbe interessante seguire questo corso o uno simile a questo? Perché? Ci sono corsi uguali nella vostra scuola? Quali?

STORIA MODERNA **prof. Vittorio Tassone**

Istituto di Studi Sociali; sede delle lezioni: via Cavour 82.

Corso:

L'Europa alla fine della guerra dei trent'anni.

Tematiche:

Nel quadro di un'indagine sulla situazione generale dell'Europa negli anni dal 1640 al 1650, sarà dedicata particolare attenzione ai problemi della crisi generale del XVII secolo e alle sue manifestazioni politiche, dalla prima rivoluzione inglese alle ribellioni che scossero l'«impero» spagnolo dalle rivolte francesi fino alla Fronda.

Elenco essenziale dei testi in programma:

G. Spini, *Storia dell'età moderna,* vol. II, Einaudi, Torino.
S. Mastellone, *Storia ideologica d'Europa da Savonarola a Adam Smith,* Firenze, Sansoni.
Lo stato moderno, a cura di E. Rotelli e G. Schiera, vol. III, Bologna, Il Mulino.

tematiche, *topics*
nel quadro di un'indagine, *in the framework of a study*
scossero, *shook*

VEDIAMO INSIEME

1. Quale dipartimento offre questo corso?
2. Qual è l'argomento del corso?
3. La storia di quali nazioni sarà discussa nel corso di Storia?
4. Quali sono i libri di testo per il corso?
5. Il corso tratta di un lungo periodo di storia europea?

A VOI LA PAROLA

1. Basandovi sui due esempi precedenti, discutete alcune differenze che avete notato fra un corso di lezioni nell'università italiana e la vostra esperienza nell'università americana.
2. Insieme ad altri studenti state preparando una guida ai corsi per gli studenti che si iscriveranno alla vostra università il prossimo anno. Descrivete uno dei corsi che avete seguito. Date informazione riguardanti il professore, le lezioni, le letture fatte, il lavoro richiesto, ecc.

CONFRONTI CULTURALI

Quali differenze o somiglianze trovate fra la descrizione di questi corsi e la descrizione di corsi nella vostra scuola o università? Spiegate.

Per lo studente che vuole essere ben informato c'è «Campus»:

universitario, *university student*
classe dirigente, *ruling class*
autorevole, *authoritative*
filo diretto, *direct line (of communication)*
problematiche, *problems*
universo scuola, *academic world*
in edicola, *on the newsstand*
inchieste, *surveys*
gestire con efficacia, *manage effectively*
aggiornandoli, *updating them*
mensile, *monthly publication*
salone, *show, exposition, fair*
padiglioni, *pavillions*

VEDIAMO INSIEME

1. Cosa è Campus? Da quanto tempo viene pubblicato? Chi lo legge? Qual è l'utilità di Campus? È un quotidiano, un settimanale o un mensile? Dove possiamo comprarlo?
2. Di quali argomenti tratta Campus? Cosa è il Salone dello Studente? Quale scopo ha? Perché, secondo voi, questa pubblicazione si chiama Campus?

A VOI LA PAROLA

1. Secondo voi questa pubblicazione è utile? Per chi? Perché? La comprereste voi? Perché? Spiegate le vostre ragioni.
2. Ci sono pubblicazioni di questo tipo nella vostra università? Nella vostra città? Che genere di pubblicazioni sono? Descrivetele.
3. Cosa pensate dello slogan «La nuova classe dirigente si sta formando»? Spiegate. E dello slogan «Campus dall'università alla società»? Cosa pensate che voglia dire?

Che voti avete ottenuto?

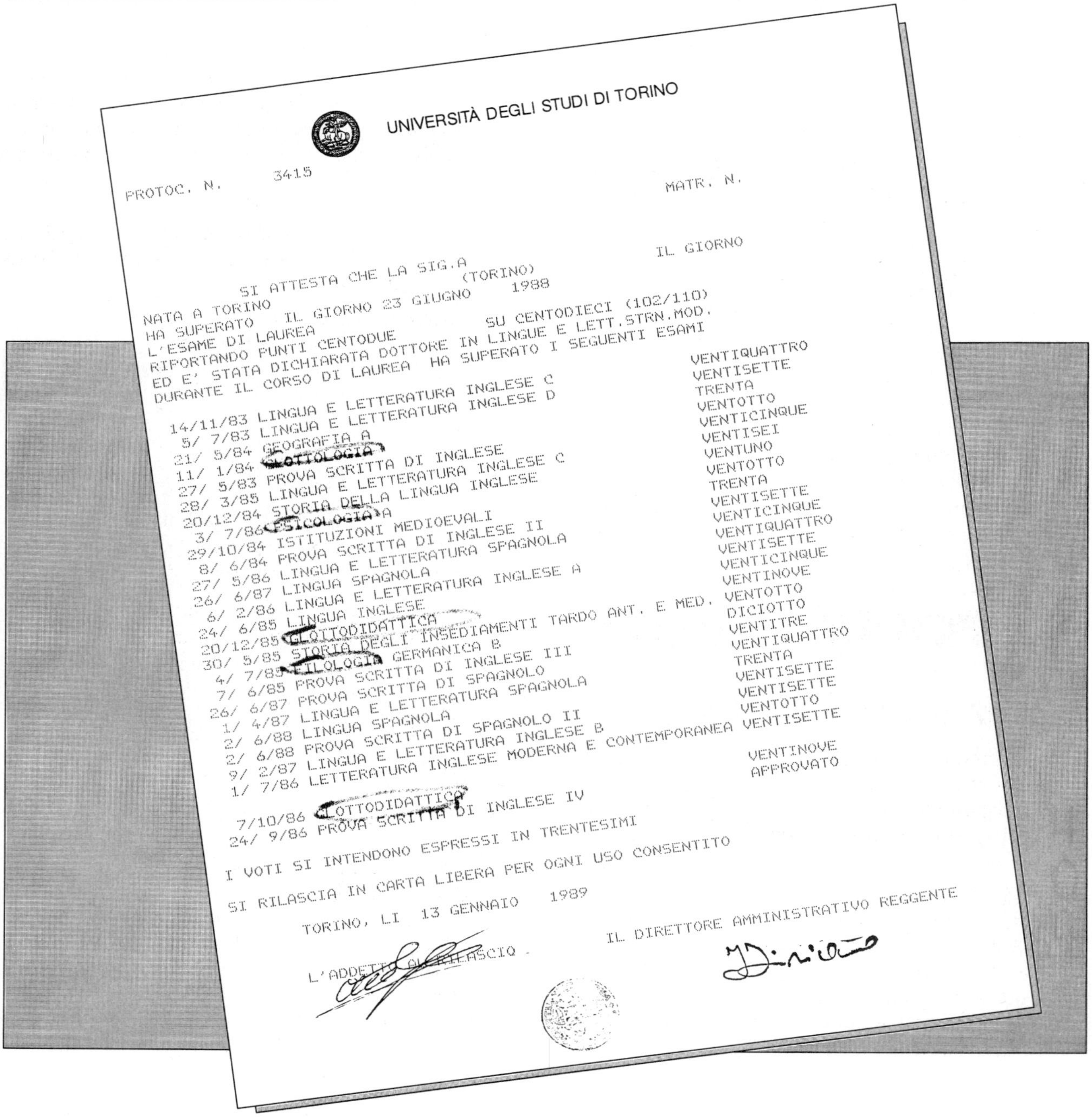

UNIVERSITÀ DEGLI STUDI DI TORINO

PROTOC. N. 3415

MATR. N.

IL GIORNO

SI ATTESTA CHE LA SIG.A
(TORINO)
NATA A TORINO 1988
HA SUPERATO IL GIORNO 23 GIUGNO
L'ESAME DI LAUREA SU CENTODIECI (102/110)
RIPORTANDO PUNTI CENTODUE
ED E' STATA DICHIARATA DOTTORE IN LINGUE E LETT.STRN.MOD.
DURANTE IL CORSO DI LAUREA HA SUPERATO I SEGUENTI ESAMI

14/11/83 LINGUA E LETTERATURA INGLESE C
5/ 7/83 LINGUA E LETTERATURA INGLESE D
21/ 5/84 GEOGRAFIA A
11/ 1/84 GLOTTOLOGIA
27/ 5/83 PROVA SCRITTA DI INGLESE
28/ 3/85 LINGUA E LETTERATURA INGLESE C
20/12/84 STORIA DELLA LINGUA INGLESE
3/ 7/86 PSICOLOGIA A
29/10/84 ISTITUZIONI MEDIOEVALI
8/ 6/84 PROVA SCRITTA DI INGLESE II
27/ 5/86 LINGUA E LETTERATURA SPAGNOLA
26/ 6/87 LINGUA SPAGNOLA
6/ 2/86 LINGUA E LETTERATURA INGLESE A
24/ 6/85 LINGUA INGLESE
20/12/85 GLOTTODIDATTICA
30/ 5/85 STORIA DEGLI INSEDIAMENTI TARDO ANT. E MED.
4/ 7/85 FILOLOGIA GERMANICA B
7/ 6/85 PROVA SCRITTA DI INGLESE III
26/ 6/87 PROVA SCRITTA DI SPAGNOLO
1/ 4/87 LINGUA E LETTERATURA SPAGNOLA
2/ 6/88 LINGUA SPAGNOLA
2/ 6/88 PROVA SCRITTA DI SPAGNOLO II
9/ 2/87 LINGUA E LETTERATURA INGLESE B
1/ 7/86 LETTERATURA INGLESE MODERNA E CONTEMPORANEA

7/10/86 GLOTTODIDATTICA
24/ 9/86 PROVA SCRITTA DI INGLESE IV

VENTIQUATTRO
VENTISETTE
TRENTA
VENTOTTO
VENTICINQUE
VENTISEI
VENTUNO
VENTOTTO
TRENTA
VENTISETTE
VENTICINQUE
VENTIQUATTRO
VENTISETTE
VENTICINQUE
VENTINOVE
VENTOTTO
DICIOTTO
VENTITRE
VENTIQUATTRO
TRENTA
VENTISETTE
VENTISETTE
VENTOTTO
VENTISETTE

VENTINOVE
APPROVATO

I VOTI SI INTENDONO ESPRESSI IN TRENTESIMI

SI RILASCIA IN CARTA LIBERA PER OGNI USO CONSENTITO

TORINO, LI 13 GENNAIO 1989

L'ADDETTO AL RILASCIO

IL DIRETTORE AMMINISTRATIVO REGGENTE

VEDIAMO INSIEME

Guardate l'attestato (*transcript*) precedente e trovate le risposte alle seguenti domande.

1. Quanti esami ha sostenuto lo studente?
2. Quale laurea ha ottenuto?
3. Quando ha dato l'esame di laurea?
4. Che voto ha ottenuto nell'esame di laurea?
5. Qual è il massimo voto che si può ottenere nell'esame di laurea?
6. Qual è il voto più alto che si può ottenere in un esame di corso?
7. Qual è stata la materia migliore per questo studente? e la peggiore?
8. Quale titolo ottiene il laureato italiano?

A VOI LA PAROLA

A. Discutete le differenze fra questo attestato e il *transcript* rilasciato dalla vostra università.

B. Se voi foste lo studente...

1. Delle materie elencate nell'attestato, in quale voi avreste ricevuto il voto migliore? e il più basso? Perché?
2. Delle materie che voi avete studiato, quale è la più facile? la preferita? la più difficile? In quale materia preferireste dare un esame orale? In quale preferireste dare un esame scritto?
3. Se doveste dare esami orali, in quale materia ricevereste il voto più alto? e il più basso? Perché?

IN POCHE PAROLE

Studenti stranieri in Italia.

Ogni anno molte migliaia[1] di studenti vanno in Italia per studiarne la lingua e le arti. La maggior parte di questi partecipa a programmi organizzati e offerti dalla propria università (molte, quelle americane) o si iscrive in programmi offerti dalle università italiane per stranieri (ben note[2] quella di Firenze e quella di Perugia) e da varie scuole e istituti specializzati.

Oltre allo studente straniero che va a studiare in Italia per un periodo di sei mesi o di un anno, c'è un numero sempre crescente[3] di studenti stranieri che si iscrivono all'università italiana per ottenere una laurea. Questi studenti devono attenersi[4] a regole stabilite dal Ministero degli Affari Esteri[5]. La più importante di queste è quella che riguarda la scelta dell'università. L'aspirante[6] non può scegliere l'università che vuole frequentare; nella domanda[7], lo studente può indicare la sua preferenza, ma verrà generalmente assegnato alle università meno affollate. Gli studenti stranieri che s'interessano devono osservare le seguenti formalità[8]:

1. presentare la domanda entro il 30 giugno, al Consolato Italiano del paese dove risiedono. Nella domanda, lo studente può indicare quattro università in ordine di preferenza.
2. presentare una lettera di credito bancario valida per[9] L. 800.000 mensili.
3. per mantenere il permesso di soggiorno[10], gli studenti dovranno superare almeno tre esami entro i primi due anni accademici.
4. presentarsi entro i primi di ottobre all' università assegnata per sostenere le prove di ammissione[11]. Il candidato deve avere una conoscenza della lingua italiana sufficiente a seguire corsi universitari.

Nei limiti dei posti disponibili[12] per ogni anno accademico la preferenza viene data nell'ordine seguente:

1. studenti della Comunità Europea
2. studenti dei paesi emergenti[13]
3. studenti dei paesi dove non esiste un corso di laurea del tipo scelto

IN ALTRE PAROLE

A. Vero o falso? Indicate quali delle seguenti asserzioni sono vere e quali sono false. Correggete quelle false.

1. Gli studenti stranieri possono iscriversi a tutte le università italiane.
2. In Italia ci sono pochi studenti stranieri.
3. Le università italiane hanno bisogno di studenti.

---

[1] thousands
[2] well-known
[3] growing
[4] observe, comply with
[5] Ministry of Foreign Affairs
[6] applicant
[7] application
[8] procedures
[9] in the amount of
[10] residence permit
[11] take the entrance exams
[12] available
[13] developing countries

4. Lo studente straniero può iscriversi direttamente all'università che preferisce.
5. Gli stranieri che vogliono studiare in Italia devono fare la domanda durante la primavera.
6. In Italia ci sono alcune università solo per stranieri.
7. Gli stranieri vengono in Italia principalmente per studiare arte o lingua.
8. Per seguire i corsi regolari dell'università, gli studenti stranieri non hanno bisogno di conoscere bene l'italiano.
9. Gli studenti stranieri in Italia possono lavorare e guadagnare fino a L. 800 mila al mese.
10. Per rimanere in Italia lo studente deve superare un certo numero di esami.

B. Rispondete alle seguenti domande.

1. Quali possibilità di studio ci sono per uno studente straniero?
2. Perché lo studente straniero va a studiare in Italia?
3. Conoscete qualche università americana che offre programmi di studio in Italia? Quale? Dove li offre?
4. Chi stabilisce le regole d'iscrizione degli stranieri in un'università italiana?
5. Cosa è una lettera di credito?
6. Perché un aspirante studente deve avere una lettera di credito?
7. Cosa è una prova di ammissione? In che cosa consiste?
8. Cosa è un permesso di soggiorno?
9. Perché l'aspirante non può scegliere l'università dove seguire i corsi?

TAVOLA ROTONDA

Argomenti di discussione. Discutete uno dei seguenti argomenti in un dibattito fra due individui o due gruppi...

1. Vantaggi e svantaggi dello studio all'estero.
2. Studio all'estero e studio nel proprio paese. Pro e contro.

COMPONIMENTO

Desiderate iscrivervi ad un'università italiana. Scrivete una lettera al Consolato Italiano della vostra città e fate la domanda di ammissione. Includete le seguenti informazioni: perché volete studiare in Italia, cosa volete studiare, in quale città preferireste andare, perché.

VOCABOLARIO UTILE

Egregio Signore,	Dear Sir,
Distinti saluti, Vogliate gradire distinti saluti, Con i migliori saluti,	Yours truly,

A VOI LA PAROLA

1. Ci sono molti studenti stranieri nella vostra università? Da quali paesi vengono? Cosa studiano? È bene avere studenti stranieri nell'università? Perché? Per quali facoltà o università sono famosi gli Stati Uniti?

2. Oltre alla lingua e all'arte, menzionate altre ragioni per cui sarebbe interessante studiare in Italia. Spiegate le vostre ragioni.

3. Quali sono, secondo voi, alcuni dei problemi e delle difficoltà che uno studente straniero può incontrare negli Stati Uniti?

SEZIONE: Dopo gli studi, una carriera?

La laurea è solo un pezzo di carta? Al giorno d'oggi questo luogo comune (*cliché*) è sempre meno vero. La laurea rappresenta un passaporto utile per trovare lavoro. L'importante è scegliere la facoltà giusta combinando attitudini (*aptitude*) e prospettive di mercato.

A VOI LA PAROLA

A. Molti studenti oggi incontrano difficoltà a scegliere una carriera o una professione. Molti, particolarmente negli Stati Uniti, cambiano posto di lavoro, o addirittura genere di lavoro, dopo pochi anni. Secondo voi...

1. Quali sono le carriere più «popolari» oggi?
2. Quali sono le meno popolari o le più antiquate (*outdated*)?
3. Quali sono le più popolari per le donne?
4. Quali carriere pensate che saranno più richieste fra 10–15 anni?

B. Indicate su scala di valori da **0** (= affatto importante) a **5** (= estremamente importante) l'importanza dei seguenti nella vostra scelta di lavoro.

	0	1	2	3	4	5
1. orario di lavoro	____	____	____	____	____	____
2. guadagno	____	____	____	____	____	____
3. vantaggi di status	____	____	____	____	____	____
4. ambiente di lavoro	____	____	____	____	____	____
5. rapporti con colleghi	____	____	____	____	____	____
6. vacanze	____	____	____	____	____	____
7. pensione	____	____	____	____	____	____
8. autonomia e indipendenza	____	____	____	____	____	____
9. assistenza medica	____	____	____	____	____	____
10. sicurezza di lavoro	____	____	____	____	____	____
11. contatto con il pubblico	____	____	____	____	____	____
12. possibilità di viaggi	____	____	____	____	____	____
13. responsabilità	____	____	____	____	____	____
14. distanza da casa	____	____	____	____	____	____

C. Confrontate le vostre risposte con quelle dei vostri compagni di classe e discutete le preferenze individuali.

D. Componimento: I due criteri nella scelta della facoltà universitaria sono: (1) l'interesse e le attitudini personali e (2) le prospettive di lavoro. Qual è più importante per voi? Perché?

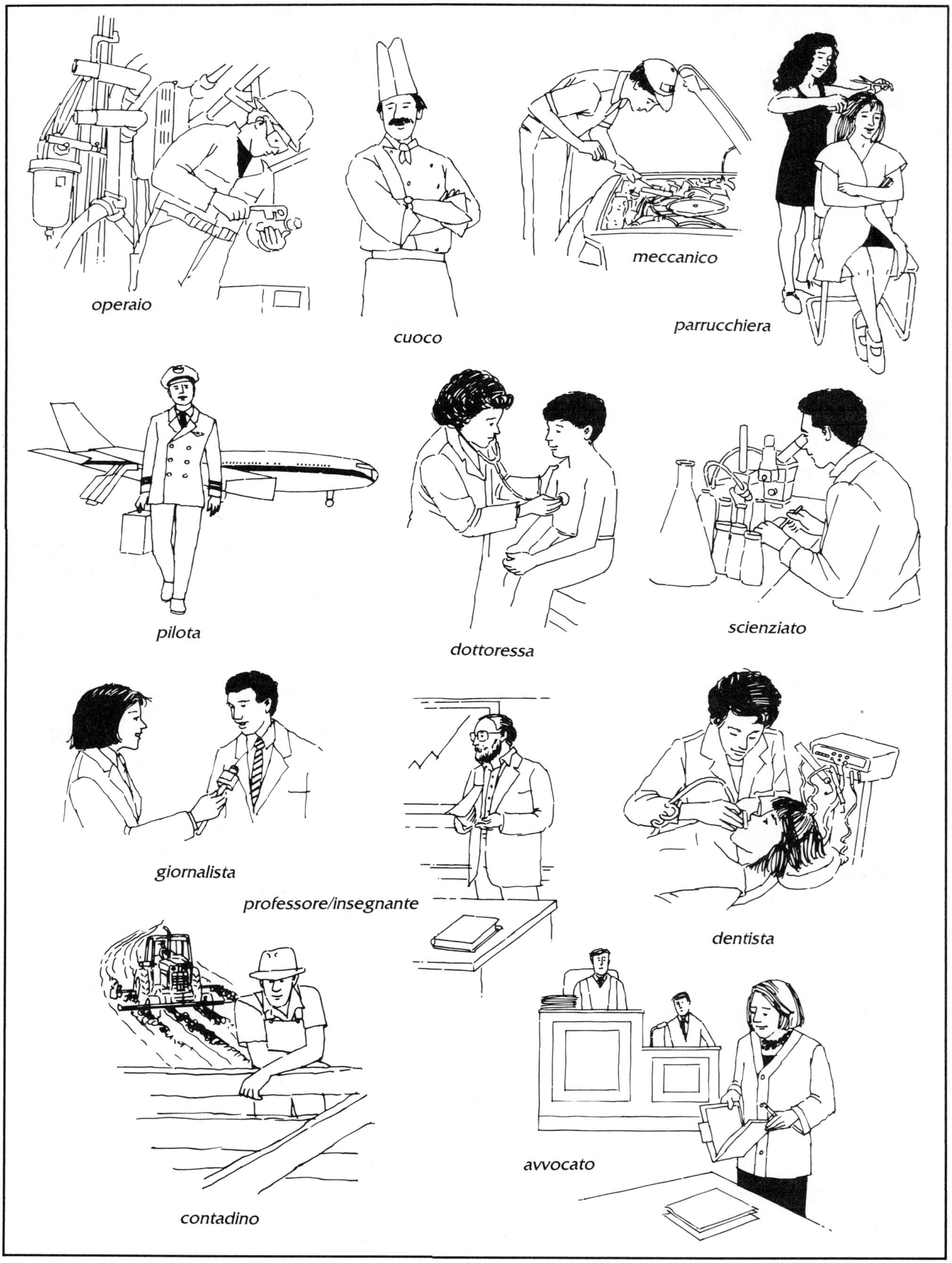
operaio
cuoco
meccanico
parrucchiera
pilota
dottoressa
scienziato
giornalista
professore/insegnante
dentista
contadino
avvocato

VEDIAMO INSIEME

A. Dove lavorano? Accoppiate le occupazioni e professioni del primo gruppo con il posto di lavoro del secondo gruppo.

A	B
1. cuoco	a. ufficio
2. avvocato	b. ospedale
3. insegnante	c. studio legale
4. contadino	d. ristorante
5. meccanico	e. fattoria
6. operaio	f. tribunale
7. segretaria	g. garage
8. giudice	h. ditta
9. infermiere	i. scuola
10. industriale	j. fabbrica

B. Menzionate qualche strumento di lavoro (*tool of the trade*) caratteristico per ognuna delle occupazioni elencate nell'esercizio precedente.

Vorrei diventare...

La vita moderna ci offre alcune possibilità professionali che erano rare, se non addirittura sconosciute nel passato.

DIETISTA

Magri, snelli, pieni di vitalità: sono queste le parole d'ordine[1] dettate sia dalla moda, sia da una vasta campagna[2] per una maggiore attenzione nella cura dell'alimentazione. Diete, palestre[3], cibi naturali, vita sana all'aria aperta, tutti siamo stati spronati[4] negli ultimi anni a trattarci meglio e ad avere più rispetto del nostro corpo.

In questo senso la professione del dietista entra di merito nella rosa dei[5] lavori interessanti e moderni. Il dietista è praticamente un tecnico con conoscenze particolari in chimica degli alimenti[6]: dalla trasformazione alla conservazione alimentare[7]. È impiegato solitamente nella ristorazione collettiva di scuole, ospedali, aziende[8], alberghi, dove organizza e dirige mense[9], si preoccupa degli acquisti degli alimenti, nonché della formazione[10] del personale di cucina.

Nelle case di cura[11] affianca il dietologo (medico) per la messa a punto[12] delle prescrizioni alimentari. Negli ospedali, dopo aver superato un concorso e un tirocinio pratico[13], si occupa delle diete terapeutiche. Questa è l'area d'intervento e di lavoro, a tutt'oggi, per chi è dietista o lo vuole diventare.

Quella del dietista è una professione che ha grandi possibilità di affermarsi nei prossimi anni, secondo gli ultimi dati statistici, a causa della richiesta sempre maggiore da parte dei centri sportivi, dei consultori alimentari[14] gestiti dal movimento consumatori, erboristi e dietologi che chiedono consulenze[15].

Il biglietto da visita[16] per chi intende seguire questa strada è una buona immagine fisica. Si consigliano quindi qualche piatto di pastasciutta in meno e una buona predisposizione per la chimica, materia di studio fondamentale e molta pazienza per ascoltare i problemi di tutti.

VEDIAMO INSIEME

A. Ripetete le seguenti frasi esprimendo a modo vostro le parole indicate.

1. Il biglietto da visita per questa professione è una buona immagine fisica.
2. Erboristi e dietologi chiedono consulenze.
3. Nelle case di cura il dietista affianca il dietologo.
4. Tutti siamo stati spronati ad avere più rispetto del nostro corpo.
5. Il dietologo si preoccupa degli acquisti degli alimenti e della formazione del personale di cucina.

B. Rispondete alle seguenti domande.

1. Che cosa è un dietista? Cosa deve conoscere il dietista? Quale differenza c'è fra il dietista e il dietologo? Spiegate. Secondo voi, quale dei due deve studiare di più? Perché?

---

1 passwords
2 campaign
3 gyms
4 encouraged, spurred on
5 is worthy of being counted among
6 foods
7 preservation of food
8 firms
9 cafeterias, dining halls
10 training
11 nursing homes
12 drawing up
13 competitive examination and apprenticeship
14 nutritional consulting centers
15 advice
16 business card

2. Come dev'essere l'uomo o la donna moderni? Come possono diventare così? Spiegate.
3. Quali sono alcuni dei lavori che può svolgere il dietista? Dove? Quella del dietista è una professione richiesta? Da chi? Perché?

A VOI LA PAROLA

1. Pensate di avere le qualifiche o attitudini necessarie per la professione di dietista? Vi piacerebbe esercitare questa professione? Perché? Spiegate le vostre ragioni.
2. Se voi foste un/una dietista, dove preferireste lavorare? Perché? Spiegate la vostra preferenza.
3. Menzionare altre professioni che hanno buone possibilità di affermarsi in questi anni. Menzionate alcune professioni che non sono più di moda e che vanno scomparendo. Spiegate perché sono ormai, o saranno presto, superate.
4. Date le vostre prescrizioni alimentari per i seguenti posti:
   a. la mensa di una scuola secondaria
   b. la mensa di un'università
   c. la cucina di una casa di cura per anziani
   d. la cucina di un centro di allenamento per atleti.

MESSA IN SCENA

Con un compagno/una compagna preparate e presentate una delle seguenti situazioni davanti alla classe.

1. Discussione fra un dietista e un dietologo che non sono d'accordo sulla dieta da stendere per un loro paziente.
2. Incontro fra dietista e paziente a cui piace un po' troppo la «buona cucina».

Una professione che offre l'opportunità di viaggiare e di essere a contato con il pubblico...

L'OPERATORE TURISTICO[1]

Il mercato del turismo è talmente vasto e ricco di sfumature[2], che spesso chi è interessato a questo tipo di professione fatica a districarsi[3].

Prendere il diploma di operatore turistico è il primo passo per entrare nel settore. Dopo la scuola media si possono seguire corsi professionali di stato e delle regioni, ed entrare così nelle agenzie, nelle organizzazioni congressuali o nei grandi alberghi per svolgere inizialmente le mansioni[4] più semplici di prenotazione ricettiva[5] e di mezzi di trasporto, offerta ai clienti di servizi turistici completi che prevedono[6] viaggio, albergo, gite[7], escursioni, ecc.

Per poter assolvere a[8] tutte queste operazioni si deve apprendere l'uso della modulistica di agenzia[9] che contempla una serie di servizi e tariffe[10] (alberghi, pensioni, campeggi), saper consultare i manuali illustrativi delle compagnie aeree internazionali (quindi è preferibile conoscere l'inglese) e soprattutto avere un minimo di esperienza con il computer.

Oggi gli addetti al[11] settore turismo in Italia sono due milioni circa, ma si prevede un aumento di alcune migliaia di operatori nei prossimi anni, soprattutto fra i giovani più preparati e con buona iniziativa individuale. È necessario inoltre avere buona fantasia e sensibilità, per consigliare al cliente che si prepara a programmare le proprie vacanze le soluzioni migliori. Il bravo operatore sarà colui che sarà in grado[12] di offrire il servizio migliore. E anche questo si impara a scuola.

I corsi per poter diventare operatore di servizi turistici avvengono in genere presso gli istituti professionali o corsi post-media delle regioni, dove si possono apprendere gli insegnamenti-base di marketing, organizzazione aziendale e informatica.

---

[1] travel consultant
[2] shades, nuances
[3] has difficulty in understanding it
[4] to perform duties
[5] reservations and reception
[6] include
[7] tours
[8] carry out, perform
[9] operation of an agency
[10] fees, charges
[11] those employed in
[12] will be able to

VEDIAMO INSIEME

A. Vero o falso? Indicate quali delle seguenti asserzioni sono vere e quali sono false. Correggete quelle false.

1. Il mercato del turismo è semplice e molto limitato.
2. Chi desidera entrare nel campo del turismo dovrebbe prima ottenere il diploma necessario.
3. I corsi professionali per operatori turistici sono offerti dalle università.
4. Conoscere l'uso del computer è utile ma non necessario per un operatore turistico.
5. In Italia ci sono troppe persone che lavorano nel campo dei servizi turistici.
6. Non si può imparare a scuola come essere un buon operatore, ci vuole semplicemente un lungo tirocinio.
7. Il computer serve all'operatore turistico per fornire rapidamente le informazioni necessarie.
8. L'operatore turistico non ha bisogno d'immaginazione, deve soltanto essere cortese ed accontentare il cliente.

B. In base all'informazione contenuta nell'articolo, completate le seguenti frasi.

1. Chi desidera diventare operatore turistico, dopo la scuola media può...
2. I corsi professionali sono offerti...
3. In questo campo il computer è necessario perché...
4. Un buon operatore turistico deve avere...
5. La conoscenza dell'inglese è ... per un operatore turistico.

C. Rispondete alle seguenti domande.

1. Cosa è un operatore turistico? Quale lavoro può svolgere in un albergo? Spiegate.
2. Cosa sono le organizzazioni congressuali? Quale sarebbe la funzione di un operatore turistico in queste organizzazioni?
3. Cosa deve imparare un operatore turistico? Dove può imparare alcune di queste cose?
4. Perché un operatore turistico ha bisogno di fantasia? Spiegate.

D. Componimento

1. Siete l'operatore turistico di un grande albergo congressuale e dovete organizzare una settimana di attività per un congresso di professori di lingue. Come organizzereste il loro tempo libero, quali attività suggerireste?
2. Possibili varianti: dovete organizzare:
   a. un weekend per un gruppo di studenti di una *high school*
   b. una settimana per un gruppo di studenti universitari provenienti (*coming*) da un altro paese.
   c. un congresso di anziani

A VOI LA PAROLA

1. Avete mai considerato la professione di operatore turistico? Vi sembra interessante o no? Indicate le vostre ragioni.
2. Elencate e discutete alcuni vantaggi e svantaggi di questa professione.
3. Quali sono, secondo voi, altre professioni che richiedono iniziativa individuale, buona fantasia e sensibilità? Spiegate.

MESSA IN SCENA

Con dei compagni di classe preparate e presentate una delle seguenti situazioni davanti alla classe.

1. Dovete organizzare un viaggio di luna di miele (*honeymoon*) per una coppia che è al suo sesto matrimonio.
2. Una coppia vi chiede di organizzare una vacanza di due settimane ma lui (o lei) soffre di mal d'auto, mal di mare ed ha paura di volare.
3. Un/una cliente vi chiede di suggerire e organizzare una vacanza romantica (varianti: avventurosa, esotica, eccitante, riposante).

Un'altra alternativa, il lavoro come missione...

CARABINIERE

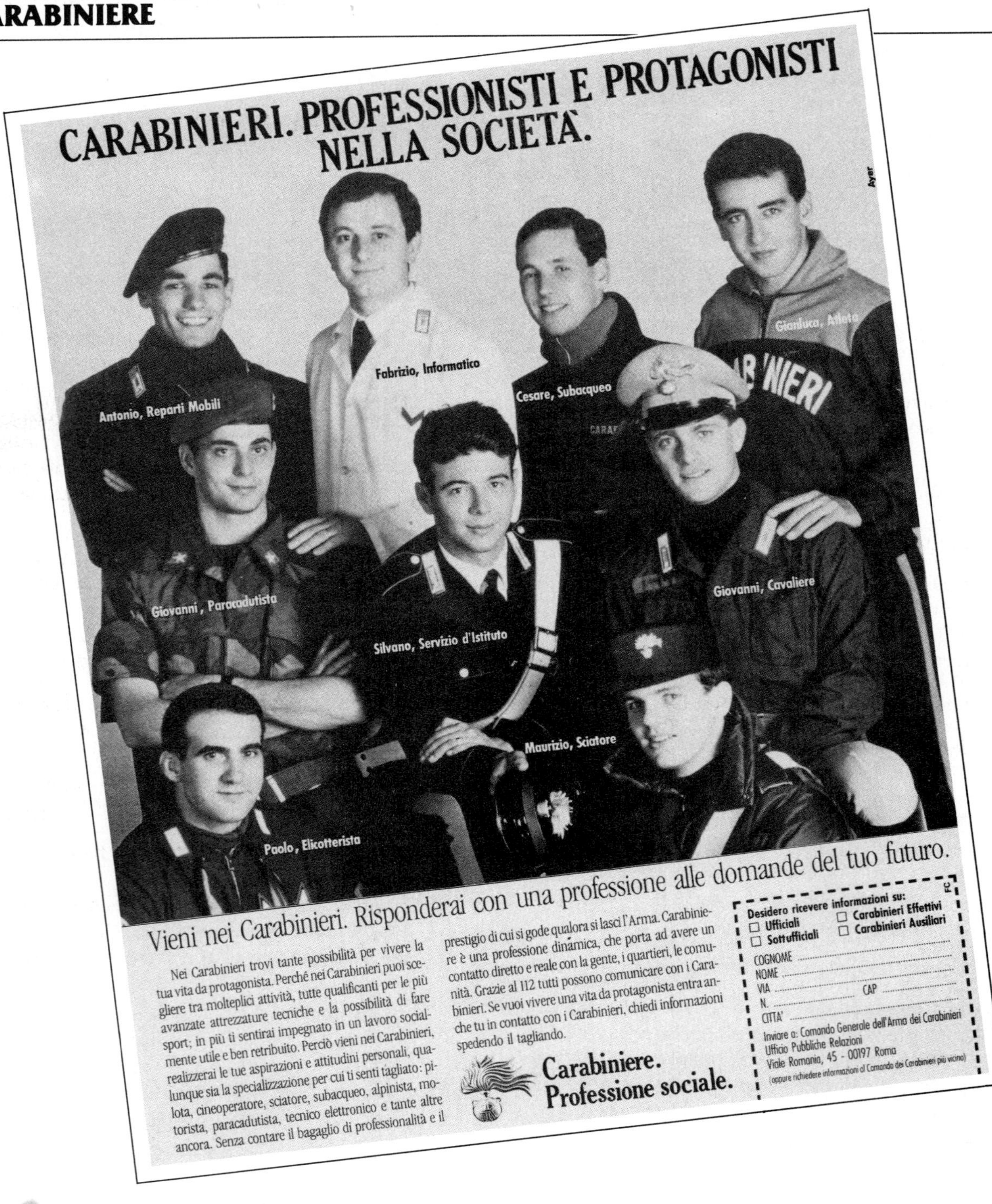

molteplici, *various*
tutte qualificanti, *all qualifying (you)*
impegnato, *involved*
ben retribuito, *well-paid*
sciatore, *skier*
alpinista, *mountain-climber*
qualora si lasci l'arma, *once you leave the service*
112, *emergency telephone number that can be used throughout Italy*

VEDIAMO INSIEME

1. Qual è il ruolo dei carabinieri nella società? Cosa significa «professionisti e protagonisti»?
2. Cosa può scegliere il giovane che entra nei Carabinieri? Com'è il lavoro dei carabinieri? Cosa si può fare quando si lascia l'arma service?
3. Con chi sono in contatto i carabinieri? Se si ha bisogno di loro come possiamo chiamarli?
4. Come si possono ottenere altre informazioni riguardo i carabinieri? Dove bisogna scrivere?

A VOI LA PAROLA

1. Pensate che la pubblicità precedente sia efficace? Cosa vi piace di più in questa pubblicità? C'è qualche cosa che non vi piace? Cosa cambiereste?
2. Quale specializzazione scegliereste voi entrando a far parte dei Carabinieri? Spiegate le ragioni per la vostra scelta.
3. Nel vostro paese c'è qualche organizzazione che ha funzioni simili a quelle dei Carabinieri in Italia? Quale? È un'organizzazione statale o nazionale? Militare o civile?
4. Basandovi sulla pubblicità precedente, preparate un'inserzione (*ad*) per fare la pubblicità del vostro lavoro o della vostra professione preferita.

Come avere successo...Sei un buon diplomatico?

In azienda[1] spesso è indispensabile usare le sottili arti della politica. Per avere successo bisogna stringere patti[2] ed evitare gli scontri[3].

Una carriera brillante in azienda dipende da qualcosa più importante della semplice abilità professionale del manager. Alcuni hanno un talento innato di attirare le simpatie generali[4], di trovare subito le soluzioni migliori a problemi che si presentano. Il manager, come l'uomo politico deve sapere agire[5] con diplomazia, evitare scontri non necessari, e allearsi con i colleghi. Il fine ultimo[6] è l'avanzamento della carriera.

[1] business firm
[2] reach agreements
[3] avoid clashes
[4] know how to make themselves well-liked
[5] act
[6] final goal

A VOI LA PAROLA

Siete anche voi bravi diplomatici? Scopritelo dando le risposte a questo breve quiz!

1. Il vostro capo ha l'idea di introdurre un nuovo prodotto. Voi prevedete che sarà un disastro. Come reagite?
   a. Gli dite che la sua idea è disastrosa.
   b. Gli consigliate di fare prima una ricerca di mercato.
   c. State zitti e non dite niente.
2. Vi vogliono dare una promozione, ma dovete spostarvi a 400 km dalla sede centrale dove lavorate. Vi preoccupate di essere dimenticato per altre opportunità di avanzamento.
   a. Chiedete che lo spostamento sia per un periodo di tempo prestabilito.
   b. Rifiutate la promozione.
   c. Accettate e mandate continuamente rapporti alla sede centrale per fare una buona impressione.
3. Nel corso di una riunione, il vostro capo vi prende in giro (*makes fun of you*) ripetutamente.
   a. Reagite prendendo in giro lui.
   b. Ridete più forte di tutti.
   c. Rimanete in silenzio.
4. Un vostro collaboratore/una vostra collaboratrice chiede di assumere una persona sulla quale avete molte riserve.
   a. Accettate per mantenere l'armonia.
   b. Chiedete che il candidato sia valutato (*evaluated*).
   c. Rifiutate di accettare.
5. Tra due gruppi di manager nella vostra azienda scoppia (*breaks out*) una lotta di potere. Ognuno dei due gruppi vi vuole dalla sua parte.
   a. Vi mettete con chi pensate che ha più possibilità di vincere.
   b. Conservate una neutralità assoluta.
   c. Mostrate di trovare accettabili entrambi (*both*) i punti di vista ma non vi mettete con nessuno dei due gruppi.
6. Il vostro capo ruba (*steals*) una delle vostre migliori idee e la presenta come sua.
   a. Gli chiedete di dire che l'idea è vostra.
   b. Vi lamentate con i colleghi.
   c. Accettate la situazione, ma aspettate di poter dire la verità con discrezione.

Ogni domanda ha una sola risposta esatta che vale 5 punti (zero per le risposte sbagliate).

Se il totale è 30 o 25: Siete veri esperti di politica d'ufficio.

Se il totale è 20 o 15 punti: Potete far fronte alla maggior parte delle situazioni di politica d'ufficio.

Se il totale è 10 punti: Siete troppo abrasivo e diretto. Dovreste adottare uno stile più flessibile.

Se il totale è 0 o 5 punti: Mancate di diplomazia e sarà difficile fare carriera.

Risposte:
1–b; 2–a; 3–c; 4–b; 5–c; 6–c

A VOI LA PAROLA

A. Messa in scena. Con un compagno/una compagna preparate e presentate una delle seguenti situazioni davanti alla classe.

1. Avete appena saputo che un vostro/una vostra collega d'ufficio che fa lo stesso lavoro ha ricevuto un aumento di stipendio. Voi lavorate da più di un anno con lo stesso stipendio e decidete di andare a parlare con il direttore.
2. Lavorate per un'agenzia di collocamento (*employment agency*) e state intervistando alcune persone che cercano lavoro.
3. Dirigete un'agenzia di viaggi ed intervistate uno o due candidati per un posto di agente turistico (fra l'altro volete sapere dove hanno studiato, se hanno esperienza precedente, se hanno viaggiato, conoscono altre lingue, ecc.).

B. Preparate una breve presentazione o discorso da dare nelle seguenti situazioni.

1. Siete la prima donna manager del reparto riparazioni di una grossa concessionaria (*dealership*) di automobili. Fate riunire tutti i meccanici del reparto per presentarvi.
2. Siete un sergente della polizia e dovete incontrarvi con il primo gruppo di allieve (*women cadets*) ammesse all'accademia.
3. Siete professore/professoressa di un corso di lingua e da un paio di settimane la maggior parte dei vostri studenti sembrano annoiati, svogliati, sono rumorosi, irrequieti e non hanno superato gli ultimi due esami.

Il mercato del lavoro...

È il momento di fare il grande passo. Avete terminato gli studi; per i giovani è finito anche il servizio militare (che in Italia è obbligatorio). Bisogna ora trovare un lavoro. In Italia ci sono due possibilità: il settore pubblico, o quello privato. Per un lavoro nel settore privato, come nel resto del mondo industrializzato bisogna fare la domanda presso le varie ditte e aziende e magari scorrere[1] il giornale. Nel settore dei servizi pubblici in Italia, a differenza degli Stati Uniti, la maggior parte degli impieghi statali (che siano nelle scuole, negli ospedali, nei ministeri, ecc.) vengono messi a concorso[2]. I concorsi sono esami pubblici che vengono banditi[3] periodicamente per riempire uno o più posti disponibili in un particolare settore. I candidati che «vincono» il concorso, cioè coloro che ricevono i voti più alti, e che sono in possesso degli altri requisiti[4] hanno così la possibilità di essere assunti. Non bisogna pensare che sia però facile ottenere un lavoro statale; spesso i candidati sono centinaia per ogni posto di lavoro disponibile. Recentemente in Sardegna 91.000 aspiranti si sono contesi[5] 187 posti messi a concorso in undici settori dell'Ersat (Ente regionale per lo sviluppo e l'assistenza tecnica in agricoltura). Alcuni anni fa ci furono 64.000 domande per 760 posti di guardia forestale[6]. Malgrado la grande competizione un posto come impiegato statale continua ad essere la massima aspirazione di molti giovani italiani. Una recente indagine condotta dal Comune di Torino ha rivelato che 31 giovani su 100 vorrebbero un impiego nello Stato. Questo è forse dovuto al fatto che in Italia lo Stato è probabilmente uno dei maggiori e più stabili datori di lavoro[7] nel paese, e che una volta ottenuto il posto è difficilissimo che l'impiegato statale lo perda.

---

[1] read through
[2] are filled by open competition
[3] announced publicly
[4] qualifications
[5] applicants competed for
[6] forest ranger
[7] employers

– Lei è licenziato!

NELLA VIGNETTA PRECEDENTE...

1. Dov'è l'impiegato?
2. Cosa sta leggendo?
3. Che genere di lavoro svolgerà?
4. Perché il suo superiore lo licenzia?

Adesso, vediamo insieme cosa ci offre il mercato, e quali possibilità si aprono per noi. Prima di tutto vediamo quali concorsi ci saranno per il settore pubblico:

Trieste—Concorsi per titoli ed esami a 2 posti di perito[1] telecomunicazioni. 131 posti di infermiere professionale. BUR 6.9.91. Scadenza 2.12.91

Brunico (Bz)[2]—Concorso per titoli ed esami a 1 posto di caposala[3], 1 posto di dietista, 4 posti di ostetrica[4], 4 posti di terapista della riabilitazione, 1 posto di assistente sanitario. BUR 17.9.91. Scadenza 29.11.91.

Roma—Automobile club d'Italia. Concorso a complessivi[5] 535 posti di personale di varie qualifiche presso varie sedi[6] così suddivisi: 236 posti di operatore di amministrazione[7] (diploma di scuola secondaria, nonché[8] diploma di dattilografia[9] e/o stenografia o di videoterminalista); 38 posti di funzionario di amministrazione (laurea in giurisprudenza[10] o laurea in economia e commercio o scienze politiche); 4 posti di consollista (diploma di perito tecnico industriale con specializzazione in informatica o in elettronica). Scadenza 5.12.91.

Avellino—Concorso a 4 posti di assistente medicina nucleare. B.U.R. 23.12.91 Scadenza 20.3.92

1 person specialized in
2 province of Bolzano (northern Italy)
3 ward nurse
4 midwife (nurse)
5 for a total of
6 seats, offices
7 secretary
8 as well as
9 typing
10 law degree

A VOI LA PAROLA

1. Quale dei precedenti posti messi a concorso vi sembra più interessante? Spiegate le vostre preferenze.
2. Secondo voi, quale dei posti sarà meglio remunerato? Perché? Quale richiede maggiori qualifiche? Quale sarà più noioso, interessante, stressante? Spiegate perché.

MESSA IN SCENA

Siete consulente di carriera in una scuola e dovete spiegare ai giovani che vengono a vedervi in che cosa consistono le seguenti professioni. Con alcuni compagni di classe preparate e presentate la situazione.

1. terapista della riabilitazione
2. consollista
3. infermiere professionale
4. assistente medicina nucleare

...e vediamo anche cosa ci offre il settore privato

AGENZIA immobiliare (*real estate agency*) assume signorine diplomate, volenterose, preferibilmente pratiche. Stipendio fisso, incentivi. Presentarsi Via Marsala 57.

Chi cerca l'agenzia? Com'è lo stipendio che l'agenzia offre? Dove bisogna andare per il colloquio (*interview*)? Quali possono essere alcuni degli incentivi offerti dall'agenzia?

ARREDATORE/TRICE (*interior decorator*) conoscitore stili classici, tessuti (*fabrics*), materiali, con preparazione artistica. Amante del settore, età 22/25 anni. Minima esperienza preferita. Conoscenza lingua inglese, PC, disegno. Importante società, zona Prati. Scrivere casella postale (*post office box*) 347/P.

Quali sono alcune qualifiche che la persona deve avere? Deve avere molta esperienza? Cos'altro deve conoscere? Perché pensate che debba conoscere l'inglese?

ASSUMIAMO direttore di vendite e acquisti (*purchases*) per negozio di calzature (*shoes*). Pratico di abbigliamento (*fashion*). Ottimo stipendio, massima serietà. Tel. 06/513781 ore 11-20.

Quale lavoro deve fare la persona che cercano per il negozio? Perché deve essere pratica di abbigliamento? Com'è lo stipendio che offrono?

AZIENDA commerciale elettrodomestici (*appliances*) cerca ragioniere con esperienza per contabilità di magazzino. Tel. orario negozio 06/3786432, rag. Ianniello.

Chi cerca l'azienda commerciale? Cosa fa un ragioniere? Quali sono alcuni elettrodomestici che conoscete? A che ora devono telefonare gli interessati? Con chi devono parlare?

MULTINAZIONALE inglese assume 10 funzionari max. 30 anni per consulenze (*consulting*) professionali nel settore pubblicitario (*advertising sector*). Offre L. 3.000.000 fisso mensile. Possibilità rapida carriera. Si richiede serietà lavorativa, personalità, presenza, disponibilità immediata (*immediate availability*). Telefonare solo lunedì ore 9.00-13.00. TEL. 06/4741984.

Cos'è una multinazionale? Quale deve essere l'età massima delle persone che cercano? Quale pensate che deva essere l'età minima? Com'è lo stipendio che offrono? Quali altre possibilità ci sono? Quali altre qualifiche richiedono? Pensate che ci saranno molti aspiranti per questo posto? Perché?

FAMIGLIA residente dintorni (*near*) Sorrento in villa, con ampio parco, su collina (*hill*) cerca per gestione lavori domestici (*caretaking, housekeeping*) coppia di coniugi (*husband and wife*) preferibilmente con esperienza. Offre villetta indipendente, tutti i servizi compresi (*all facilities included*), retribuzione adeguata. Scrivere a dr. Stelio Severini. (via delle Rose 49 - 00189 Sorrento)

Dove è Sorrento? Quale lavoro pensate che dovrà fare la moglie? e il marito? La coppia dovrà vivere nella stessa casa con i padroni? Pensate che il dottor Severini abbia molto denaro? Perché?

A VOI LA PAROLA

1. Quale di questi lavori vi sembra il più interessante? il meno interessante? Quale preferireste fare voi? Per quale di questi lavori vi sentite più qualificato/a? Quale pensate che richieda maggior tempo? Meno tempo? Maggiore o minore responsabilità? Quale offrirà più tempo libero? Quale pensate che sia più stressante? Meno stressante? Perché? Spiegate la vostra scelta.
2. Scegliendo una delle inserzioni precedenti, preparate con un compagno/una compagna una breve intervista fra il candidato e la persona che ha messo l'annuncio nel giornale.
3. Basandovi sui precedenti, provate a scrivere una breve inserzione per il giornale. L'inserzione può essere per un' offerta di lavoro o per una richiesta di lavoro. Tentate di imitare lo stile di quelle che avete lette.

ATTUALITÀ

Donne nella poltrona del comando

Se state per assumere[1] una donna e avete ancora qualche dubbio, eliminatelo. Se invece preferite collaboratori uomini, preparatevi a cancellare i vostri pregiudizi: perché fra qualche anno le donne in tailleur firmato[2] saranno sempre più numerose nel vostro staff. E questo non per amore di femminismo, ma solo per rispetto della statistica.

Nelle aziende italiane, pubbliche e private, grandi e piccole, nelle scuole, negli ospedali, nei tribunali, le donne non sono mai state così tante: più di otto milioni. Niente in confronto ai 15 milioni di uomini che lavorano, ma moltissimo rispetto a[3] dieci anni fa, quando erano meno di sei milioni. La disoccupazione[4] femminile è ancora alta; il 18% contro l' 8% degli uomini e il 12% di media nazionale, e di carriera tutto sommato[5] ne hanno fatta poca, ma la loro forza è inarrestabile. Basta dare un'occhiata[6] ai numeri che riguardano le dirigenti[7].

1 are about to hire
2 designer's suit
3 in comparison to
4 unemployment
5 everything considered
6 take a look
7 women managers

Le donne manager sono oggi più di 5 mila contro 135 mila uomini: pochissime sono arrivate al top, ma al terzo livello, il più basso, sono sempre più numerose (più dell'11%). Hanno preso una laurea, magari[1] in economia o ingegneria: hanno prestigiosi master come i loro colleghi uomini e sono decise a sedersi sulle poltrone che contano. La loro scommessa[2] è riuscire. In tutto. Hanno eliminato dal loro vocabolario la parola rinuncia e ne preferiscono una nuova: equilibrio[3]. Cercano di non scegliere tra lavoro e famiglia, tra azienda e bambini, tra riunioni e bambini e così, silenziosamente, hanno finito per rendere ridicolo e bugiardo[4] uno dei luoghi comuni più fastidiosi[5] degli ultimi anni: quello della donna-in-carriera tutta ufficio e ambizione.

---

[1] maybe (even)
[2] bet
[3] balance
[4] untrue
[5] bothersome

IN ALTRE PAROLE

A. In base all'articolo che avete letto, completate le seguenti affermazioni con l'espressione più adatta.

1. Se volete assumere una donna, ...
   a. non lo fate b. pensateci bene c. fatelo senza esitare
2. Se preferite lavorare solo con uomini, ...
   a. avete ragione b. avete pregiudizi c. non avete pregiudizi
3. Secondo le statistiche il numero delle donne manager...
   a. rimane uguale b. diminuisce c. aumenta
4. In Italia molte donne lavorano nel settore...
   a. pubblico b. privato c. pubblico e privato
5. Oggi nel mondo del lavoro ci sono...
   a. più donne che uomini b. più uomini che donne c. tanti uomini quanto donne
6. La percentuale di donne che non lavorano è...
   a. più alta di quella degli uomini b. più bassa di quella degli uomini
   c. più bassa della media nazionale
7. Le donne manager...
   a. non hanno una laurea b. hanno una laurea c. forse hanno una laurea
8. La manager italiana...
   a. non può avere famiglia b. non può avere bambini c. può avere lavoro e famiglia

B. Nella seconda colonna trovate il contrario delle parole elencate nella prima colonna.

A	B
1. disoccupazione	a. fallire
2. dirigente	b. raro
3. pubblica	c. modestia
4. frequente	d. lavoro
5. eliminare	e. insistere
6. riuscire	f. privata
7. rinunciare	g. aggiungere
8. ambizione	h. impiegato

C. Trovate un sinonimo o spiegate le seguenti parole e usate ognuna di esse in una frase originale.

1. equilibrio
2. rinuncia
3. carriera
4. prepararsi
5. collaboratore
6. dubbio
7. azienda
8. cancellare
9. ridicolo
10. silenziosamente

A VOI LA PAROLA

1. Secondo l'articolo perché ci sono sempre più donne manager? Dove si trovano? Quali tipi di lavoro fanno? A quale livello manageriale si trovano?
2. Cosa vuole dire «le poltrone che contano»? A che cosa non vogliono rinunciare le donne? Hanno ragione? Quale equilibrio tentano di trovare? Che cosa vogliono rendere ridicolo?
3. Secondo voi, l'espressione «donna-in-carriera tutta ufficio e ambizione» è giusta? Pensate che la donna debba scegliere fra carriera e famiglia? Spiegate il perché. Nella vostra famiglia lavora anche vostra madre? Che effetto ha (o ha avuto) su di voi? Secondo voi, nella famiglia, qual è il ruolo del marito di una manager?

SONDAGGIO

Rispondete alle seguenti domande e discutete i risultati ottenuti nel vostro sondaggio in classe. Le cifre fra parentesi sono quelle di un sondaggio condotto dalla rivista *Fortune* fra i manager italiani.

1. Secondo voi, le capacità manageriali di una donna sono uguali, inferiori o superiori a quelle di un uomo?
   a. Uguali (89%)
   b. Inferiori (8%)
   c. Superiori (3%)
2. Come influisce la famiglia su una manager?
   a. Non influisce (26%)
   b. Influisce positivamente (6%)
   c. Influisce negativamente (68%)
3. Secondo voi chi ha migliori caratteristiche manageriali?

	meglio uomini	**meglio donne**	**uguali**
1. Capacità di decisione	29%	5%	66%
2. Leadership	39%	7%	54%
3. Creatività	13%	27%	60%
4. Flessibilità	37%	12%	51%
5. Rapporti umani	26%	29%	45%
6. Determinazione	16%	32%	52%

TAVOLA ROTONDA

Due studenti possono presentare brevemente le loro opinioni a favore o contro uno dei seguenti argomenti. Poi, aprite il dibattito al resto della classe.

1. La donna in carriera e l'effetto che ha sulla famiglia.
2. La donna manager nel posto di lavoro: effetti positivi e negativi sui colleghi e dipendenti.
3. È facile/difficile per una donna diventare dirigente.

ANGOLINO DEL PAROLIERE

Eccovi alcune espressioni che potranno esservi utili in una conversazione, sia che vi troviate nell'ambiente scolastico, sia che cerchiate un lavoro o che siate sul posto di lavoro.

ESPRESSIONI UTILI NELLA SCUOLA.

dare un esame	to take an exam
superare un esame	to pass an exam
bocciare	to fail
fare il ripasso	to review
prendere appunti	to take notes
faccio del mio meglio	I do my best
mi trovo (sono) indietro	I am behind
ti do ragione	I agree with you
è molto capace	he/she is very able
mi do per vinto/a	I give up
scacciare di scuola	to expel
scuola serale	night school
marinare la scuola	to skip school
scuola pareggiata	accredited private school
andare a scuola di	to take lessons in

ESPRESSIONI UTILI NEL LAVORO.

fare la domanda	to apply
fare lo straordinario	to work overtime
sono disoccupato/a	I am unemployed
lavora in proprio	he/she is self-employed
fa il suo dovere	he/she does his/her duty
sono al verde	I am broke (*lit.* I am in the green)
fa mezza giornata	he/she works half a day, part-time
è aggiornato	he is up to date
...mi fa uscire pazzo/a	... drives me crazy
...ha la spintarella	... has connections (*lit.* has a little push)
è stato licenziato	he was fired
è stato assunto	he was hired
costi quel che costi...	whatever it takes ...
non se la prenda a male	don't take it the wrong way
squagliarsela	to duck out
avere qualcuno sullo stomaco	to dislike someone deeply

A VOI LA PAROLA

A. Completate le seguenti frasi usando un'espressione adatta.

1. Devo fare il ripasso perché domani...
2. A lezione, mentre il professore ... gli studenti...
3. A Sergio piace molto la musica e nel pomeriggio ... di pianoforte.
4. In primavera, quando le giornate sono belle, a molti studenti piacerebbe...
5. Rosa deve lavorare durante il giorno quindi frequenta ... per prendere il diploma.
6. Questo *week-end* rimango a casa a studiare perché ... con le lezioni e non vorrei ... al prossimo esame.

B. Rispondete alle seguenti domande.

1. Come vi sentite quando dovete dare un esame? Perché?
2. Vi siete mai dati per vinti? In quale situazione?
3. Quando vi preparate per gli esami, studiate da soli o preferite fare il ripasso con compagni? Spiegate le vostre ragioni.
4. Vi siete mai trovati indietro con le lezioni? Perché? Cosa avete fatto?

C. Completate le seguenti frasi in modo che il significato dell'espressione indicata sia chiaro.

1. Alla fine della settimana <u>sono sempre al verde</u> perché...
2. Un mio amico <u>fa lo straordinario</u> tre giorni la settimana perché...
3. Fiorella preferisce <u>lavorare in proprio</u> perché...
4. Ieri Silvano <u>è stato licenziato</u> perché...
5. Penso che Lucio <u>abbia qualche spintarella</u> perché...

D. Riscrivete la frase sostituendo l'espressione indicata con parole vostre.

1. Non riesco proprio a lavorare con il mio collega, <u>l'ho proprio sullo stomaco</u>!

2. Se ho bisogno di qualche informazione chiedo sempre a Marisa; lei è sempre aggiornata!
3. Questo problema mi fa proprio uscire pazzo, non riesco a risolverlo!
4. Sia a scuola che al lavoro ognuno deve fare il proprio dovere.
5. Cara Laila, non te la prendere a male ma questa volta hai proprio sbagliato.

E. Servendovi di almeno cinque delle «espressioni utili», scrivete un dialogo originale fra due colleghi di lavoro.

VOCABOLARIO

SOSTANTIVI

agenzia di viaggi	travel agency
attitudine (f.)	aptitude
cambiamento	change
cartella	briefcase
edificio	building
fine (m.)	goal, purpose
grembiule (m.)	apron, smock worn by elementary school pupils
impiegato/a	employee
impiego	employment
insegnante (m. e f.)	teacher
marca	brand
materia	subject
palazzo	building
scolaro/a	pupil

AGGETTIVI

disoccupato	unemployed
divertente	amusing
diviso	divided
gratuito	free
impiegato	employed
obbligatorio	compulsory
rigido	strict, inflexible
sconosciuto	unknown, foreign
seguente	following

VERBI

abituarsi (a)	to become used to
aggiungere	to add
assumere	to hire
cambiare	to change
cominciare	to begin
durare	to last
fare finta di	to pretend to
frequentare	to attend, to associate with (people)
iscriversi (a)	to enroll in, to sign up for
lasciare	to leave
occuparsi (di)	to take care of, to be interested in
regalare	to give as a gift
riguardare	to concern
risiedere	to reside, to live (in a city or country)
scegliere	to choose
sentire	to hear, to feel
superare	to pass (an exam)

ESPRESSIONI

addirittura	even
ad eccezione di	except for, with the exception of
fin da	beginning with, starting from
inoltre	moreover
quasi	almost
quindi	therefore

PER CHIUDERE IL DISCORSO

A. L'intrusa. In ogni gruppo di parole trovate quella che non è in relazione con le altre e spiegate il perché.

1. cartella	penna	quaderno	fazzoletto
2. francese	matematica	calcio	fisica
3. scolaro	operaio	studente	insegnante
4. iscriversi	prendere appunti	regalare	frequentare
5. dare un esame	studiare	fare il ripasso	correre
6. medicina	farmacia	avvocato	psicologia

B. Positivo-negativo. Secondo il modello, formate l'opposto delle seguenti parole. Usate ognuna in una frase originale.

positivo	negativo
1. gratuito	a pagamento
2. aggiungere	______________
3. frequentare	______________
4. cominciare	______________
5. sconosciuto	______________
6. abbiente	______________
7. prendere in affitto	______________

C. Date un sinonimo o la definizione delle seguenti parole.

1. mestiere
2. informatica
3. località
4. azienda
5. dirigente
6. liceo
7. sede
8. aspirante
9. coniugi
10. frequentare

D. La giornata dello studente. Accanto alle ore indicate, completate la frase con l'attività più appropriata.

Mattino:
1. Alle sette...
2. Alle nove...
3. Alle dieci e mezza...
4. Alle undici e mezza...
5. A mezzogiorno...

Pomeriggio:
1. Alle due...
2. Alle tre e mezza...
3. Alle cinque...

Sera:
1. Alle sei...
2. Alle sette e mezza...
3. Alle nove...
4. Alle dieci...
5. A mezzanotte...

E. Cosa ci farei... Indicate cosa potete fare con le seguenti cose.

1. computer
2. macchina da scrivere
3. cartella
4. libro
5. vacanza o vacanza-studio
6. borsa di studio
7. attestato universitario
8. richiesta di lavoro
9. impiego
10. laurea in lingue

F. Fate finta di avere di essere impiegato a tempo pieno e descrivete la vostra giornata in un breve componimento. Cominciate con «Mi alzo a...» e terminate con «Vado a dormire...».

CAPITOLO II

Sezione: A casa
Sezione: Lo sport
Sezione: Quando tramonta il sole

Relax all'italiana

Rilassarsi! Il ritmo[1] della vita oggi è molto più rapido e non offre molte opportunità per rilassarsi né per distrarsi. Si va da casa a scuola, da scuola al lavoro, poi di nuovo a casa per mangiare, studiare ed infine andare a dormire. Il giorno dopo ci si alza per cominciare un'altra giornata uguale a quella precedente. Eppure[2] tutti sanno quanto è importante rilassarsi, ed anche i medici lo raccomandano sempre di più.

INTAVOLIAMO IL DISCORSO

1. Cosa significa per voi «rilassarsi»? Vi sentite spesso tesi? Quando? Cosa fate per rilassarvi? Elencate le vostre attività preferite. Per voi è più piacevole rilassarvi da soli o in compagnia di altri? Perché? In quali occasioni pensate che sia preferibile rilassarsi da soli? In quali è preferibile rilassarsi in compagnia?
2. Siete rimasti senza elettricità, quindi niente tivù, niente videocassette e niente videogiochi. Fate un elenco di attività possibili per tenervi occupati e per combattere la noia.
3. Ha fatto una grande nevicata (*snowstorm*), non potete uscire di casa per almeno tre giorni (quindi, niente amici) e... avete lasciato tutti i vostri libri a scuola! Cosa fareste per tenervi occupati?

IN POCHE PAROLE

Come si rilassano gli italiani? Quali sono i loro svaghi, passatempi, hobby? Come occupa l'italiano gli spazi di tempo libero[3] che trova nella giornata? Cosa fa per rilassarsi, per distrarsi, per tenersi informato[4]? Vediamo un momento insieme alcune delle attività che possono riempire il tempo libero degli italiani.

Nelle ore libere trascorse a casa, c'è il giornale, un buon libro, i giochi di famiglia (sempre più rari!), l'hobby personale, che comincia a guadagnare terreno anche se molto lentamente, e infine la televisione che, da moltissimi anni, ha ormai invaso tutte le case italiane.

Per quanto riguarda lo sport, gli italiani tendono ad essere più tifosi[5] che sportivi[6]. Quali sono gli sport che essi preferiscono? Il calcio[7], ovviamente, occupa il primo posto; questo è seguito poi a lunga distanza[8] dalla pallacanestro[9], dal ciclismo[10], dall'automobilismo e dal motociclismo[11]. Quali sono gli sport che gli italiani preferiscono praticare? Di nuovo, e ovviamente, il calcio occupa il primo posto. Seguono, con interesse quasi uguale, il tennis, il nuoto e gli sport invernali.

Fra le attività serali fuori casa c'è il cinema, che in questi ultimi anni diminuisce sempre di più in popolarità, probabilmente a causa dei videoregistratori e delle videocassette che oggi si trovano in più della metà delle case italiane. Fra i molto giovani, ma anche per i trentenni[12], una delle attività preferite, particolarmente d'estate, è la discoteca. L'Italia è il paese europeo che ha il maggior numero di discoteche: più di 7.000 locali sparsi[13] per tutta la penisola. Può sembrare incredibile, ma gli italiani spendono più di 2.000 miliardi di lire (*appr. 1.5 billion dollars*) all'anno per il ballo[14].

L'italiano, come anche gli spagnoli ed i latinoamericani, è per natura un essere gregario: ama la compagnia, la conversazione (che spesso diventa discussione e dibattito amichevole) e quelle attività che si prestano ai piaceri della conversazione. Fra queste, la più frequente è la pausa al bar per prendere una tazzina di caffè con un amico, un collega, un compagno di scuola o anche con il semplice conoscente[15] che si è appena incontrato sul marciapiede. In qualunque ora della giornata, se entriamo in un bar possiamo vedere uomini e donne, in piedi, al banco[16] o seduti al tavolino, che conversano mentre prendono un caffè. In Italia ci sono più di 150 mila bar, senza includere quelli che si trovano nei ristoranti, negli alberghi, nelle stazioni e aeroporti, e quelli dei nightclub. Basta fare una

---

[1] pace
[2] yet

[3] free time available
[4] keep informed
[5] fans
[6] sportsmen
[7] soccer
[8] far behind
[9] basketball
[10] bicycle racing
[11] automobile and motorcycle racing
[12] those in their thirties
[13] scattered
[14] dance
[15] acquaintance
[16] counter

breve passeggiata per le strade di una città italiana; da un lato o dall'altro della strada si è sicuri di incontrare un bar (o caffè) ogni due o tre isolati. Anche i piccoli centri e i paesi avranno almeno un paio di caffè nella piazza principale ed altri sparsi nel paese. È stato calcolato che l'italiano spende per il caffè al bar più di 10.000 miliardi di lire (*appr. 10 billion dollars*) l'anno.

IN ALTRE PAROLE

A. Rispondete alle seguenti domande basate sul brano precedente.

1. Come si distraggono in casa gli italiani? Gli «hobby» sono popolari? Quale sembra essere uno dei passatempi più popolari?
2. Sono molto sportivi gli italiani? Qual è il loro sport preferito? Quali sono alcuni degli sport che essi praticano?
3. Cosa fanno gli italiani per divertirsi di sera? Cosa si va a fare in una discoteca? Ce ne sono molte in Italia? Perché gli italiani vanno al bar? Cosa prendono? Ci vanno da soli? Dove si può trovare un bar?

B. In base alla lettura, completate le seguenti frasi con l'informazione adatta.

1. Gli italiani sono più ....
2. ... è lo sport preferito dagli italiani.
3. Adesso il cinema è....
4. Le discoteche sono per....
5. In Italia le discoteche si trovano....
6. L'italiano è una persona....
7. Prendere un caffè al bar è una scusa per....
8. L'italiano va al bar con....

A VOI LA PAROLA

1. Secondo voi qual è il passatempo preferito degli americani? Qual è il vostro passatempo preferito?
2. Spiegate perché la tivù è così popolare.
3. Qual è lo sport nazionale del vostro paese? Quando si gioca? Dove si gioca? Secondo voi qual è lo sport più interessante? Il più difficile? Qual è lo sport più pericoloso? Quali sono i vantaggi del praticare un'attività sportiva?
4. Gli americani sono esseri gregari? Come lo manifestano? Amano la conversazione? Hanno un luogo preferito per conversare con un amico o con un'amica? Ci sono locali negli Stati Uniti adatti per incontrarsi con gli amici e conversare? Quali sono gli argomenti preferiti dei giovani?

SEZIONE: A casa

Il divertimento in casa rimane sempre il più economico ed offre anche la possibilità di usare la propria immaginazione.

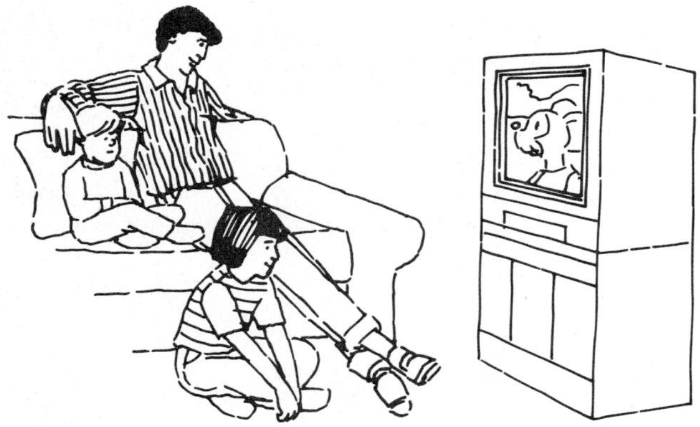

INTAVOLIAMO IL DISCORSO

A. Rispondete alle seguenti domande.

1. In quali occasioni preferite rilassarvi facendo qualcosa in casa? Quando, invece, preferite uscire con gli amici?
2. Quali sono alcune cose che possiamo fare per combattere la noia? Fatene un elenco spiegando le vostre preferenze e i vantaggi di ognuna. Confrontate con le attività elencate dai vostri compagni e discutete le rispettive preferenze.

B. Usiamo un po' d'immaginazione!

Spiegate cosa potreste fare per distrarvi se aveste mezz'ora di tempo libero e uno dei seguenti oggetti a disposizione.

1. un foglio di carta
2. una scatola di fiammiferi
3. alcune monetine (*coins*) in tasca
4. un pezzo di spago (*string*)
5. un pezzo di gesso
6. una matita senza punta
7. una lampada
8. niente/altro oggetto a scelta

Quando si è soli e si desidera un po' di pace, c'è sempre il giornale.

Forse non tutti sanno che il primo giornale, che allora si chiamava «gazzetta», uscì[1] a Venezia nel 1554 e consisteva di pochi fogli scritti a mano. Agli inizi del 1600 uscirono le prime gazzette a stampa[2], e nel 1700 la «Gazzetta Veneta» fu il primo giornale a includere la pubblicità. A proposito di gazzetta, sapevate che il nome probabilmente viene dalla moneta veneziana che si pagava per comprare questi primi fogli pubblicati?

Oggi, in Italia si pubblicano una ottantina di giornali quotidiani[3], circa 20 di questi sono nazionali. Alcune delle testate[4] principali sono «La Stampa» di Torino, «Il Corriere della Sera» di Milano, «Il Mattino» di Napoli, «Il Tempo» e «Il Messaggero» di Roma. Inoltre, fra i tanti giornali pubblicati c'è anche la stampa di partito. Questi sono giornali affiliati con i vari partiti politici e ovviamente pubblicano le notizie presentate secondo la prospettiva di quel particolare partito. Tra i principali, il più diffuso per numero di vendite è «L'Unità», quotidiano del PDS (Partito Democratico della Sinistra) poi vengono «Il Popolo» della DC (Democrazia Cristiana), «L'Avanti» del PSI (Partito Socialista Italiano) e «Il Secolo d'Italia» del MSI (Movimento Sociale Italiano).

Malgrado la grande scelta di giornali nazionali, regionali, sportivi e di partito, l'italiano in generale non è un lettore assiduo. Secondo alcune statistiche recenti, il 22 per cento della popolazione non legge nulla, né libri né giornali; soltanto un italiano su nove compra un quotidiano. Una ragione possibile di questo fenomeno è forse da cercare nello stile e nel linguaggio dei principali giornali. Il giornalista italiano non si preoccupa soltanto di dare la notizia, ma si preoccupa anche dello «stile» in cui egli scrive. L'articolo di politica e di economia, e in particolar modo l'articolo di fondo[5] sono scritti quasi sempre in uno stile elaborato e quasi letterario. Il risultato è che il lettore medio può esserne spesso confuso ed anche annoiato. Per le notizie e per tenersi aggiornato[6] preferisce, quindi, la radio o la televisione.

In questi ultimi anni sta aumentando, invece, la diffusione di giornali locali ed anche di quelli sportivi. Questi sono sempre scritti in uno stile molto più semplice e sono alla portata di tutti i lettori.

---

1 was published
2 printed
3 daily
4 titles
5 editorial
6 keep informed

VEDIAMO INSIEME

1. Cos'è un «quotidiano»? Quali sono i titoli di alcuni giornali italiani? Nella vostra città si vendono giornali italiani? Dove? Ne avete mai comprato uno? Quanto costano? Trovate che sia facile o difficile leggerlo?
2. Cosa sono i giornali di partito? Nominatene qualcuno. Quali notizie si trovano in un giornale di partito? Quale punto di vista riflettono? Conoscete qualche giornale di questo tipo in lingua inglese? Quale? Lo leggete voi? Perché?

IN ALTRE PAROLE

Studiate l'indice riportato in basso e dite in quale sezione del giornale e a quale pagina potete trovare le informazioni di cui avete bisogno nei seguenti casi. Volete...

1. sapere chi ha vinto la partita di calcio.
2. sapere a quanto è il cambio del dollaro.
3. vedere l'ultimo film con Kevin Costner.
4. sapere a che ora è il documentario su Venezia.
5. leggere la critica dell'ultimo libro di Umberto Eco.
6. sapere cosa succede nel mondo.
7. sapere cosa succede nella vostra città.
8. andare con amici in una discoteca.
9. sapere come vi andrà la giornata.
10. cercare un nuovo lavoro.

Politica interna	pgg. 6–9
Politica estera	pgg. 11–15
Cronaca	pgg. 17–20
Il tempo di oggi	pg. 20
Lo sport	pgg. 23–25
Automotori	pgg. 26–27
Cultura	pgg. 28–31
Radio e Televisione	pgg. 32–33
Spettacoli	pgg. 34, 38
Cinema	pgg. 34–35
Economia	pgg. 36–41
Oroscopo	pg. 32
Guida ai divertimenti	pg. 42
Annunci pubblicitari	pgg. 43–44

IN REDAZIONE

1. Scrivete un articolo di fondo su un avvenimento recente.
2. Scrivete una critica di un film o di un nuovo programma televisivo.

A VOI LA PAROLA

1. Quali sono i più importanti giornali americani, quelli che hanno distribuzione nazionale? Qual è il vostro giornale preferito? Lo leggete spesso? Quali notizie vi interessano di più? Elencate almeno cinque o sei informazioni che si possono trovare in un giornale.

2. In base alla lettura precedente, che impressione avete della stampa (*press*) italiana? Quali sono alcune differenze fra questa e quella americana? Secondo voi, in un articolo di giornale è più importante il fatto o lo stile in cui questo è presentato? Spiegate le vostre ragioni.

MINIDRAMMA

Con uno o più compagni di classe presentate una delle seguenti situazioni.

1. Tra poco ci saranno le elezioni locali e voi intervistate un candidato per conoscere la sua posizione riguardo il problema ecologico.
2. È avvenuto un furto: un giornalista interroga alcuni testimoni e le vittime.

In automobile, in metropolitana, mentre facciamo un po' di footing, o semplicemente per rilassarci, ma anche distrarci, in casa o in giardino ad occhi chiusi, c'è sempre la radio.

LA RADIO

RADIO 1

Giornali radio: 6, 7, 8, 10, 12, 13, 14, 15, 17, 19, 21, 23

6,11 Oggi è un altro giorno **6,40** Bolmare **6,45** Ieri al Parlamento **7,20** GR regione **7,30** GR1 lavoro **7,40** Come la pensano loro **8,40** Chi sogna chi chi sogna che **9,00** Radio anch'io '92 **10,30** Inonda **11,00** GR1 - Spazio aperto **11,15** Tu lui i figli e gli altri **12,04** Ora sesta **12,50** Tra poco stereorai **13,20** Alla ricerca dell'italiano perduto **13,47** La diligenza **14,04** Oggi avvenne **14,28** Stasera dove **15,03** Sportello aperto **16,00** Il paginone **17,04** Padri e figli **17,27** On the road **17,58** Mondo camion **18,08** Radioboy **18,30** 1993: Venti d'Europa **19,15** Ascolta, si fa sera **19,20** GR 1 mercati **19,25** Audiobox **20,30** East west cost **21,01** Serata d'Autore **22,44** Bolmare **22,49** Oggi al Parlamento **23,09** La telefonata

RADIO 2

Giornali radio: 6.03, 6,30, 7,30, 8,30, 9,30, 11,30, 12,30, 13,30, 15,30 16,30, 17,30, 18,30, 19,30, 22,30

6,00 Il buongiorno di Radiodue **8,06** Radiodue presenta **8,46** Simone Weil **9,07** A video spento **9,49** Taglio di terza **10,13** La patata bollente **10,31** Radiodue 3131 **12,10** GR regione **12,50** Impara l'arte **14,15** Programmi regionali **15,00** Peter Pan **15,40** Bolmare **15,48** Pomeriggio insieme **18,35** Appassionata **19,55** Questa o quella **20,30** Dentro la sera **22,19** Panorama parlamentare

RADIO 3

Giornali radio: 6,45, 8,45, 11,45, 13,45, 15,45, 18,45, 20,45, 23,15

6,00 Preludio **7,10** Calendario musicale **7.30** Prima pagina **8.30** Alla scoperta di Colombo **9,00** Concerto del mattino **10,00** Fine secolo **12,00** Il club dell'opera **13,15** Il puro e l'impuro **14,05** Diapason **16,00** Palomar **17,00** Scatola sonora **17,30** Terza pagina **19,15** DSE - C'era una volta **21,00** Radiotre suite **22,30** Blue note **23,35** Il racconto della sera

STEREORAI

Giornali radio: 15,30, 16,30, 17,30, 19, 20,30, 21,30, 23, 24, 5.45

13,20 Stereopiù **18,56** - 22,57 Ondaverde **19,15** Classico **21,00** Stereodrome **24,00** Musica e notizie

RADIO VERDE RAI

12,50 - 23,58 Programma con musica, aggiornamenti sul traffico e notizie.

NOTTURNO ITALIANO

Giornali radio: 24, 5,45. Notiziari in lingua italiana, francese, inglese, tedesca alle ore: 1, 2, 3, 4, 5,

23,31 Aspettando mezzanotte - I fatti, le voci, le musiche di un giorno nuovo

ONDAVERDE

Per viaggiare informati.

Radiouno: 6,08, 6,56, 7.56, 9,56, 11,57, 12,56, 14,57, 16,57, 18,56, 20,57, 22,57

Radiodue: 6,27, 7,26, 8,26, 9,26, 10,12, 11.27, 13,26, 15,27, 16,27, 17,27, 18,27, 19,26, 21,27, 22.27

Radiotre: 6,42, 8,42, 11,47, 18,42

Trasmissioni regionali: 12,24, 14,24, 14,54

Notturno italiano e Stereorai: 00,30, 05,42

Radio Verde Rai: 13,05, 13,31, 14,05, 15,05, 15,37, 16,05, 17,05, 17,31, 18,05, 18,31, 21,05, 22,01.

VEDIAMO INSIEME

A. Secondo voi, quale dei programmi per la giornata preferirebbero ascoltare delle persone che s'interessano ai seguenti argomenti (indicate anche l'ora e la stazione)? Spiegate la vostra scelta.

1. politica
2. condizioni del traffico
3. storia
4. notizie regionali
5. musica classica
6. trasmissioni stereofoniche
7. opera

B. Secondo voi, di che cosa tratteranno i seguenti programmi:

1. 1993: Venti d'Europa
2. Appassionata
3. La patata bollente
4. Alla ricerca dell'italiano perduto
5. Calendario musicale
6. Scatola sonora
7. Mondo camion
8. Blue note
9. Fine secolo
10. Come la pensano loro

A VOI LA PAROLA

1. Quale di queste stazioni radio preferireste ascoltare? Perché? Chi ascolterebbe «Notturno italiano»? Descrivete il tipo di persona. Chi ascolterebbe la stazione «STEREORAI»?

2. Quando ascoltate la radio voi? Qual è la vostra stazione preferita? Dove vi piace essere quando ascoltate la radio? Perché?

3. Indicate quale tipo di musica (classica, sinfonica, opera, rock, folk, jazz, disco) vorreste ascoltare nelle seguenti situazioni. Spiegate le vostre preferenze.

   a. alla spiaggia
   b. in giardino
   c. da soli in camera vostra
   d. da soli in una camera sonorizzata (*soundproof*)
   e. mentre studiate
   f. con amici o con amiche

Se ci sentiamo soli e abbiamo bisogno di comunicare con qualcuno c'è «Radiorai».

lasciati ascoltare, *let yourself be listened to*
sintonizzati, *tune in*
vai in onda tu, *you are on the air*

VEDIAMO INSIEME

Rispondete alle seguenti domande.

1. Cosa rappresenta la sigla «RAI»?
2. Chi può ascoltarci alla radio?
3. Secondo voi di che cosa parlerà un politico? Un giornalista? Un esperto medico?
4. Di che cosa si può parlare a «RADIORAI»?
5. Cosa vuol dire lo slogan «Quando la radio ti ascolta...»?
6. Su che cosa bisogna sintonizzarsi?
7. Cosa significa «questa volta vai in onda tu»?

A VOI LA PAROLA

1. A quale genere di programmi si riferisce questa pubblicità? Come fa la radio ad ascoltarci? Ci sono programmi del genere nella vostra città? Li ascoltate? Hanno un nome particolare? Quale stazione li trasmette? Descrivetene il contenuto e il tipo di ascoltatori. Pensate che questi programmi siano utili? Divertenti? Perché? Per chi?
2. Avete mai telefonato ad una stazione radio? Vi piacerebbe farlo? Perché? In quale occasione? Quali argomenti vorreste discutere? Con chi? Pensate che lo slogan «lasciati ascoltare dalla radio» possa colpire il lettore? Perché?
3. Basandovi sulla pubblicità precedente, create un piccolo inserto pubblicitario per un vostro programma radio.

Per ascoltare in libertà senza dare fastidio...

fili, *wires*
cuffia, *earphones*
fili penzolanti, *dangling wires*
sfruttando, *taking advantage of*
impaccio, *hindrance*
impianto, *sound system*
piuma, *feather*
scatenarti, *let yourself go*
impigliato, *tangled*

VEDIAMO INSIEME

1. A che cosa serve la cuffia Sony? Con quali apparecchi si può usare? Come funziona questa cuffia?
2. Quali vantaggi può offrire?
3. È scomoda la cuffia Sony? Pesa molto?
4. Com'è la qualità del suono trasmesso?

A VOI LA PAROLA

1. Perchè la cuffia dovrebbe chiamarsi «Miracolo»? Cosa vuole dire? Secondo voi perchè uno può «scatenarsi» al suono della musica pop? Come è la musica pop?
2. Quando ascoltate la musica o guardate la tivù usate una cuffia? Sempre o in occasioni particolari? In base a quello che dice la pubblicità comprereste una cuffia Sony? Perché? Spiegate le vostre ragioni. Secondo voi quali sono i relativi vantaggi e svantaggi di una cuffia per ascoltare la radio, la tivù o la musica in generale?

NOTA CULTURALE: La TV in Italia

Il sistema televisivo italiano è alquanto[1] differente da quello americano. Quasi tutte le stazioni televisive americane sono private; poi ci sono le cosiddette stazioni «pubbliche» che sono finanziate in gran parte da contributi offerti dalle industrie, dalle fondazioni e dagli stessi telespettatori. In Italia, invece, ci sono tre canali televisivi nazionali che sono finanziati dal governo: «Raiuno», «Raidue» e «Raitré». Poi ci sono alcune reti[2] nazionali private

[1] somewhat
[2] networks

Circuiti Nazionali

RETEQUATTRO

8.00 **BUON GIORNO AMICA**
8.05 **COSI' GIRA IL MONDO** - Telenovela
8.30 **LA VALLE DEI PINI** - Teleromanzo
9.40 **UNA DONNA IN VENDITA** - Telenovela
10.30 **CARI GENITORI** - Condotto da Sandra Milo
11.30 **STELLINA** - Telenovela
12.00 **CIAO CIAO** - Cartoni animati
13.40 **BUON POMERIGGIO** - Con Patrizia Rossetti
13.45 **SENTIERI** - Teleromanzo

14.45
15.15
15.45
16.30
17.05
17.50
18.00
18.25
19.00
19.40
20.30

canale 5

7.00 **PRIMA PAGINA**
8.30 **ARNOLD** - Telefilm
9.00 **SABATO 5** - Rubriche
10.45 **NONSOLOMODA** - Settimanale di attualità
11.15 **ANTEPRIMA** - Conduce Fiorella Pierobon
11.50 **IL PRANZO E' SERVITO** - Conduce Claudio Lippi
12.40 **CANALE 5 NEWS**
12.45 **NON È LA RAI** - Condotto da Enrica Bonaccorti

14.30
15.00
15.30
16.00
16.10
16.45
17.50
18.00
18.55
19.40
19.45

ITALIA 1

6.30 **CIAO CIAO MATTINA** - Cartoni
8.27 **METEO**
8.30 **STUDIO APERTO**
9.05 **SUPER VICKY** - Telefilm
9.30 **CHIPS** - Telefilm
10.30 **MAGNUM P.I.** - Telefilm
11.27 **METEO**

11.30
11.45
13.45
14.45
16.30
17.30
18.00
18.27
18.30
19.00
20.00

TMC TELEMONTECARLO

7.30 **CBS NEWS** - Edizione originale
8.00 **CBS NEWS** - Replica
8.30 **TM SCI - Pianeta neve. Replica**
9.15 **BATMAN** - Telefilm
9.50 **SCI: ST. ANTON.** Slalom speciale maschile - 1. manche
10.45 **SOCIETA' A IRRESPONSABILITA' ILLIMITATA**
11.25 **L'IMPAREGGIABILE LADY GOMMA** - Cartoni
12.00 **CRONO** - Tempo di motori (replica)
12.50 **SCI: slalom speciale maschile** - 2. manche. In diretta da St. Anton, Coppa del mondo
13.45 **SPORT SHOW** - Rotocalco sportivo. Condotto da Marina Sbardella
17.15 **LE AVVENTURE DI GERARD** - Film (1970). Con Peter Mcenery, Claudia Cardinale, Eli Wallach. Regia di Jerzy Skolimowski
19.00 **MONDOCALCIO** - Settimanale di calcio condotto da Luigi Colombo
20.00 **TMC NEWS - Telegiornale**
20.30 **I.T. - INCONTRI TELEVISIVI** -

ODEON

13.00 **NAUTICAL SHOW**
13.30 **REPORTER ITALIANO** - Replica
14.00 **AMERICAN BALL** - Replica
14.30 **STORMQUEST** - Film (1985). Regia di Alex Sessa. Con Brent Huff, Kal Baker
16.00 ▼ **LA CROCE DI FUOCO** - Film (1947). Regia di John Ford. Con Henry Fonda, Dolores Del Rio
18.00 **AUTOMAN** - Telefilm
19.30 **FIORI DI ZUCCA** - Cartoni animati
20.00 **BIANCANEVE A BEVERLY HILLS** - Telefilm

TELE 3

(ogni due ore fino alle 23)
1.00 **BANDITO SI'... MA D'ONORE** - Film (1962). Di Jean Cherasse, con Louis De Funès

ITALIA 7

13.45 **USA TODAY** - News
14.00 **ASPETTANDO IL DOMANI** - Teleromanzo
14.30 **IL MAGNATE** - Teleromanzo
17.20 **SETTE IN ALLEGRIA** - Cartoni
18.50 **I RAGAZZI DEL SABATO SERA** - Telefilm
19.30 **O'HARA** - Telefilm
20.30 **MACISTE NELLE MINIERE DI RE SALOMONE** - Film (1964). Di Martin Andrews, con Reg Park, Dan Harrison
22.20 **SHANE** - Telefilm
23.20 **BUG INSETTO DI FUOCO** - Film (1975) - Di Jeannot Szwarc, con Bradford Dillman, Joanna Miles

RETE A

19.30 **CHECK UP AMBIENTE**
20.00 **NEON. LUCI & SUONI** - Programma settimanale di Musica e Cinema
20.30 **SEMPLICEMENTE MARIA** - Telenovela
21.15 **INCATENATI** - Telenovela
22.00 **SENTIERI DI GLORIA** - Telenovela
22.30 **NEON. LUCI & SUONI**

come «Canale 5», «Italia Uno» e «Retequattro»; ed infine in ognuna delle città principali, come Roma, Napoli, Milano, ci sono anche varie stazioni private che sono finanziate esclusivamente dalla pubblicità.

Sui canali nazionali come «Raiuno», la pubblicità è limitata ed è quasi sempre trasmessa negli intervalli fra un programma e l'altro. Sulle tivù private, invece, la pubblicità è molto frequente e interrompe più volte un programma. Non è raro che sui canali locali ci sia un'interruzione pubblicitaria[3] ogni quattro o cinque minuti e che questa duri anche più di uno o due minuti.

Un'altra differenza notevole fra il sistema televisivo italiano e quello americano è il pagamento del canone[4]. Questo è una tassa annua che gli italiani devono pagare su ogni televisore che possiedono; questa tassa serve a finanziare in parte le tre reti televisive nazionali.

---

[3] commercial break
[4] fee, tax

Per essere ben informati sui programmi del giorno abbiamo bisogno di...

---

telespettatori, *viewers*
in un'ottica nuova, *from a new perspective*
pregi, *merits*
consiglia e sconsiglia, *advises and advises against*

VEDIAMO INSIEME

Che cosa è Zapping? Perché ha quel nome? In quale giornale possiamo trovarlo? A che cosa serve? Quali informazioni ci dà? Cosa vuol dire lo slogan «La guida che cambia la TV»? Spiegate.

A VOI LA PAROLA

1. Vi servite sempre di una guida TV o preferite fare un po' di «zapping»? Perché? In quali occasioni preferite l'uno o l'altra? Quale guida consultate, quella dei giornali o ne comprate una settimanale? Spiegate i vantaggi dell'una o dell'altra.
2. Come si chiamano alcune guide TV in vendita dove vivete voi? Ne conoscete qualcuna con un nome interessante? Cosa pensate del nome «Zapping»? Potete suggerire un altro nome che attiri l'attenzione?

Oggi in tivù.

28 VENERDI

FEBBRAIO

GLI ANGELI CON LA FACCIA SPORCA

ODEON, 16.30

Due monelli, Jerry e Rokey, compiono un furtarello. Sorpresi, scappano, ma Rokey viene acciuffato e finisce in riformatorio. Uscitone dopo alcuni anni, si avvia sulla strada della delinquenza. Dopo varie vicissitudini ritrova Jerry, divenuto parroco del suo vecchio quartiere. Jerry tenta più volte inutilmente di strappare Rokey alla malavita. Proprio alla fine gli darà ragione con un ultimo gesto. ●●★★★

ROBOCOP

ITALIA UNO, 20.30

Film duro e di innegabile violenza, infarcito di crudeli uccisioni e raccapriccianti efferatezze, in cui l'eroe Murphy, insolito bionico di un futuro ormai vicinissimo, agisce sia come un automa zeppo di sofisticati e sensibili aggeggi, che come un cavaliere medievale che sotto la corazza nasconde filamenti di memoria e di sentimento. Affascinanti gli effetti speciali, resi ancora più coinvolgenti da un ritmo narrativo senza cedimenti. ●●★★

ACQUE DI PRIMAVERA

RAIDUE, 4.20

Un giovane medico viene abbandonato dalla moglie che lo accusa di trascurarla per i suoi pazienti. Lui si ritira a vivere in montagna dove fonda un sanatorio per bambini. Un giorno soccorre due sciatori travolti dalla bufera: la donna è sua moglie ed è pure incinta. Lasciata dall'occasionale compagno, la donna trova la forza di andarsene per crescere da sola la sua creatura restituendo all'uomo la libertà. ●●●★★

LA VITA CHE HO SOGNATO

RAITRE, 5.25

Boots Malone, allenatore di fantini, versa in cattive acque dopo la morte del suo miglior allievo. Per caso incontra Kid, un ragazzo fuggito dal collegio proprio per seguire la sua passione per i cavalli. Tra i due nasce una solida amicizia, ma quando il giovane sta per esordire in pista una miliardaria lo riconosce come suo figlio e se lo porta via. Il ragazzo tuttavia ci ripensa e fuggito dal treno torna indietro. Sarà lui a vincere. ●●●★★★

RAIUNO

06.55 **Unomattina.** Regia di P. Satalia
—.— **Tg1 mattina** (ore 7, 8, 9, 10 e 11)
07.30 Da Milano: **TgR economia**
10.05 **Unomattina economia**
10.15 **Ci vediamo**
11.55 **Che tempo fa**
12.00 **Piacere Raiuno.** Con Gigi Sabani, Toto Cutugno ed Elisabetta Gardini (1ª parte)
12.30 **Tg1 flash**
12.35 **Piacere Raiuno**
13.30 **Telegiornale**
13.55 **Tg1 - Tre minuti di...**
14.00 **Piacere Raiuno.** "Giochi"
14.30 Per i più piccini: **L'albero azzurro**
15.00 **Battelli su fiumi lontani**
16.00 **Big!** Varietà per ragazzi con giochi, cartoni e informazioni. Regia di Adolfo Lippi
17.30 Da Genova: **atletica leggera.** Campionati europei indoor
17.55 **Oggi al Parlamento**
18.00 **Tg1 flash**
18.05 **Vuoi vincere?** Conduce Laura D'Angelo
18.30 **Ora di punta.** Con Federico Fazzuoli e Mara Venier
19.35 **Una storia.** Conduce Enzo Biagi
19.50 **Che tempo fa**
20.00 **Telegiornale**
20.40 Da Sanremo Pippo Baudo conduce: **42° Festival della canzone italiana.** Con Milly Carlucci (3ª serata)
23.00 **Tg1 - Linea notte**
23.15 **Dopofestival.** Regia di Luigi Martelli
00.15 **Tg1 notte - Che tempo fa**
00.45 **Oggi al Parlamento**
00.55 **Mezzanotte e dintorni**
01.15 **Australia.** A cura del DSE
01.45 **Tg1 - Linea notte**
02.00 **Una triste stagione d'amore.** Film di E. Molinaro ●●★★
05.15 **Tg1 - Linea notte**
05.30 **Divertimenti.** "Comiche"
06.05 **Missione di morte.** Film di Edward Dmytryk ●●★★ (1° tempo)

RAITRE

11.30 **Giochi invernali della gioventù**
12.00 **Il circolo delle 12**
12.05 Da Milano: **Tg3**
14.00 **TgR - Telegiornali regionali**
14.30 **Tg3 pomeriggio**
15.45 Da Montignoso: **ciclismo**
16.30 Da Modena: **pallamano**
17.30 **Tg3 - On the road**
18.45 **Tg3 Derby - Meteo 3**
19.00 **Tg3**
19.30 **TgR - Telegiornali regionali**
19.45 **Il portalettere**
20.25 **Una cartolina spedita da A. Barbato**
20.30 **Chi l'ha visto?** Con A. Graziottin
22.30 **Tg3 - Ventidue e trenta**
22.45 **La chiave.** Film (1983) di Tinto Brass con Stefania Sandrelli ●★
00.45 **Tg3 - Nuovo giorno - Meteo 3**
05.25 **La vita che ho sognato.** Film (1952) di William Dieterle con William Holden ●●●★★★

RAIDUE

07.00 **Piccole e grandi storie**
07.55 Per i più piccini: **L'albero azzurro**
10.00 **L'arte di arrangiarsi.** Film (comm. 1954) di Luigi Zampa con Alberto Sordi ●●●★★★
11.50 **Tg2 flash**
13.00 **Tg2 - Ore tredici**
13.20 **Tg2 economia**
13.30 **Tg2 - Trentatré - Meteo 2**
13.45 **Supersoap**
13.50 **Quando si ama.** Soap-opera
14.45 **Santa Barbara.** Soap-opera
15.35 **Detto tra noi**
17.00 **Tg2 - Diogene**
17.10 **Tg2 - Dalla parte delle donne**
17.25 Da Milano: **Tg2**
17.30 **Dal Parlamento**
17.35 **Andiamo a canestro**
18.05 **TgS - Sportsera**
18.20 **Miami Vice. Squadra antidroga**
19.05 **Segreti per voi: sera**
19.45 **Tg2 - Telegiornale**
20.15 **Tg2 - Lo sport**
20.30 **Un minuto a mezzanotte.** Film (thrill. 1990) di René Manzon con Brigitte Fossey e Louis Ducreux ●★★
22.10 **Il commissario Corso.** "La sfida". Telefilm
23.15 **Tg2 Pegaso.** Di Michele Mangiafico
23.55 **Tg2 notte**
24.00 **Meteo 2 - Tg2 - Oroscopo**
00.05 **Rock café**
00.10 **Appuntamento al cinema**
00.20 Miti del muto. **Buster Keaton sconosciuto**
01.10 Da Atene, **pallavolo:** Coppa Campioni
01.55 In collegamento via satellite con Morioka - Shizukuishi (Giappone), **sci:** Coppa del mondo
02.55 **Tg2 Pegaso**
04.20 **Acque di primavera.** Film (dramm. 1942) di Nunzio Malasomma con Gino Cervi ●●●★★

SVIZZERA

06.30 **Textvision**
10.50 **Sci:** slalom gigante femminile (1ª manche)
13.00 **Tg tredici**
13.55 **Sci:** slalom gigante femminile (2ª manche)
14.30 **T. T. T.** Tesi, temi, testimonianze
15.30 **Alice**
17.25 **Tivutiva?**
18.00 **Mister Belvedere.** Telefilm
18.25 **In bocca al lupo!**
—.— **Tg flash**
19.00 **Il quotidiano**
—.— **Sport**
—.— **Dossier del venerdì**
20.00 **Telegiornale**
20.30 **Centro.** Settimanale d'informazione
22.25 **Tg sera**
23.20 **Senza limiti.** Film (dramm.) di William Lustig con Judd Nelson ●●★★
00.50 **Textvision**

GIUDIZI: Morale ●●●●Famiglie ●●●Accettabile ●●Adulti ●Sconsigliato / **Critico** ★★★★Ottimo ★★★Buono ★★Mediocre ★Pessimo

VEDIAMO INSIEME

A. Rispondete alle seguenti domande.

1. Dando un'occhiata ai programmi televisivi, cosa vi colpisce di più riguardo all'orario? Quando iniziano le trasmissioni in Italia? Quando finiscono? I programmi italiani, di regola, durano mezz'ora o un'ora come quelli della tivù americana? I programmi italiani cominciano sempre alla mezz'ora o all'ora esatta? Date qualche esempio.
2. Potete trovarne qualche programma adatto per bambini? C'è qualche programma conosciuto anche in America? Quali sono alcune soap-opera che si possono vedere alla TV italiana? Quali sono alcuni programmi della notte?
3. Cosa pensate che sia un «telegiornale»? Perché si chiama così? Quante volte al giorno viene trasmesso?
4. Guardando attentamente l'elenco dei programmi, cercate di trovarne alcuni che trattino i seguenti argomenti: notizie, sport, previsioni del tempo, oroscopo, film, cartoni animati.

B. Giudicando dal nome potreste spiegare l'argomento dei seguenti programmi:

1. «Vuoi vincere?» su RAIUNO
2. «Tg2 - Dalla parte delle donne» su RAIDUE
3. «Andiamo a canestro» su RAIDUE
4. «Appuntamento al cinema» su RAIDUE
5. «Oggi al Parlamento» su RAIUNO
6. «TgR-Telegiornali regionali» su RAITRE
7. «Rock café» su RAIDUE

C. Chiedete ad un compagno/una compagna di classe di elencare in ordine di preferenza i seguenti programmi; poi chiedetegli di nominarvi un programma televisivo americano per ognuna delle categorie.

1. programma di giochi (telequiz)
2. documentari
3. film
4. sport
5. programmi istruttivi
6. varietà
7. telefilm
8. cartoni animati
9. programmi di avventure
10. programmi di informazione

A VOI LA PAROLA

1. Cosa pensate dei programmi della televisione italiana? La tivù italiana vi sembra più interessante, meno interessante o uguale a quella americana? Perché? Spiegate su che cosa basate le vostre preferenze.
2. In base al programma, notate differenze fra la tivù italiana e quella americana? Quali? Se vi trovaste in Italia, quali programmi guardereste? Perché?
3. Quale di questi programmi vorreste guardare stasera? Perché? Indicate l'orario e il canale.
4. A cosa serve la tivù. Secondo voi quali sono le funzioni della televisione? Scegliete due delle funzioni elencate e difendete la vostra scelta.
   a. insegnare
   b. divertire
   c. tenere compagnia a chi è solo
   d. informare
   e. vendere prodotti
   f. dare lavoro agli attori

MESSA IN SCENA

Con un compagno (vari compagni) di classe preparate e presentate una delle seguenti situazioni davanti alla classe.

1. Immaginate che un gruppo di persone con gusti molto differenti (tifosi, intellettuali, amanti di musica rock, amanti di opera, ecc.) stiano discutendo che cosa hanno visto ieri sera alla televisione. Ogni membro del gruppo trova che il programma guardato dagli altri è assolutamente noioso. Ciascuno dà le ragioni necessarie per le opinioni espresse.
2. Un amico/un'amica italiana è venuto(a) a farvi visita. Una sera decidete di guardare un po' di tivù dopo cena. Parlate del tipo e del numero di canali disponibili, i generi di programmi e i film che gli americani amano guardare, le preferenze dei vari gruppi sociali e dei gruppi di età, ecc.

Se non c'è nulla di buono alla tivù, resta sempre il video.

Con Vivivideo scopri che la vita non è solo un film.

Il vostro videoregistratore sta per entrae nell'età della cultura.

Da oggi potete soddisfare le sue passioni artistiche e coltivare i suoi hobby preferiti.

Dovete solo sedervi in poltrona, una cassetta Vivivideo e viaggiare col telecomando e con la fantasia.

Potete scegliere tra i tanti titoli del cinema, con capolavori di ogni genere e generi di tuttii colori: dal giallo al rosa, dalla commedia all'horror. Ma potete anche avventurarvi nel mondo della cultura, della scienza, dello spettacolo.

A vostra disposizione, nuove straordinarie serie di videocassette dedicate all'arte, alla natura, allo sport, al mondo del fantasy. Non è solo un volo della fantasia, è la realtà di Vivivideo.

Se fosse una favola potremmo chiamarla la scelta infinita.

VIVIVIDEO
CINEMA, CULTURA, SPETTACOLO.

B J K E

---

telecomando, *remote control*
manualistica, *handicraft*
giallo, *mystery movie*
rosa, *love stories ("romances")*
fai-da-te, *do-it-yourself*

VEDIAMO INSIEME

1. Cosa è «Vivivideo»? Cosa pensate che significhi il nome? Quali generi di programmi offre? Potete riconoscere qualche personaggio famoso in questa pubblicità? Pensate che rappresenti bene la categoria? Perché?
2. Per ognuna delle categorie indicate dalla pubblicità, descrivete la persona che potrebbe interessarsi a comprare quel genere di videocassetta.
3. Quale altro personaggio o immagine, secondo voi, potrebbe rappresentare ognuna delle categorie indicate? Giustificate la vostra scelta.
4. I seguenti sono i titoli di alcune videocassette in vendita presso il «Club del Video». Abbinateli alle categorie elencate nella pubblicità e spiegate la vostra scelta.
   a. La Pantera Rosa
   b. Luciano Pavarotti
   c. Storia dei mondiali
   d. Odissea nello spazio
   e. Braccio di ferro
   f. Madonna
   g. Giardinaggio
   h. Voglia di sapere
   i. L'ultimo imperatore
   j. La Bella Addormentata Nel Bosco
   k. Belinda e il mostro

Grande inchiesta—sondaggio sull'influenza della televisione e della pubblicità sull'educazione dei ragazzi

Tutti figli di mamma tivù

«Bambini, tutti ai vostri posti», dice la voce del televisore: «Aprite i quaderni e scrivete». Certo non siamo a questo punto, però... Noi non facciamo fantascienza, per dirla con lo slogan di una nota pubblicità televisiva, ma scienza o almeno statistica. I dati del sondaggio dicono che per i ragazzi tra i 10 ed i 14 anni una razione di quasi tre ore di televisione è ormai abitudine quotidiana[1]. Lo stesso sondaggio rivela che il 16,5 per cento dei ragazzi guarda la televisione per più di 4 ore al giorno.

Il tempo della televisione, dunque, sta inesorabilmente avvicinandosi[2] a quello della scuola. E il tempo dei genitori? Nella migliore delle ipotesi è un tempo diviso[3] con il televisore. Il nostro sondaggio mostra che la maggioranza dei ragazzi si pone[4] davanti al video il pomeriggio e la sera, alcuni anche durante i pasti. Uno studioso[5] dei rapporti fra mezzi di comunicazione e processi educativi spiega che «...nella realtà odierna[6], la televisione contribuisce alla socializzazione dei giovani accanto alla[7] famiglia, e alla scuola... Queste risultano meno efficaci dei *media* in particolare presso i più giovani, cioè quelli che hanno una personalità in formazione e non hanno ancora valori e atteggiamenti stabili.» Armato di telecomando il bambino va incontro ad un mondo reale che non sa decifrare o ad un mondo di sogni fatto di sentimenti implausibili come quelli dei cartoni animati, di violenti vincenti[8] come nei telefilm, di persone realizzate[9] in base al prodotto consumato.

Di tutto questo gli adulti paiono rendersi conto[10] e questo è confermato da sondaggi recenti. Fra la RAI e le reti private, la prima incontra meno critiche: circa il 41 per cento degli intervistati trova che c'è troppa pubblicità sulle reti RAI, ma il 98 per cento trova che la pubblicità sulle private è eccessiva. Per quanto riguarda la volgarità, il 20 per cento trova che ce ne sia troppa in RAI, ma il 58 per cento trova che sia troppa tra le reti private; risultati simili si sono avuti per quanto riguarda la violenza e i modelli diseducativi[11].

IN ALTRE PAROLE

A. Vero o falso? Indicate quali delle seguenti asserzioni sono vere e quali sono false. Correggete quelle false.

1. I bambini di tre anni guardano la tivù per 10–14 ore al giorno.
2. Anche a scuola si guarda la televisione.
3. La maggior parte dei ragazzi guarda la tivù la mattina e la notte.
4. La televisione contribuisce ad educare socialmente i giovani.
5. Il mondo televisivo è fatto di realtà e di sentimenti plausibili.
6. La RAI trasmette più pubblicità delle reti private.
7. I programmi televisivi sono un buon modello educativo.

B. Rispondete alle seguenti domande basate sull'articolo.

1. Quanta televisione guardano i ragazzi?
2. Spiegate perchè l'articolo dice che il tempo dei genitori è diviso con la tivù.
3. A che cosa contribuisce la tivù? Come?
4. Cosa è un telecomando? A che cosa può servire? Cosa vuol dire «armato di telecomando»?
5. Quali canali televisivi transmettono più pubblicità?
6. Spiegate il titolo dell'articolo.

---

[1] daily habit
[2] is approaching
[3] shared
[4] sits
[5] researcher
[6] today's, of today
[7] together with
[8] heroes
[9] fulfilled
[10] appear to be aware
[11] negative role models

I ragazzi italiani e la tivù

I seguenti sono i risultati del sondaggio a cui si fa riferimento nel precedente articolo.

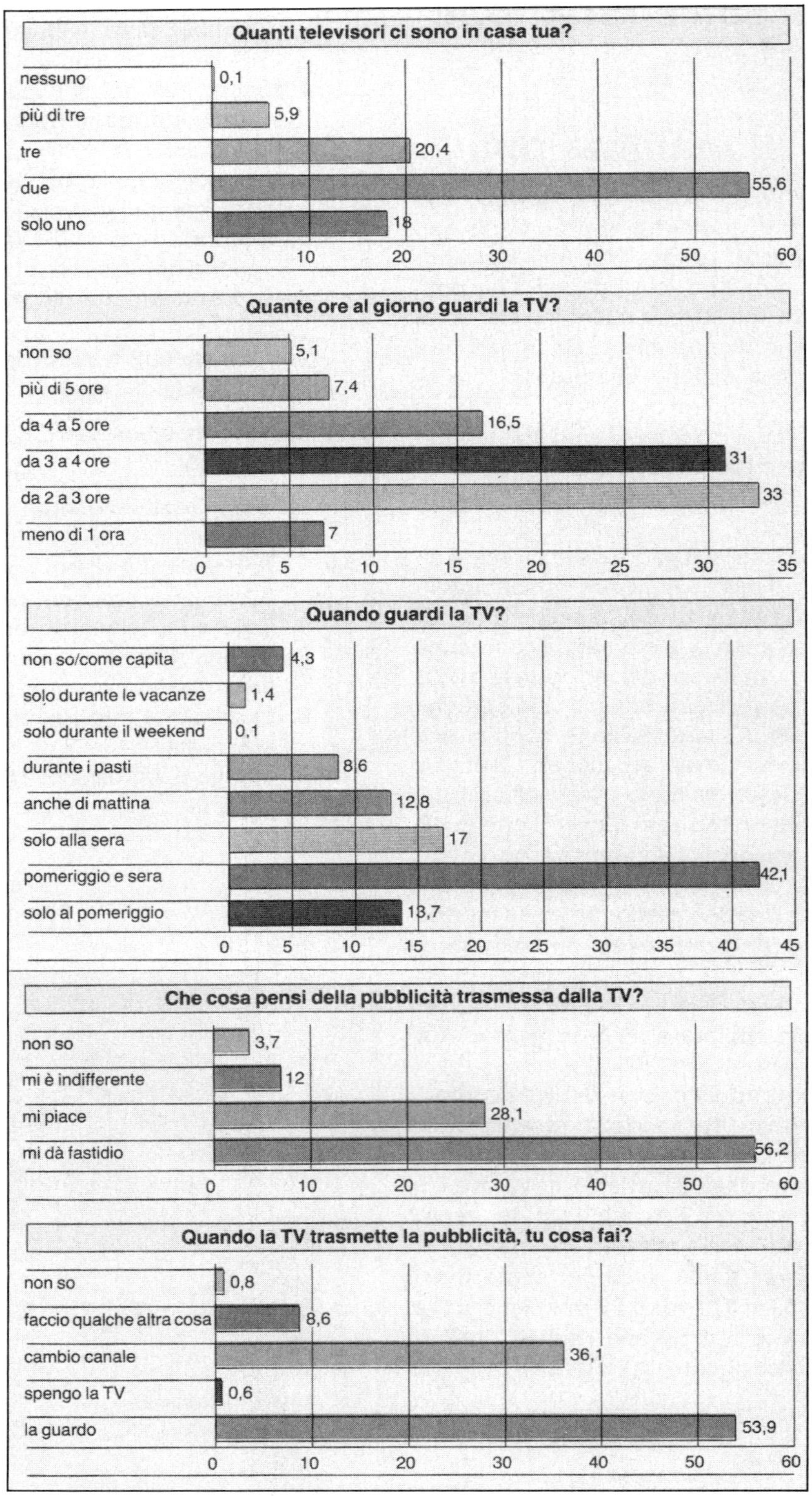

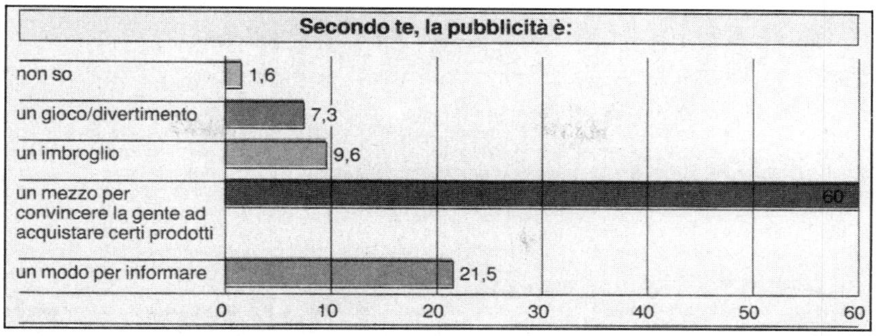

A VOI LA PAROLA

A. Rispondete alle seguenti domande.

1. Quanti televisori avete in casa? Dove sono?
2. Avete un videoregistratore? Lo usate spesso? In quali occasioni?
3. Quali programmi registrate? Perché?
4. Quanta televisione guardate? In quali ore della giornata? In quali occasioni?
5. Trovate che la pubblicità televisiva sia utile, divertente o noiosa? Spiegate come reagite e cosa fate durante una pubblicità televisiva.

B. La TV è accesa ma intanto... quali sono le altre attività? Un'indagine recente ha rivelato che la maggior parte dei telespettatori svolge anche altre attività mentre la tivù è accesa. Siete anche voi fra questi? Indicate in ordine di frequenza quali delle seguenti attività svolgete voi nel corso di una trasmissione televisiva.

1. Guardo ma parlo con altri.
2. Guardo e faccio altri lavori. (Precisate quali).
3. Guardo e leggo.
4. Guardo e gioco.
5. Ceno.
6. Sonnecchio[1], dormo.
7. Parlo al telefono.
8. Esco un attimo dalla stanza. (Spiegate perché.)
9. Guardo e...

C. Intervistate i vostri compagni riguardo alle loro attività mentre guardano la tivù. Chiedete loro di spiegare il perché.

TAVOLA ROTONDA

Argomenti di discussione. Discutete i seguenti argomenti in un dibattito fra due individui o due gruppi.

1. La televisione ha un ruolo importante nell'educazione del bambino.
2. Lo stato deve controllare la qualità e il contenuto dei programmi televisivi. (Precisate in quali aree: violenza, sesso, educazione, ecc.)
3. La televisione dovrebbe essere finanziata esclusivamente dal governo e non dalla pubblicità.

SONDAGGIO

Lavorate per la VSFV (Vogliamo Sapere i Fatti Vostri), la più grande e autorevole compagnia di ricerca-sondaggio del paese, e state conducendo un sondaggio sulle abitudini televisive delle persone nella vostra zona. Basandovi sul questionario illustrato, intervistate alcuni vostri compagni. Il sondaggio potrà essere telefonico[2], a domicilio[3] o nella mensa della vostra scuola. Alla fine del sondaggio potrete discuterne i risultati con i vostri compagni. Sono molto differenti da quelli del sondaggio italiano? Perché?

[1] I doze
[2] by telephone
[3] door to door

SEZIONE: Lo sport

Siamo tutti sportivi

NELLA VIGNETTA PRECEDENTE...

1. Quale sport pratica il personaggio? Da che cosa lo potete dedurre? Descrivete gli infortuni che ha subito (*injuries he had*). È veramente uno sport pericoloso? Spiegate.
2. Secondo voi, qual è l'attività migliore per il corpo? Voi praticate questo sport o no? Quali attività sono pericolose? Spiegate.

LO SAPEVATE CHE...?

Il nome «tennis» deriva dalla pronuncia in inglese della parola francese «tenez» (= ecco, prendete). In sostanza è l'espressione che il battitore (*server*) diceva all'avversario (*opponent*) prima di eseguire il servizio.

L'italiano: ... più tifoso che sportivo?

Benché l'italiano medio[1] continui ad essere più tifoso che sportivo, in questi ultimi anni s'incomincia a notare un cambiamento; l'Italia si sta lentamente trasformando da un paese di «sportivi seduti» ad un paese in cui la pratica sportiva diventa sempre più popolare. Forse questo fenomeno è dovuto al maggior benessere[2], al maggior tempo libero e per ultimo, ma forse più importante, alla maggiore attenzione che si presta alla salute personale. Lo sport come attività, come svago e socializzazione, è in continua crescita e comincia a diventare parte della vita sociale degli italiani. Benché il quadro[3] stia migliorando, e continui a farlo ogni anno, non dobbiamo pensare che l'Italia stia diventando una nazione di sportivi e di atleti. Poco più di un italiano su cinque pratica abbastanza regolarmente uno o più sport. Gli uomini sono sportivamente più attivi delle donne, nell'ordine di 2 a 1, e i giovani più degli adulti. Dall'età di cinquanta anni in poi sembra che gli italiani diventino alquanto poltroni[4].

Quali sono gli sport che gli italiani preferiscono praticare? Al primo posto è ovviamente il calcio; per le donne, invece, c'è la ginnastica e l'atletica. Seguono poi, con uguale interesse da parte di uomini e donne, la pallacanestro e la pallavolo[5], il tennis, il nuoto e gli sport invernali.

---

1 average
2 economical well-being
3 picture
4 somewhat lazy-bones, couch-potatoes
5 volleyball

IN ALTRE PAROLE

A. Basandovi sulla lettura, completate le seguenti frasi con l'informazione corretta ma esprimendovi in parole vostre.

1. L'Italia era un paese di...
2. Lo sport come attività è...
3. Dall'età di cinquanta anni in poi...
4. ...praticano qualche sport.
5. Le donne italiane sono... degli uomini.

B. Trovate nella colonna **B** il termine che si combina con lo sport elencato nella colonna **A.**

A	B
1. nuoto	a. Ferrari
2. calcio	b. bicicletta
3. tennis	c. scarpe
4. baseball	d. tuffo
5. pugilato (o boxe)	e. amo
6. ciclismo	f. palestra
7. automobilismo	g. quadrato (o ring)
8. ginnastica	h. pallone
9. podismo (o footing)	i. racchetta
10. pesca	j. mazza
	k. sci

C. Scegliendo fra i termini elencati in ognuno dei due gruppi, spiegate con una frase completa chi partecipa in, e dove si fanno gli sport inclusi nell'esercizio precedente. Per esempio: (Pallavolo) — Un incontro di pallavolo si disputa fra due squadre in un campo.

1. piscina	a. squadra
2. ring	b. corridore
3. pista	c. giocatore
4. strada	d. persona
5. acqua	e. pilota

A VOI LA PAROLA

1. Quali attività sportive sono più popolari nel vostro paese? Chi sono più attivi negli sport? Gli uomini o le donne? I giovani, gli adulti o gli anziani? Qual è lo sport preferito da ognuno dei gruppi indicati (gli uomini, le donne, i giovani, ecc.)?

2. Vi considerate più sportivi o più tifosi? Elencate in ordine di preferenza cinque sport che preferite praticare e cinque sport che vi piace guardare. Preferite fare uno sport che sviluppa il fisico o uno sport agonistico (*competition*)? Spiegate la vostra preferenza.

NOTA CULTURALE: Gli italiani e il «totocalcio»

Il calcio è indubbiamente lo sport preferito dagli italiani. La domenica, decine di migliaia di spettatori affollano gli stadi[1] presenti in ogni città italiana; altre centinaia di migliaia sono in casa, seduti davanti al televisore per seguire attentamente le gesta[2] gloriose dei loro giocatori preferiti e la fortuna della loro squadra. A differenza delle squadre americane, le squadre italiane di calcio hanno quasi sempre lo stesso nome della città che esse rappresentano. Così Napoli ha «il Napoli», Roma ha «la Roma», Bologna ha «il Bologna», Milano ha «il Milan» e così via. Il pubblico italiano spende più di 300 miliardi di lire (*appr. 250 milion dollars*) l'anno per assistere in persona ai trionfi o alle sconfitte della loro «squadrà del cuore».

Ma il calcio in Italia genera anche un altro fenomeno. Ogni sabato, milioni di italiani spendono miliardi di lire nella speranza di ottenere soddisfazioni meno spirituali e più materiali dagli incontri domenicali delle varie squadre di calcio. Essi fanno questo scommettendo[3] sui risultati delle partite della domenica nella speranza che il giorno dopo un «dodici», o ancora meglio un «tredici» possa dar loro la possibilità di avverare[4] almeno alcuni dei loro sogni: una casa al mare, l'automobile «fuoriserie»[5], la barca, e chissà che altro. Il totocalcio (derivato da «totalizzatore»[6] e «calcio») è una specie di lotteria gestita dallo stato italiano, che raccoglie le scommesse fatte sul gioco del calcio. Una persona che vuole giocare, compra dal tabaccaio una schedina[7] su cui sono elencati tredici degli incontri[8] di calcio che avranno luogo la domenica seguente. Sulla schedina indica per ogni incontro, con l'apposito simbolo, se pensa che vincerà la prima delle due squadre (1) o la seconda squadra (2) o se l'incontro risulterà in un pareggio[9] (X). Il telegiornale (o il giornale radio) serale della domenica annuncerà poi i risultati della schedina vincente e la somma vinta da chi «ha fatto tredici» e da chi «ha fatto dodici».

---
[1] stadiums
[2] exploits
[3] betting
[4] make come true
[5] customized sportscar
[6] adding machine
[7] ticket (lit. small ballot)
[8] matches
[9] tie

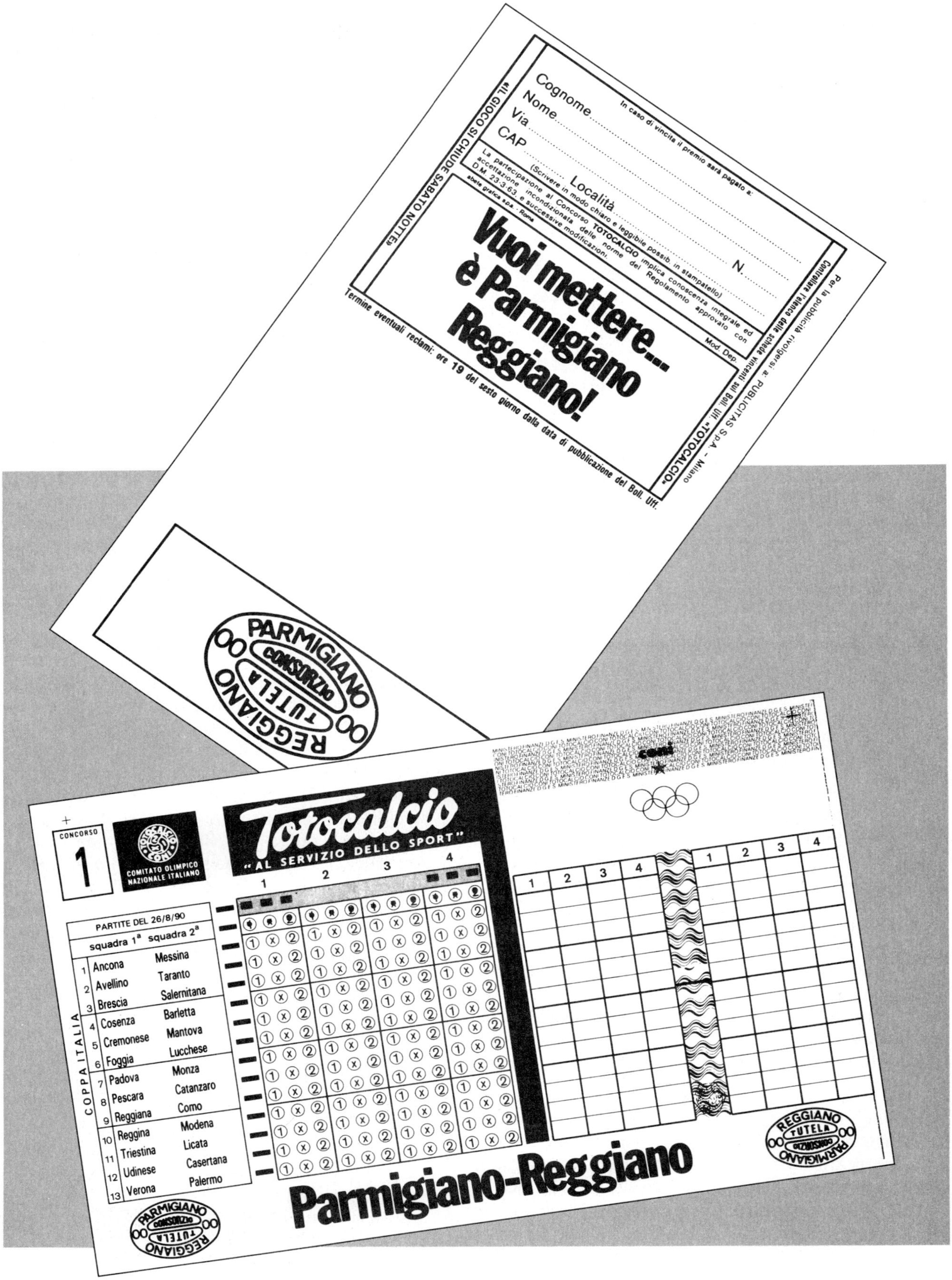
In caso di vincita il premio sarà pagato a:
Cognome
Nome
Via
N.
CAP
Località
(Scrivere in modo chiaro e leggibile possib. in stampatello)
La partecipazione al Concorso TOTOCALCIO implica conoscenza integrale ed accettazione incondizionata delle norme del Regolamento approvato con D.M. 23-3-63, e successive modificazioni.
Mod. Dep.
«IL GIOCO SI CHIUDE SABATO NOTTE»
Vuoi mettere... è Parmigiano Reggiano!
Termine eventuali reclami: ore 19 del sesto giorno dalla data di pubblicazione del Boll. Uff.
Controllare l'elenco delle schede vincenti sul Boll. Uff. «TOTOCALCIO»
Per la pubblicità rivolgersi a: PUBLICITAS S.P.A. - Milano
PARMIGIANO REGGIANO CONSORZIO TUTELA
CONCORSO
1
COMITATO OLIMPICO NAZIONALE ITALIANO
Totocalcio
«AL SERVIZIO DELLO SPORT»
coni
PARTITE DEL 26/8/90
squadra 1ª squadra 2ª
COPPA ITALIA
1 Ancona Messina
2 Avellino Taranto
3 Brescia Salernitana
4 Cosenza Barletta
5 Cremonese Mantova
6 Foggia Lucchese
7 Padova Monza
8 Pescara Catanzaro
9 Reggiana Como
10 Reggina Modena
11 Triestina Licata
12 Udinese Casertana
13 Verona Palermo
Parmigiano-Reggiano

VEDIAMO INSIEME

A. Rispondete alle seguenti domande con una frase completa.

1. Cosa è «la Roma»?
2. Dove vanno molti italiani la domenica? Perché?
3. Cosa è il Totocalcio?
4. Dove si possono comprare le schedine del totocalcio?
5. Quanti risultati di partite bisogna indovinare per vincere?
6. Spiegate cosa significa «fare tredici».
7. Quando si possono sapere i risultati delle partite? dove?
8. Quali simboli si usano per riempire una schedina del totocalcio? Cosa indica ognuno dei simboli usati?
9. Spiegate cosa è un pareggio.
10. Perché gli italiani giocano al totocalcio?

B. Indicate da quale città e da quale regione vengono le seguenti squadre di calcio.

1. il Torino
2. il Cagliari
3. il Messina
4. il Genova
5. il Pisa
6. il Parma

C. Le città rappresentate da tre delle squadre precedenti sono famose per un'altra cosa. Sapreste dire quali città e per che cosa sono conosciute?

Nel mondo del pallone

Il calcio non è ovviamente, l'unico sport che usi una sfera. Ci sono molti altri giochi e sport che si servono di una palla di varie dimensioni: alcuni si giocano su di un campo speciale, altri nell'acqua, sull'erba o anche su di un tavolo. Alcuni di questi sono molto familiari agli italiani, altri cominciano ad acquistare maggiore popolarità in questi ultimi tempi. La pallavolo, per esempio, è un gioco abbastanza popolare da spettatori ma in questi anni, e particolarmente fra i giovani, sta acquistando popolarità il *beach volley,* che è la ben nota versione dello stesso gioco, ma giocato sulla spiaggia. Le bocce sono uno sport popolarissimo in quasi tutta l'Italia; viene giocato nei paesi come anche nelle grandi città. Prima era giocato all'aperto; adesso, però stanno acquistando popolarità i «bocciodromi» con luci al neon, dove i giocatori possono giocare al coperto ed anche di sera.

In Italia il tennis era il gioco delle classi più elevate[1]; adesso è addirittura al secondo o al terzo posto per popolarità. Oggi in Italia vi sono due «collegi» a Latina (una città del Lazio) e a Roma; qui le giovani promesse dello sport[2] possono perfezionarsi nel gioco seguendo, allo stesso tempo, il normale curricolo scolastico.

---

[1] upper classes
[2] promising young people

A VOI LA PAROLA

1. Potete fare un elenco di altri giochi o sport che si servono di una palla? Dove si giocano, all'interno o all'aperto? Chi compete (squadre, coppie o individui)?
2. Di tutti i giochi che si servono di una palla, quali sono quelli che voi preferite praticare? A quali preferite assistere? Spiegate le vostre ragioni.
3. Secondo voi ci sono sport in cui eccellono le donne? gli uomini? Spiegate le vostre ragioni.
4. Pensate che sia giusto avere record separati per uomini e per donne? Spiegate. Ci sono sport in cui sia gli uomini che le donne potrebbero o addirittura dovrebbero competere l'uno contro l'altro?

EQUIPAGGIAMOCI BENE!

Quasi ogni sport ha bisogno di un equipaggiamento particolare. Per ognuno degli sport elencati indicate qual è secondo voi l'ordine d'importanza degli oggetti che lo seguono (indispensabile, necessario ma non indispensabile, opzionale, inutile, ecc.).

1. Lo sci:
   a. i guanti
   b. gli scarponi
   c. gli sci
   d. il berretto (*cap*)
   e. gli occhiali di protezione (*goggles*)
   f. tuta impermeabile (*ski suit*)
   g. i bastoncini (*poles*)
2. La pesca:
   a. la rete (*net*)
   b. la canna (*fishing pole*)
   c. il giubbotto salvagente (*life jacket*)
   d. il cappello
   e. i pantaloni impermeabili
   f. la barca
   g. i vermi
3. Il ciclismo:
   a. il sellino
   b. la bicicletta
   c. la bottiglia d'acqua
   d. i pantaloncini
   e. il casco (*helmet*)
   f. i freni
   g. i guanti
4. La vela:
   a. l'ancora
   b. i remi (*oars*)
   c. la lozione per il sole
   d. la bussola (*compass*)
   e. il timone (*rudder*)
   f. le scarpe da barca
   g. la giacca a vento (*windbreaker*)

Prima di praticare qualsiasi tipo di sport o di attività fisica bisogna equipaggiarsi[1] bene. A Roma, come in ogni grande città si può trovare di tutto.

BOLERO, via Barberini 19. Tutto per la danza e la palestra: body[2], pantacollant[3], scaldamuscoli, scarpe e tutine[4] in lycra e cotone.

DANSE VOGUE, via Tito Lucrezio Caro 58. Body variopinti[5], anche su misura[6], per le appassionate di ginnastica e body building.

DENTICE, piazza Augusto Imperatore 18/19/20/21. Grande negozio dedicato a tutti gli sport del mare. Attrezzature[7] per la pesca (subacquea e d'alto mare[8]), accessori di ogni tipo per la barca, dagli strumenti elettronici alle carte nautiche[9]. Mobili marinari e bellissimi fanali[10], antichi e moderni. Abbigliamento waterproof e scarpe antiscivolo[11].

MARIO LUCCHESE, via del Babuino 162/163. Aperto poco più di un anno fa, è lo specialista del golf. Grande scelta di ferri, sacche, articoli vari. Nel sotterraneo[12], servizio di driverange per coloro che vogliono esercitarsi nei lanci[13] durante le pause lavorative.

---

[1] must be outfitted
[2] leotards
[3] tights
[4] tutus
[5] multicolored
[6] custom-made
[7] equipment
[8] deep sea
[9] nautical charts
[10] lanterns
[11] non-slip
[12] basement
[13] those who want to practice their drives

E se poi abbiamo bisogno di un posto dove esercitarci, c'è sempre...

ROMAN SPORT CENTER, via del Galoppatoio 33. Proprio sotto il galoppatoio[1] di Villa Borghese, ecco una palestra dedicata alla bellezza del corpo. Piscina con istruttori, macchine ginniche[2], lezioni di ginnastica, campi da squash, sauna, buvette[3] e boutique.

SEVEN TONING, via del Portonaccio 92. Palestra ideale per chi vuole perdere peso e tonificarsi[4] senza eccessivi sforzi, grazie a un rivoluzionario sistema di ginnastica.

VEDIAMO INSIEME

Completate le seguenti frasi con l'informazione adatta.

1. Un vostro amico ha appena comprato una barca. Gli consigliate di andare ...
2. La vostra ragazza si è iscritta in un corso di danza moderna. Volete farle un regalo adatto e andate... per comprarle ...
3. Siete stato invitato per un weekend sullo yacht di alcuni vostri amici, ma non avete le scarpe adatte. Andate ... per comprarvi ...
4. Avete deciso di perdere un po' di peso eccessivo e decidete di iscrivervi ...
5. Volete fare un po' di ginnastica ma vi piace anche nuotare, quindi andate ...

A VOI LA PAROLA

A. Quale delle due palestre menzionate preferireste frequentare? Perché? Spiegate le vostre ragioni. Secondo voi, perché le due palestre portano nomi inglesi? Quale vi colpisce di più? Perché?

B. Avete deciso di aprire una palestra. Che nome le dareste? Spiegate le vostre ragioni. Scrivete un breve inserto o pubblicità per il giornale della vostra città.

MESSA IN SCENA

I vostri amici/Le vostre amiche sono patiti (*fans*) della vela e vogliono portarvi in barca con loro. Preparate una breve e vivace scenetta fra loro che vogliono trascinarvi (*drag you along*) a tutti i costi, e voi che preferite rilassarvi sulla sponda (*shore*) e godervi (*enjoy*) lo spettacolo delle vele sull'acqua. (Variante: non sapete nuotare, avete paura dell'acqua ma non volete ammetterlo.)

TAVOLA ROTONDA

Argomenti di discussione. Discutete i seguenti argomenti in un dibattito fra due individui o due gruppi.

1. Ci sono sport in cui eccellono le donne e gli uomini. Le donne e gli uomini potrebbero o addirittura dovrebbero competere l'uno contro l'altro.
2. Lo sport è necessario allo sviluppo del carattere di una persona e quindi, chi ama la competizione sportiva avrà maggior successo nella vita.
3. L'atleta puro non esiste più. Gli atleti oggi sono al servizio della pubblicità.
4. L'atleta, idolo e modello dei giovani.

---

[1] riding track
[2] fitness machines
[3] bars
[4] body conditioning

SEZIONE: Quando tramonta il sole

Alla fine della giornata di lavoro o di studio, finalmente arriva la sera. Se non si vuole stare in casa, ci sono molte opportunità per svagarsi. Però, tolta[1] la passeggiata per le strade della città, che non ci costa nulla, ogni altra scelta ci costerà qualche cosa. Gli svaghi serali sono molti e... per tutte le tasche: vanno dal semplice caffè al bar con gli amici alla cena in ristorante, dal cinema alla serata in discoteca.

INTAVOLIAMO IL DISCORSO

A. Rispondete alle seguenti domande.

1. D'abitudine cosa fate voi la sera dei giorni feriali? E la sera del weekend? Preferite uscire il venerdì sera o il sabato sera? Perché?
2. Elencate le seguenti attività secondo il vostro ordine di preferenza. Spiegate la vostra scelta.
   a. mangiare in ristorante
   b. fare una passeggiata e guardare le vetrine dei negozi
   c. andare a ballare
   d. andare al cinema
   e. fare un giro in macchina
   f. andare all'opera, al balletto o ad un concerto
   g. incontrare gli amici al caffè o in pizzeria
   h. altro (precisate e spiegate)

B. Completate le seguenti frasi con l'espressione adatta.

1. Generalmente gli italiani cominciano un pranzo con...
   a. il dolce — c. l'insalata
   b. la frutta — d. un primo piatto
2. Se ho molta fame posso cominciare il pranzo con...
   a. pane e burro — c. un contorno
   b. un antipasto — d. un panino
3. Se il servizio è buono lascio... al cameriere.
   a. una nota — c. il conto
   b. una mancia — d. la frutta
4. Per decidere cosa mangiare chiedo...
   a. il conto — c. il giornale
   b. la lista dei vini — d. il menù
5. Se voglio ordinare la cena chiamo...
   a. il cuoco — c. la hostess
   b. il cameriere — d. la cassiera

C. Eliminate da ogni gruppo la parola estranea, e spiegate perché.

1.	ristorante	trattoria
	tavola calda	pensione
2.	bar	gelateria
	caffè	lavanderia
3.	concerto	sinfonia
	tragedia	opera
4.	discoteca	teatro
	sala da ballo	night club
5.	ballare	ascoltare un concerto
	studiare	guardare un film
6.	film	commedia
	tragedia	opera

D. Come ci si comporta[2] in un ristorante? Rispondete alle seguenti domande.

1. In quali occasioni è meglio prenotare un tavolo? Quali ristoranti richiedono una prenotazione?
2. Bisogna vestirsi in un modo particolare quando si va al ristorante? Spiegate.
3. Cosa significa «alla carta»? Come preferite ordinare voi?
4. Quando siete pronti ad ordinare, cosa fate per attirare l'attenzione del cameriere?
5. Cosa è una «mancia»? È obbligatorio lasciarla? Spiegate.

[1] with the exception of

[2] behave

Mangiare fuori è sempre piacevole: c'è la possibilità di provare varie cucine regionali e nazionali, stare in compagnia di amici o conoscere nuove persone; soprattutto... il piacere di non dovere cucinare né lavare i piatti.

Al ristorante

In Italia c'è una grande varietà di locali[1] dove si può mangiare. Questi vanno dai più economici, come le trattorie o ristoranti di famiglia, ai più costosi ed eleganti. La designazione dei locali è talvolta intercambiabile e questo può creare confusione, particolarmente per chi non è abituato a tanti nomi differenti. Vediamo insieme alcuni locali dove possiamo godere un buon pasto.

La tavola calda: generalmente nei bar più grandi, ma esiste anche come locale separato. Qualche volta è sinonimo del ristorante *self service.* È un luogo che serve cibi caldi, già preparati. È un posto dove si può mangiare dal piatto unico[2] al pranzo completo, abbastanza economicamente; talvolta la tavola calda offre anche il servizio «da portare a casa»; è il luogo adatto nei momenti in cui si ha poco tempo a disposizione[3] o non si vuole cucinare. Si trova quasi sempre anche nelle stazioni ferroviarie e nei centri urbani vicino a cinema e teatri.

---
[1] establishments
[2] one course meal
[3] available

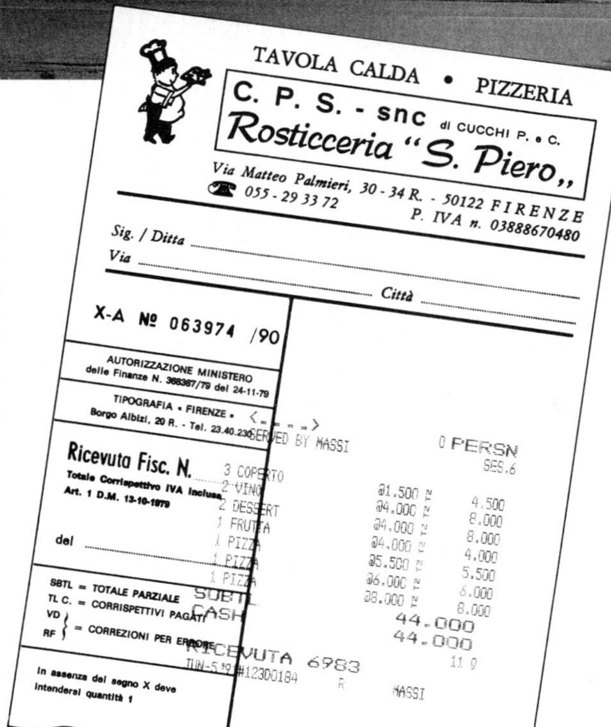

La trattoria: un locale pubblico dove si può mangiare un pranzo completo. Ristorante di famiglia, nei paesi e nei piccoli centri, spesso gestito dai membri di una stessa famiglia. Nelle grandi città, può indicare un piccolo ristorante di quartiere o anche il ristorante che si specializza in cucina casalinga[1] e regionale: per esempio «Trattoria toscana».

[1] home-style

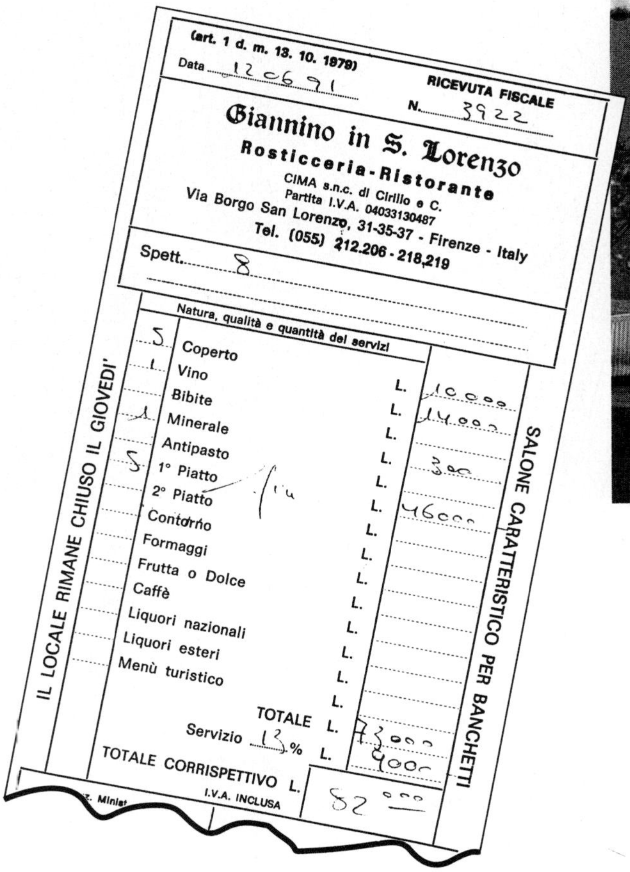

(art. 1 d. m. 13. 10. 1979)
Data 12 6 91
RICEVUTA FISCALE
N. 3922

Giannino in S. Lorenzo
Rosticceria-Ristorante
CIMA s.n.c. di Cirillo e C.
Partita I.V.A. 04033130487
Via Borgo San Lorenzo, 31-35-37 - Firenze - Italy
Tel. (055) 212.206 - 218,219

Spett. 8

IL LOCALE RIMANE CHIUSO IL GIOVEDI'

SALONE CARATTERISTICO PER BANCHETTI

Natura, qualità e quantità dei servizi

5	Coperto	L.	10.000
1	Vino	L.	14.000
	Bibite	L.	
1	Minerale	L.	3.000
	Antipasto	L.	
5	1° Piatto	L.	46.000
	2° Piatto	L.	
	Contorno	L.	
	Formaggi	L.	
	Frutta o Dolce	L.	
	Caffè	L.	
	Liquori nazionali	L.	
	Liquori esteri	L.	
	Menù turistico	L.	
	TOTALE	L.	73.000
	Servizio 13 %	L.	9.000
	TOTALE CORRISPETTIVO I.V.A. INCLUSA	L.	82.000

La pizzeria: anche se il piatto principale è la pizza, quasi sempre cotta in un forno a legna[1], in una pizzeria possiamo anche fare una cena completa. I cibi sono sempre genuini, la clientela è locale ed i prezzi sono quasi sempre modici[2]. Particolarmente nell'Italia centrale e meridionale, sia le trattorie che le pizzerie hanno quasi sempre uno spazio dove si può mangiare all'aperto, sotto una pergola o su di un terrazzo; dove è possibile, si possono anche trovare i tavoli messi sul marciapiede.[3]

---

[1] brick oven
[2] moderate
[3] sidewalk

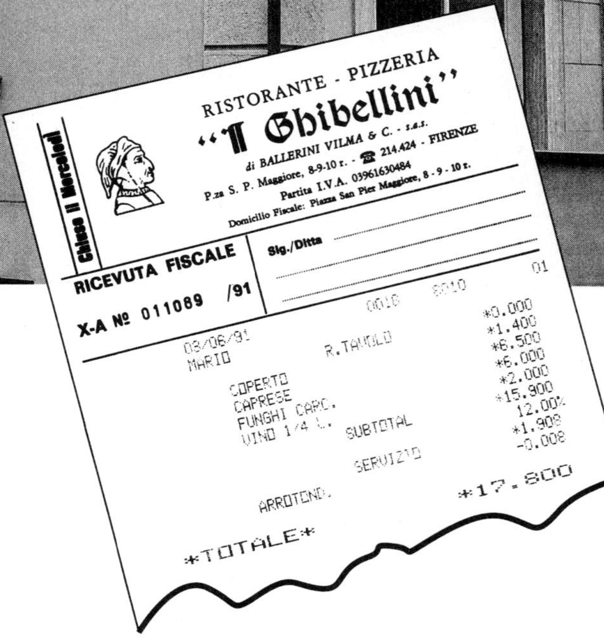
RISTORANTE - PIZZERIA
"I Ghibellini"
di BALLERINI VILMA & C. - s.a.s.
P.za S. P. Maggiore, 8-9-10 r. - ☎ 214.424 - FIRENZE
Partita I.V.A. 03961630484
Domicilio Fiscale: Piazza San Pier Maggiore, 8 - 9 - 10 r.
Chiuso il Mercoledì
RICEVUTA FISCALE
X-A № 011089 /91
Sig./Ditta
01
0010 0010
03/06/91
MARIO R.TAVOLO
COPERTO
CAPRESE
FUNGHI CARC.
VINO 1/4 L.
SUBTOTAL
SERVIZIO
ARROTOND.
TOTALE
*0.000
*1.400
*6.500
*6.000
*2.000
*15.900
12.00%
*1.908
-0.008
*17.800

L'osteria: in origine (a partire da molti secoli fa) era un luogo pubblico dove si poteva comprare o anche bere il vino; talvolta si poteva anche mangiare qualcosa di semplice e rustico.[1] Di solito era frequentata da operai e gente del popolo.[2] Adesso può indicare qualunque posto dove fare un pranzo completo, dalla trattoria di famiglia al ristorante di lusso ma con ambiente rustico. Le osterie possono trovarsi nei piccoli centri di villeggiatura, in campagna o lungo un'autostrada, o nelle parti più antiche e nei centri storici di città come Roma, Firenze, Milano, ecc. Talvolta il nome è scritto «hostaria» (alla maniera antica, un po' come la scritta «ye olde inn» che si incontra nel New England) come nella famosa «Hostaria dell'Orso» a Roma. Questa si trova in un palazzo del quindicesimo secolo, ha aria condizionata e accetta solo prenotazioni. In questi casi possiamo essere sicuri che la cucina sarà rustico-di lusso e che i prezzi saranno salati.[3] Ristoranti di questo genere, spesso di lusso, talvolta specializzati in cucina regionale possono anche chiamarsi «taverna» (come la «Taverna Gran Sasso» a Milano, specializzata in cucina abruzzese) o «cantina»[4] (come la «Cantina Pugliese» anche a Milano).

---

[1] home-style
[2] common people
[3] very high (lit.: salted)
[4] wineshop

OSTERIA **BaldoVino** PIZZERIA
Soc. IL CARRETTO
di Tonarelli Ubaldo e Pinna Franca & C. s.a.s.
50122 FIRENZE - VIA SAN GIUSEPPE, 22/r. - TEL. (055) 241773
Partita I.V.A. 01164540484 *chiuso il Martedì*

XAB 23219 /91

TAF s.r.l. - Borgo Stella 21/r - FIRENZE
Autorizzazione del Ministero Finanze n. 367324/79 del 9.11.79

FATTURA o Ric. Fisc. N.
(Art. 1 D. M. 13-10-1979)
TOTALE CORRISPETTIVO IVA INCLUSA

DEL

Ditta/
Signor

Part. IVA/
Cod. Fisc.

2X	2000
COPERTO	4000
VINO	3500
ACQUA ½L	1500
PRIMO	6000
PRIMO	7000
PIZZA	6000
MISTA	5000
CAFFE	1500
CAPPUC.	2000
RIC.F	36500

09/06/91 0015A001

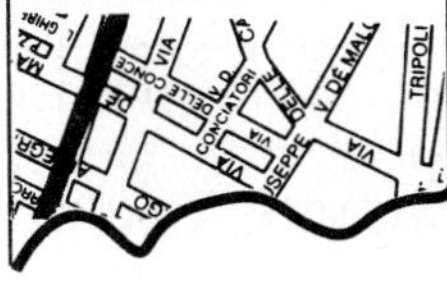

Il ristorante: luogo dove si può fare un pranzo od una cena completa. Quasi sempre è di categoria piuttosto elevata[1]; spesso è abbinato[2] ad un albergo.

IN ALTRE PAROLE

A. Basandovi sulle informazioni contenute nel brano, completate le seguenti frasi.

1. Se ho poco tempo per mangiare vado...
2. Una famiglia con bambini può mangiare...
3. In una pizzeria troviamo...
4. In origine l'osteria era...
5. Un'osteria può anche chiamarsi...

B. Vero o falso? Indicate quali delle seguenti osservazioni sono vere e quali sono false. Correggete quelle false.

1. In Italia non ci sono molti posti dove si può mangiare.
2. Se uno desidera mangiare bene e ricevere buon servizio va ad una tavola calda.
3. Una pizzeria generalmente non è molto cara.
4. La trattoria si specializza in cucina esotica o etnica.
5. In pizzeria si può mangiare soltanto la pizza.
6. Molto tempo fa l'osteria era un ristorante di lusso.

---
[1] high, superior
[2] attached

RISTORANTE PIZZERIA
"LA TOMBOLA"
PIANO DI SORRENTO - Telef. 878.61.77

MENU'

NORME PER IL SORTEGGIO

— Il sorteggio della Tombola è un OMAGGIO della direzione e non comporta alcuna maggiorazione dei prezzi. Spetta solo ai clienti che consumano ai tavoli.

— Il cliente, dopo aver dichiarato al cameriere il numero che desidera sorteggiare, può tirare dal cestino

UN NUMERETTO

— Se esce il numero prescelto il cliente

NON PAGA IL CONTO.

— Ad ogni tavolo spetta un solo sorteggio.

— ATTENZIONE! Se dal cestino fuoriescono due o più numeretti, ivi compreso quello prescelto dal cliente, il sorteggio si ripete.

ANTIPASTI

Treccia o Formaggi stagionati ____
Parmigiano reggiano ____
Prosciutto crudo ____
Prosciutto e melone ____
Antipasto misto ____
Antipasto mare ____
Polipetti all'insalata ____
Piatto salumi assortiti ____
Piatto formaggi misti ____

PRIMI PIATTI

Pastina in brodo ____
Spaghetti aglio e olio ____
Spaghetti al filetto ____
Spaghetti alla disperata (aglio, olio e acciughe) ____
Spaghetti alla puttanesca (pomodori, capperi e olive) ____
Spaghetti con zucchini fritti ____
Spaghetti alle vongole veraci ____
Spaghetti alle cozze ____
Riso alla pescatora ____
Ziti al ragù ____
Pasta e fagioli ____
Tagliatelle alla bolognese ____
Tagliatelle alla ghiottona (prosciutto, piselli e panna) ____
Tagliatelle alla boscaiola (salsiccia, funghi e panna) ____
Crèpes al formaggio ____
Cannelloni ____
Lasagne ____
Gnocchi alla Sorrentina (al forno con mozzarella) ____
Pasta al forno ____

SECONDI PIATTI

Omelette semplice ____
Omelette con mozzarella ____
Parmigiana di melanzane ____
Spiedino di melanzane e mozzarella (fritto) ____
Spiedino di mozzarella in carrozza (fritto) ____
Spiedino di mozzarella e pancetta (alla griglia) ____
Cotoletta alla milanese ____
Scaloppine al marsala ____
Scaloppine al limone ____
Spiedino di carne e cipolle alla griglia ____
Spiedino « Tombola » (carne, prosciutto e formaggio) ____
Spiedino « Lucullo » (carne e pancetta) ____
Spiedino « Buongustaio » (carne e funghi) ____
Spiedino misto (carne, pollo e würstel) ____
Spiedino di pollo ____
Bistecca alla griglia ____
Filetto di carne alla griglia ____
Mezzo pollo alla griglia ____
Mezzo pollo alla cacciatora ____
Filetto di pollo alla griglia ____
Agnello alla brace ____
Salsiccia alla griglia ____
Würstel alla griglia (due pezzi misura extra) ____

Pesce in bianco - al forno - alla griglia ____
Frittura di pesce ____
Anguille fritte ____
Spiedino di anguille alla griglia ____
Pesce spada alla griglia ____
Pesce spada alla pizzaiola ____
Impepata di cozze ____
Cozze alla marinara ____
Cozze al gratin ____
Souté di vongole ____
Vongole alla marinara ____
Gamberoni alla griglia ____

---

sorteggio, *drawing (as in a lottery)*
norme, *rules*
omaggio, *gift*
maggiorazione, *increase*
prescelto, *chosen*

VEDIAMO INSIEME

Esaminando il menù nella pagina precedente...

1. Indicate due antipasti che non contengono carne ed un antipasto a base di pesce.
2. Un primo piatto che contenga pesce ed almeno due primi piatti cotti al forno.
3. Un secondo piatto cotto sulla fiamma (*flames*), un secondo piatto alla griglia ma che non sia di maiale ed un piatto a base di molluschi.
4. Almeno tre contorni crudi. Due contorni caldi.

A VOI LA PAROLA

Secondo voi, perché il ristorante si chiama «La Tombola»? L'idea del sorteggio vi sembra buona? Perché? Pensate che attiri molti clienti? Pensate che incoraggi il cliente a scegliere i piatti più costosi? Conoscete ristoranti che si servono di qualcosa di simile, o di altro genere, per attirare clienti? Spiegate.

MESSA IN SCENA

Insieme ad alcuni compagni presentate una delle seguenti situazioni davanti al resto della classe.

1. Due coppie chiedono suggerimenti al cameriere riguardo ad alcuni piatti. (Varianti: uno dei quattro è vegetariano, un altro detesta il pesce.)
2. Due o tre coppie ordinano vari piatti dal menù. Alla fine del pranzo estraggono il numero giusto e vincono.

Stasera mangiamo fuori. Forse è un'occasione particolare e vogliamo un ristorante che rimarrà memorabile. A Roma c'è soltanto il dilemma della scelta:

La pergola, hotel Hilton, via Cadlolo 101, tel. 31512055. Superbo panorama dell'intera Roma attraverso ampie vetrate[1], cucina italiana e internazionale d'impeccabile presentazione. Chiuso domenica (100–140-mila lire).

Osteria dell'antiquario[2], piazza San Simeone 27, tel. 6879694. Cucina colta e intrigante[3], ispirata alle ricette medievali romane, in questa ex bottega d'antiquario. D'estate si pranza nella piazza (con fontana barocca). Chiuso domenica (60–85mila lire).

La terrazza, hotel Eden, via Ludovisi 49, tel. 4743551. Vi si gode una delle più belle viste della città. Elegante, con ottimo servizio, buona cucina, eccezionale proposta[4] di vini, è frequentato dai manager di stato[5] (100–130mila lire).

Checco er carettiere[6], via Benedetta 10, tel. 5817018. Il locale (con giardino interno) rievoca[7] la trattoria ottocentesca. Piatti tipici romaneschi[8], con qualche buona proposta di pesce, vino dei Castelli[9]. Chiuso domenica sera e lunedì (55–75mila lire).

---

1 picture windows
2 antique dealer
3 refined and intriguing
4 choice
5 of state-owned industries
6 Frank the carter (Roman dialect: *Checco* is the diminutive of *Francesco; er carettiere* means a cart driver)
7 recreates
8 Roman
9 wine from the Alban hills (hills surrounding Rome)

Se non abbiamo molto tempo e preferiamo un pasto buono, sempre elegante ma veloce, possiamo sempre scegliere fra i seguenti:

Casina Valadier, Pincio, tel. 6794189. Sotto gli alberi e tra i fiori, di fronte a uno dei più splendidi panorami romani, brunch a 60mila lire (antipasto, primo, secondo, bevande[1] e caffè americano). Specialità: insalata di astice al cocco[2], filetto di vitello in crosta[3] (dalle 13 alle 16mila lire).

Cul de sac, piazza Pasquino 73, tel. 6541094. A due passi da piazza Navona, insalate, formaggi e salumi[4] accompagnati da una vasta scelta di vini. Frequentato dai giovani. Aperto dalle 12,30 alle 15 e dalle 20 alle 0,30. Chiuso il lunedì (25–30mila lire).

Enoteca Spiriti, via Sant'Eustachio 5. Accanto[5] al Pantheon, pochi tavolini, propone specialità vegetariane: polpette di melanzane e carote[6], frittatte e calzoni di verdura[7], insalata di rughetta e di granchio[8]. Dalle 11 alle 15 e dalle 18 alle 21, chiuso la domenica (10–15mila lire).

Paladino, via del Governo Vecchio 28/29. Dai fratelli Paladino, nella vecchia Roma, si può ancora gustare la pizza al taglio[9] cotta nel forno a legna. Viene farcita[10], a scelta, con prosciutto e fichi, tonno e carciofi[11], bresaola[12] e rughetta[13], ricotta e cioccolata.

[1] drinks
[2] type of lobster with coconut
[3] veal en croûte (rolled in a pastry shell)
[4] cold cuts
[5] near
[6] eggplant and carrot croquettes
[7] vegetable omelettes and turnovers
[8] crab
[9] by the slice
[10] is topped
[11] tuna and artichokes
[12] thinly-sliced cured beef
[13] a type of lettuce

VEDIAMO INSIEME

Completate le seguenti frasi con l'informazione corretta.

1. Se vogliamo gustare una cucina tipica di Roma andiamo...
2. Per una cucina internazionale possiamo sempre andare...
3. D'estate, se vogliamo mangiare all'aperto possiamo sempre andare...
4. Vogliamo cenare in un buon ristorante, è domenica, quindi andiamo...
5. Per gustare piatti di una tradizione molto antica bisogna andare...
6. Per un pasto buono ma veloce in un ristorante per giovani andiamo...
7. Per mangiare una pizza un po' fuori dell'ordinario andiamo...
8. Un buon brunch, anche se un po' caro, si trova...
9. Se non mangiamo carne ... è il ristorante adatto per noi.

A VOI LA PAROLA

1. In quale dei ristoranti elencati vi piacerebbe mangiare? Perché? In quale occasione?
2. Avete deciso di mangiare una pizza al «Paladino», ma la volete a gusto vostro. Come la vorreste? Spiegate al cameriere che è venuto al vostro tavolo.
3. Con due compagni di classe preparate un dialogo fra una coppia che ha prenotato un tavolo a «La Pergola» e il loro cameriere.
4. Lavorate occasionalmente per il giornale della vostra città. Scrivete un breve articolo su un ristorante che si è appena aperto. (Descrivete il locale, l'ambiente, alcune delle specialità, il servizio, il costo, ecc.)

LO SAPEVATE CHE...?

A Vico Equense, una graziosa cittadina e stazione balneare[1] a sud di Napoli, sulla Penisola Sorrentina, c'è un ristorante-pizzeria che si chiama «Pizza a Metro—Da Gigino». Il nome è derivato dalla pizza che viene servita in quel locale; invece di essere rotonde, le pizze sono rettangolari e sono ordinate secondo la lunghezza[2] che uno desidera. Uno può avere una pizza da mezzo metro fino a una di due metri!

VEDIAMO INSIEME

A. Indicate che genere di cucina vi aspettereste di trovare nei seguenti ristoranti.

1. Girarrosto[3] Toscano
2. Alfredo l'Originale
3. Al Gladiatore
4. Birreria del West
5. Taverna del Pescatore
6. Splügen Bräu
7. Harry's Bar
8. Rendez-vous
9. Taverna Greca
10. La Pampa

B. Che nome dareste voi ad ognuno dei seguenti locali?

1. un ristorante francese
2. una trattoria messicana
3. uno snack bar specializzato in bistecche e amburghers
4. un ristorante cinese
5. un ristorante hawaiano di lusso

IN POCHE PAROLE

Paese che vai usanza che trovi[4]

Non sempre, quello che è corretto in una nazione è accettabile o segno di buona educazione in un'altra. Vediamo insieme alcune usanze italiane.

«Prego si accomodino!»[5] In molte trattorie e pizzerie, dove l'atmosfera è più rilassata, questa è la frase con cui il cameriere vi accoglie[6]; però spesso, invece di accompagnarvi ad un tavolo, lascia che siate voi a scegliere quale tavolo desiderate e vi lascia andare da soli con un «son subito con voi!» o «adesso vi porto il menù». Il vostro pranzo sarà servito quasi sempre da un cameriere che, in Italia, chiamate semplicemente «cameriere». Ovviamente, nei ristoranti di lusso è consueto avere due o tre camerieri che si occupano di ogni tavolo, o di un cameriere principale con un paio di assistenti.

I camerieri. Nella maggior parte dei ristoranti e delle trattorie italiane, da quelli di lusso alle trattorie di famiglia, il cameriere è quasi sempre un uomo. Non è raro, invece, e particolarmente nelle trattorie, trovare le donne in cucina come cuoche.

Se siete pronti ad ordinare basta che posiate il menù accanto a voi sul tavolo, e il cameriere verrà a prendere l'ordinativo. Ricordate che per l'italiano l'essere a tavola è una pausa rilassante; quindi è segno di buon servizio in un ristorante di non affrettare il cliente. Se il cameriere dovesse tardare molto a venire, potete cercare di attirare la sua attenzione guardandolo ed alzando un dito allo stesso tempo.

---

[1] seaside resort
[2] length
[3] rotisserie
[4] When in Rome do as the Romans do (lit.: country that you visit, custom that you find)
[5] Please come in
[6] welcomes you

Le porzioni[1]**.** Se non avete molto appetito, in molti locali italiani è possibile chiedere una mezza porzione. Spesso, nei ristoranti di famiglia o se si è cliente abituale, il prezzo sarà inferiore; e così anche il cibo non andrà sciupato[2]. Soprattutto, non chiedete di portar via con voi quello che non avete mangiato. In Italia il concetto, come anche l'espressione «bustina per il cane» non esiste; una simile richiesta sarebbe completamente inappropriata e creerebbe imbarazzo sia per voi che per il cameriere.

Il conto. Come si è detto, per gli italiani stare a tavola è un piacere; anzi, un vecchio proverbio italiano dice: «a tavola non s'invecchia» (*one does not age at the table*). Quindi, l'indizio[3] di un buon servizio è di non portare il conto appena o poco dopo che il cliente ha terminato il pasto. In Italia, il cameriere non porterà il conto fin quando voi non lo chiederete; potete fare questo chiedendolo o semplicemente guardando il cameriere e facendo un segno con la mano.

In quasi tutti i ristoranti italiani, tranne per i self-service, il servizio, che varia dal 10 al 15 per cento, è automaticamente aggiunto al conto. Se il servizio è stato molto buono e cortese, è consueto aggiungere qualcosa, nell'ordine del 2 al 5 per cento al totale.

IN ALTRE PAROLE

A. Vero o falso? Indicate quali delle seguenti asserzioni sono vere e quali sono false. Correggete quelle false.

1. Nei ristoranti italiani è più facile trovare cameriere che camerieri.
2. L'italiano vuole il conto appena ha terminato il pasto.
3. In molti ristoranti, normalmente è il cliente che sceglie il tavolo.
4. Se non si finisce di mangiare qualcosa, possiamo sempre portare a casa le rimanenze (*leftovers*).
5. Bisogna sempre lasciare una mancia per il cameriere.

B. Riscrivete le seguenti frasi esprimendo in parole vostre le parti indicate.

1. Possiamo chiamare il cameriere alzando un dito.
2. Per gli italiani l'essere a tavola rappresenta un momento di relax.
3. Il cameriere ci porta il conto soltanto quando lo chiediamo.
4. Se il servizio è stato buono, possiamo lasciare una mancia.
5. Il cameriere serve il pranzo.

C. Siete d'accordo con le seguenti affermazioni? Difendete la vostra opinione.

1. Le cameriere sono più gentili dei camerieri.
2. Se paghiamo il conto con una carta di credito bisogna lasciare la mancia in contanti (*cash*).
3. Anche se il servizio è stato cattivo, bisogna sempre lasciare una mancia.
4. Anche i ristoranti americani dovrebbero includere il servizio nel conto.
5. Le donne sono più generose nel lasciare mance.

A VOI LA PAROLA

1. Andate spesso a mangiare in ristorante? Quali ristoranti preferite, quelli di lusso o quelli economici? Qual è il vostro ristorante preferito? Spiegate perché. Preferite la cucina locale o una cucina etnica? Precisate quale, e spiegate la vostra preferenza. Quali sono alcuni piatti tipici della vostra regione?

2. Ci sono alcune cose che vi danno particolarmente fastidio in un ristorante? Descrivete come dovrebbe essere, secondo voi, un ristorante perfetto.

3. Descrivete (o immaginate) la cosa più imbarazzante che vi è successa o che potrebbe accadervi in un ristorante.

---
[1] helpings
[2] go to waste
[3] sign

Svaghiamoci a Roma! Indecisi su cosa fare stasera? Basta prendere «Il Messaggero» o «Il Tempo» e sfogliare la sezione «Roma/spettacoli» o «Roma/giorno e notte».

ECCEZIONALE	★★★★
OTTIMO	★★★
BUONO	★★
DISCRETO	★

DRAMMATIC

□
Sta' fermo, muori e resuscita ★★★

di Vitali Kanevski; con Pavel Nazarov Dinara Drukarova.
Due dodicenni all'inferno, ovvero vit tragica e felice del piccolo Valerka e del la sua amica Galia a Sutchan, estrem oriente sovietico, nel 1947. Siamo i pieno stalinismo, dietro casa ci sono gl orrori del gulag, l'unico svago è la vio lenza. Ma nei giochi pericolosi di Gali e Valerka si respira una gioia, un piacer fisico dell'esistenza, di rara e commo vente intensità. Debutto-capolavoro d un regista di 55 anni, che sognava que sto film da quando ne aveva 30 e ne frattempo ne ha passati 8 in prigione pe un reato mai commesso. Da non man care.
Nuovo Sacher

□
JKF - Un caso ancora aperto ★★

di Oliver Stone; con Kevin Costner Joe Pesci.
La morte di John F. Kennedy second Oliver Stone (e secondo il procurator di New Orleans Jim Garrison, che negl anni '60 smontò la versione ufficiale). A uccidere Kennedy furono la Cia, la ma fia, i cubani anticastristi e soprattutt l'industria militare, inferocita per il pa cifismo del presidente. Tesi discussa discutibile, suffragata da indizi più ch da prove. Ma Stone la sostiene a colpi d grande cinema, mescolando document e finzione, repertorio e ricostruzione, i 190 travolgenti minuti che mettono i dito su una delle piaghe più infette dell storia americana.
Admiral, Capitol, Etoile, Eurcine, New York.

Roma/spettacoli

Guida ai divertimenti della città

FILM GUIDA

□
Mississippi Masala ★★
di Mira Nair, con Denzel Washington, Sarita Choudhury. Lei è indiana, emigrata, nata bene. Lui è nero, americano, di classe inferiore. Tutti e due sono molto belli, molto perbene, molto innamorati. Ma i parenti e le rispettive comunità non gradiscono. Anche se la famiglia di lei non viene dall'India ma dall'Uganda, paradiso perduto ed eternamente rimpianto. Fra dramma e commedia, desiderio e nostalgia, uno sguardo sui pregiudizi che avvelenano le minoranze. Un pò troppo morbido per lasciare il segno.
Archimede

BRILLANTI

□
Paura d'amare ★★★
di Garry Marshall: con Michelle Pfeiffer e Al Pacino.
Cameriera sola e delusa incontra cuoco maturo ma ancora pieno di entusiasmo, tanto da piegare le sue resistenze e trascinarla all'amore. «Plot» minimale, tocco magistrale, grazie anche ai protagonisti e a un plotone di caratteristi impareggiabili. Ruffiano e irresistibile, attualissimo e datato, sfacciatamente falso e assolutamente credibile, ma soprattutto divertente. Da una commedia rodata a Broadway con attori meno giovani e affascinanti.
Ambassade, Empire, Golden

□
Gli amanti del Pont-Neuf ★★★
di Leos Carax: con Juliette Binoche e Denis Lavant.
Tre anni di lavorazione, 35 miliardi di costo, fallimenti, depressioni, attentati. Tutto per raccontare l'**amour fou** di due barboni: lui acrobata e mangiafuoco azzoppato, lei pittrice bellissima e semicieca di origine borghese. Intorno, la Parigi in festa per il Bicentenario del 1789. Un kolossal dell'anima che si segue col cuore in gola. Una fiaba fantasmagorica e fiammeggiante sulla violenza dei sentimenti.
Capranichetta

□
Johnny Stecchino ★★★
di Roberto Benigni: con Roberto Benigni e Nicoletta Braschi.
Le avventure di Pinocchio nel paese della mafia, ovvero: come Benigni si sdoppiò nel ruolo di un candido provinciale e in quello di un feroce boss siciliano che vive recluso per paura dei suoi compari. Droga, agguati, ministri corrotti. Ma a scatenare il finimondo sono un paio di banane rubate.
Induno

□
Hot shots! ★★
di Jim Abrahams; con Charlie Sheen, Valeria Golino e Lloyd Bridges.
L'aviazione che non avreste voluto in azione durante la guerra del Golfo. Una satira antimilitarista e una parodia feroce di **Top gun**. Demenzialità allo stato puro secondo le direttive di Jim Abrahams, il «re» della comicità «scema» americana. Tra le tante irresistibili gag, una presa in giro «bruciante» di **9 settimane e mezzo**.
Reale, Ritz, Royal

FANTASCIENZA

□
Terminator 2
Il giorno del giudizio ★★
di James Cameron: con Arnold Schwarzenegger, Linda Hamilton.
Sorpresa: Schwarzenegger combatte per il Bene. Il cyborg venuto dal futuro infatti deve proteggere il bambino destinato a salvare il pianeta dall'olocausto nucleare. Ma dovrà affrontare un altro terminator, più feroce e perfetto di lui perchè capace di assumere tutte le forme che vuole. Ultima frontiera dello spettacolo (e della violenza): la novità, la forza simbolica e l'angoscia del primo episodio non ci sono più. Ma i cento milioni di dollari spesi si vedono tutti.
Academy Hall, Missouri

□
Fino alla fine del mondo ★★
di Wim Wenders; con Solveig Dommartin e William Hurt.
Una bella giramondo e un seduttore fuggiasco. Un marito tradito più un detective postmoderno. E poi scienziati, rapinatori, cacciatori di taglie, lanciati fra Venezia e Berlino, Lisbona e Pechino, Mosca, Tokio, il deserto australiano, all'inseguimento di una macchina che cattura i sogni e restituisce la vista ai ciechi. Il tutto nel 1999. Sbilanciato e affascinante, edonistico e moralistico, il primo film fantastico di Wenders. Che combatte la dittatura delle immagini a colpi di belle immagini, ma soffre la mancanza di un mago della parola come Peter Handke.
Eden

AVVENTUROSI

□
Robin Hood, principe dei ladri ★★
di Kevin Reynolds: con Kevin Costner e Mary Elizabeth Mastrantonio.
L'arciere di Sherwood in salsa anni '90. Il suo braccio destro è un nero musulmano. Lo sceriffo di Nottingham, un gangster depravato. E i briganti di Little John combattono con tecniche da guerriglia. Multietnico, metaforico, un pizzico goliardico. Lo spettacolo c'è, il divertimento pure, ma l'emozione è un'altra cosa.
Empire 2.

VEDIAMO INSIEME

1. Avete già visto qualcuno dei film descritti nel «Film Guida»? Quale? Vi è piaciuto? Perché? Siete d'accordo con la classificazione data dal recensore (*reviewer*)? Quante stelle dareste voi invece?
2. Per ciascuna delle brevi descrizioni date il titolo del film che più corrisponde:
   a. l'azione del film si svolge in Francia
   b. tratta di un avvenimento storico che scosse gli Stati Uniti molti anni fa
   c. è la storia avventurosa di un giovane inglese che visse alcuni secoli fa
   d. è basato su una commedia teatrale
   e. il protagonista è un uomo-macchina

MESSA IN SCENA

1. Un vostro amico/una vostra amica ha sentito molto parlare di «Balla coi lupi» e vorrebbe vederlo. A voi non piace quel genere di film, ma vi lasciate convincere. Nel vostro dialogo includete le seguenti informazioni:
   a. nome e indirizzo del cinema dove il film è in programmazione (*is playing*)
   b. orario degli spettacoli
   c. nome del regista
   d. attori principali
   e. tema generale
2. Intervistate un attore famoso/un'attrice famosa, reale o immaginario/a. Domandate come mai ha scelto questa professione, quando ha fatto il primo film, quali ruoli preferisce e perché, qual è stato il suo ultimo film, ecc.

Roma/spettacoli

CINEMA

PRIME VISIONI

ACADEMY HALL via Stamira 5 Ø 426778	L. 10.000 (16.00-22.30)	**Johnny Stecchino** di Roberto Benigni; con Roberto Benigni e Nicoletta Braschi (brilante) ★★★
ADMIRAL piazza Verbano 5 Ø 8541195	L. 10.000 (15.15-19.00-22.30)	**JFK - Un caso ancora aperto** di Oliver Stone; con Kevin Costner (drammatico) ★★★
ADRIANO piazza Cavour 22 Ø 3211896	L. 10.000 (16.00-18.25-20.25-22.30)	**La famiglia Addams** di Barry Sonnenfeld; con Raul Julia e Anjelica Huston (brillante) ★
ALCAZAR via M. Del Val 14 Ø 5880099	L. 10.000 (16.30-18.30-20.30-22.30)	**Delicatessen** di Jeunet e Caro; con Dominique Pinon e Marie-Laure Dougnac (comico) ★
AMBASCIATORI via Montebello 101 Ø 4941290	L. 7.000 (10.00-11:30 e 16.00-22.30)	**Film per soli adulti**
AMBASSADE via Accademia Agiati 57 Ø 5408901	L. 10.000 (15.15-17.40-20.00-22.30)	**Paura d'amare** di Garry Marshall; con Al Pacino e Michelle Pfeiffer (commedia) ★★★
AMERICA via Natale del Grande 6 Ø 5816168	L. 10.000 (16.00-18.25-20.25-22.30)	**La famiglia Addams** di Barry Sonnenfeld; con Raul Julia e Anjelica Huston (brillante) ★
ARCHIMEDE via Archimede 71 Ø 8075567	L. 10.000 (16.00-18.10-20.20-22.30)	**Gli amanti del Pont-Neuf** di Leos Carax; con Juliette Binoche e Denis Lavant (drammatico) ★★★
ARISTON via Cicerone 19 Ø 3212597	L. 10.000 (16.00-18.15-20.20-22.30)	**Un orso chiamato Arturo** di Sergio Martino; con George Segal e Carol Alt (commedia)
ASTRA viale Jonio 225 Ø 8176256	L. 10.000 (16.00-22.30)	**Riposo**
ATLANTIC via Tuscolana 745 Ø 7610656	L. 10.000 (16.00-18.25-20.25-22.30)	**La famiglia Addams** di Barry Sonnenfeld; con Anjelica Huston e Raul Julia (brillante) ★
AUGUSTUS corso Vitt. Emanuele 203 Ø 6875455	L. 7.000	**Chiuso per lavori**
BARBERINI UNO piazza Barberini 52 Ø 4827707	L. 10.000 (15.50-18.00-20.20-22.30)	**Papà, ho trovato un amico** di Howard Zieff; con Dan Aykroyd e Macaulay Culkin (commedia) ★
BARBER[illegible]	L. 10.000	**Robin Hood** [illegible]

3. Avete deciso di andare al cinema con i vostri amici Annamaria e Riccardo, ma vi è difficile trovare un orario in cui siete tutti liberi, ed avete anche gusti differenti. Quale film scegliete? Con due compagni preparate la situazione includendo i seguenti elementi:
   a. Annamaria lavora in un negozio e non finisce di lavorare prima delle 19,30.
   b. Riccardo deve dare un esame la prossima settimana e non vuole andare a letto tardi.

CINEMA PARADISO

CONSENTITO FUMARE

Non si vive di solo ballo, anzi: tra i vicoli di Trastevere, sulle ceneri di un glorioso ma decrepito *pidocchietto* (dal romanesco: piccolo

cinema scalcinato) è resuscitato l'Alcazar, una sorta di paradiso del cinema. È l'ultima scommessa dei coniugi Vania e Manfredi Traxler, da sempre distributori di film d'autore, e si annuncia come un vero e proprio salotto buono delle proiezioni romane. 250 posti, le stesse poltrone (con una distanza di un metro fra le file) che Mitterrand ha voluto per le sale dell'Opera, musica di sottofondo nell'atrio e nei servizi. Un sofisticato impianto di climatizzazione regola la temperatura in sala e a seconda del pubblico presente e consente ai cinefili fumatori di sfogare il proprio vizio in galleria. Lo schermo, un Harkness, è ad alta definizione e il suono stereofonico è di altissima qualità. Il lunedì il film è in lingua originale e gli orari sono fissi per impedire l'accesso ai ritardatari. Tramite una cassa computerizzata si può prenotare da casa. Completano l'Alcazar, che è in via Merry del Val 14, un bar e una libreria specializzata. 8 mila lire il costo del biglietto.

consentito fumare, *smoking allowed*
vicoli, *alleys*
ceneri, *ashes*
scalcinato, *run-down*
film d'autore, *films by famous directors*
poltrone, *seats, chairs*
file, *rows*
musica di sottofondo nell'atrio, *background music in the lobby*
climatizzazione, *climate control*
sfogare, *to give vent*
galleria, *balcony (in a theater)*
accesso, *entrance*
ritardatari, *latecomers*

A VOI LA PAROLA

A. Che genere di film preferite vedere? Spiegate il perché. Menzionate un film delle seguenti categorie che vi ha particolarmente colpito.
   1. drammatico
   2. di avventure
   3. comico
   4. un thriller
   5. di fantascienza
   6. poliziesco
   7. brillante (*brilliant, witty*)

B. La parola al critico. Siete stato incaricato di fare la critica di un nuovo film per il vostro giornale locale. Scrivete una breve recensione (*review*) di un film di vostra scelta.

VEDIAMO INSIEME

A. Completate le seguenti frasi con l'espressione più adatta.

1. Il cinema «Alcazar» si trova in...
   a. un viale
   b. una strada principale
   c. una piccola strada

2. L'«Alcazar» è un...
   a. nuovo cinema
   b. vecchio cinema
   c. cinema scalcinato

3. Le poltrone dell'«Alcazar» sono...
   a. comode
   b. piccole
   c. con musica

4. Nel cinema è...
   a. vietato fumare
   b. permesso fumare
   c. proibito fumare

5. I fumatori possono fumare...
   a. nell'atrio
   b. nella platea
   c. in galleria

6. Nel cinema si vedono...
   a. soltanto film italiani
   b. film stranieri doppiati (*dubbed*)
   c. anche film in lingua originale

B. Dopo aver letto attentamente l'articolo, rispondete alle seguenti domande.

1. Cosa è un «cinema pidocchietto»? Trovate il significato della parola «pidocchio». Perché pensate che i romani chiamino così alcuni cinema?
2. Perché l'articolo chiama l'«Alcazar» una specie di «paradiso del cinema»?
3. Chi sono Vania e Manfredi Traxler?
4. È grande l'«Alcazar»? Come sono le sue poltrone? Dove si trovano poltrone uguali a quelle?
5. Perché è consentito fumare nel cinema?
6. Com'è lo schermo di questo cinema? e il suono?
7. Che genere di film vengono proiettati in questa sala?
8. Cosa significa che gli orari sono fissi? Perché sono così?
9. È necessario comprare il biglietto alla cassa?
10. Che altro c'è accanto al cinema?

A VOI LA PAROLA

1. Conoscete voi qualche cinema che i romani potrebbero chiamare «pidocchietto»? Dove si trova? Che genere di film ha in programma? Lo frequentate voi? Perché?
2. Si può fumare in un cinema americano? Dove? Cosa pensate voi di un cinema dove è consentito fumare in sala? Ci andreste voi? Perché? Perché pensate che nell'Alcazar si possa fumare solo in galleria?
3. In che genere di libri pensate che sia specializzata la libreria dell'Alcazar? I libri sono in vendita al pubblico? Vi sembra una buon' idea avere un bar e una libreria in un cinematografo? Perché? Secondo voi quale altro negozio andrebbe bene in o accanto a un cinematografo? Perché?
4. Quali film vi aspettereste di vedere all'Alcazar? Potete menzionare qualche titolo? Chi frequenterebbe un cinema di questo tipo? Descrivete la persona (aspetto fisico, età, personalità, gusti, ecc.). Pensate che i coniugi Traxler abbiano ben investito il loro denaro? Perché?
5. Conoscete voi qualche cinema come il nuovo Alcazar? Quali sono alcune delle caratteristiche che lo differenziano dalla normale sala cinematografica? Che tipo di film ha in programma usualmente? Vi andate voi? Perché?

Il teatro

INTAVOLIAMO IL DISCORSO

1. Vi piace l'opera? Conoscete qualche opera famosa? Chi l'ha musicata? Qual è la trama? Siete mai stati all'opera? Vi piacerebbe andarvi? Perché?
2. Siete mai stati a teatro? Preferite il teatro di prosa o la commedia musicale? Sapete quale nazione è famosa per le commedie musicali? Ne conoscete qualcuna? Cosa pensate della danza classica?
3. Minidramma. Con alcuni compagni preparate e presentate la seguente situazione: l'allenatore di una squadra di calcio ha deciso che per migliorare il "dribbling" dei suoi giocatori, egli deve assumere un istruttore di danza classica per dare loro lezioni.

Diamo un'altra occhiata al giornale e vediamo quali possibilità ci sono per stasera.

LIRICA E CONCERTI

Teatro dell'Opera. Piazza Beniamino Gigli. Stasera alle ore 20,30 «Luisa Miller» di G. Verdi.

Associazione Amici di Castel Sant'Angelo. Lungotevere Castello 1. Stasera alle ore 17,30 presso la Sala cappella - Castel S. Angelo, concerto del pianista Dario Fighera. Musiche di Beethoven, Liszt, G. Cartoni, Debussy e Ravel.

PROSA E RIVISTA

Sistina. Via Sistina 129. Alle ore 21,00, nuova edizione della commedia musicale di Garinei e Giovannini, «Aggiungi un posto a tavola» con l'interprete originale Johnny Dorelli.

Teatro Manzoni. Via Monte Zebio 14 - c. Stasera alle ore 21,00 l'ultima replica (*performance*) del successo comico dell'anno, «La Mandragola» di N. Machiavelli, con Antonio Salines.

SPAZI CULTURALI

Associazione Culturale Italia-Messico. Via Gela, 15. Oggi, dalle 20,30 in poi, serata danzante con musica latinoamericana.

Circolo Romano Arte e Cultura. Piazza Benedetto Cairoli, 117. Martedì alle ore 17,00 la prof. Annalisa Marini parlerà su «Il colore delle strade di Roma» (con diapositive [*slides*]). Michele Cecchetti leggerà alcune sue poesie in dialetto romanesco sulle bellezze di Roma.

CABARET, MUSIC-HALLS, ECC.

Ai Professionisti. Via Vittoria Colonna, 32. Tutte le sere, discoteca e piano bar.

Alfellini. Via Francesco Corletti, 5. Stasera alle ore 21,30 e alle 22,15 spettacolo di cabaret.

JAZZ, FOLK, POP, ROCK

Associazione Saint Louis Music City. Via del Cardello. Stasera alle ore 22,00 concerto con «Jona's Blues Band e Harold Bradley». Ingresso libero.

Big Mama. Vicolo S. Francesco a Ripa, 18. Stasera alle 21,30 concerto blues del gruppo Alex Britti Band.

Casablanca cafè. Via S. Maria del Pianto, 19. Tutte le sere, disco-music, condotta dal d.j. Francesco Bonanno.

Classico. Via Libetta, 7. Stasera alle ore 21,30 concerto funky rock con i «French Kissing».

A VOI LA PAROLA

Basandovi sulle possibilità elencate, indicate cosa suggerireste alle seguenti persone.

1. una giovane coppia
2. una coppia anziana
3. un gruppo di giovani studenti
4. marito, moglie e due bambini
5. uno studentessa di «tradizioni culturali»
6. un/una giovane professionista sui trent'anni.
7. una coppia che vuole celebrare il suo cinquantesimo anniversario di matrimonio

L'Italia-disco: balla che ti passa[1]!

Come si era già accennato l'Italia sembra tenere il record europeo per numero di discoteche e per la cifra[2] che gli italiani spendono ogni anno per il ballo. Questa è una delle più alte del mondo: più di 2.000 miliardi di lire. Si è calcolato che in Italia vi sono intorno ai 7mila locali sparsi in tutta la penisola; questi vanno dal disco locale dei piccoli centri, che può ospitare qualche centinaio di giovani, alle discoteche colossali dove migliaia di persone possono lasciarsi andare ai ritmi di vari dee jay. La capitale di questa Italia-disco, il «divertimentificio»[3] dei giovani è il tratto[4] di costa emiliano-romagnola che va da Milano Marittima a Cattolica (località balneari a nord e a sud di Rimini, sull'Adriatico); circa 40 chilometri di costa che «ospitano» intorno a 150 locali.

Chi sono i frequentatori[5] di questi locali della danza? i giovanissimi? Nulla di più falso. Sembra che più di un terzo dei frequentatori abituali superano i 28–30 anni di età. Ballano le stelle della televisione e dello spettacolo, ballano i giovani dell'alta società industriale e commerciale, quelli della vecchia aristocrazia e gli operai. Non bisogna però pensare che le discoteche siano un crogiuolo[6] democratico dei vari ceti sociali. Le discoteche sono rigorosamente suddivise per generi e categorie. Ci sono le discoteche di massa, le cosidette «discoteche lunapark»[7] dove si possono trovare anche piste per i bambini, poi vengono i locali per il jet set o per gli aspiranti tali[8], ed infine le discoteche d'avanguardia, quelle che fanno tendenza[9].

A VOI LA PAROLA

1. Che cosa rappresenta per voi il ballo? Quali generi di balli preferite? Preferite balli particolari a seconda delle occasioni o del vostro umore? Come vi sentite mentre ballate? e dopo aver ballato?

2. Vi piacerebbe essere un dee jay? Perché? Che genere di musica suonereste? Cosa fareste per incoraggiare la gente a ballare? Secondo voi quali sono i pro e i contro dell'essere un dee jay? Pensate che il dee jay si diverta o per lui è soltanto un lavoro?

3. Siete mai stati in una discoteca? Quando ci andate di solito? Che genere di musica vi piace? Vi andate da soli o con amici? Ci sono discoteche nella vostra zona? Sono grandi? Come si chiamano? Quanto si paga l'ingresso? Qual è la vostra preferita? Perché?

---

[1] dance and you'll get over it
[2] sum
[3] factory of enjoyment
[4] stretch
[5] patrons
[6] melting pot
[7] amusement park
[8] those aspiring to be such
[9] trend setters

LA NOTTE

KRIPTONIGHT

FRANCESCO TRONCARELLI

Batman, Superman, l'Uomo Ragno, Wonder Woman, Captain America sono arrivati in discoteca. Il mondo dei fumetti entra nei templi del divertimento notturno. Ma attenzione: non si tratta di un'estemporanea trovata di qualche animatore appassionato di comics, bensì di una dimensione permanente della Roma by night. Dalle ceneri dell'Acropolis è nato infatti Kripton, megadiscoteca il cui nome (ricordate?, è il pia ta natale di Nembo Kid) è tutto un programma, perché sinonimo di avventura, fantastico, irrazionale e, naturalmente, divertimento.

Affidato alle cure di Gepy Mariani, l'architetto a cui negli ultimi anni si deve la realizzazione dei migliori ritrovi della capitale, il locale che negli anni 80 esplose come Much More appare ora totalmente ridisegnato. Ha assunto l'irreale atmosfera dello spazio siderale. La dominante è blu, ma i riflessi sono azzurri e verdi, il colore della kriptonite, che per l'occasione non è letale, ma al contrario dà la carica ai supermen della notte.

Alla consolle tre dee jay di talento: Marco Trani, Cesare Cerulli e Massimo Padovani. Al parco luci, sparate da potentissimi laser, una supergirl, Paola Mariani. Un laser particolare poi, mosso dal braccio di una gru, illumina gli angoli più nascosti della sala. Intorno alla pista, le gradinate, come in un anfiteatro greco.

E i supereroi? Sullo schermo gigante che avvòlge metà della discoteca, vengono proiettate le avventure degli invincibili dei cartoon e i trailer del kolossal su Batman che sta battendo tutti i record d'incasso.

Gran cerimoniere della notte di Kripton, Billy Bilancia, acclamato protagonista della neo-dolce vita romana che ha lanciato a suo tempo l'Hemingway, le Cornacchie e Gilda. A lui e alla solita élite (da Arbore a De Crescenzo, dalla Dellera alla Laurito) è riservata la Bat-caverna, una sala vip completamente insonorizzata con le pareti di cristallo, attraverso le quali si può vedere solo dall'interno. Vi si accede con la Kripton-card: un tesserino magnetico «pipistrellato». Uhau!

Supereroi. *Alla consolle. A sinistra: la sala. Sotto: la supergirl alle luci.*

LA SCHEDA

Kripton, via Schiapparelli 29, Roma. Tel. 06/3221360. **Apertura**: tutti i giorni dalle 22 alle 3, ma si può ballare anche al pomeriggio nei giorni prefestivi. **Parcheggio**: incustodito nei dintorni. **Ingresso** :25 mila lire, venerdì e sabato 30 mila. **Bar**: uno in discoteca e uno nella Bat-caverna con accesso riservato. **Eventi**: serate a tema e feste in onore di «personaggi» il venerdì. **Musica**: garage, house, funky. **Look**: spiega il direttore del locale Rodolfo Graffi: «Quello che conta è lo spirito, chi viene da noi sceglie un altro pianeta». Come dire, dal pariolino griffato allo scatenato col chiodo e il 501 tutto fa Broadway.

templi del divertimento notturno, *the temples of night-entertainment*
non si tratta, *it's not a question*
trovata, *(publicity) stunt*
ritrovi, *meeting places, "spots"*
spazio siderale, *outer space*
dà la carica, *charges up*
gru, *boom*
pista, *dance floor*
cerimoniere, *master of ceremonies*
pareti, *walls*
vi si accede, *one can be admitted*
incustodito, *unattended*

VEDIAMO INSIEME

A. Rispondete alle domande.

1. Chi sono Batman e Wonder Woman? Chi pensate che sia l'Uomo Ragno?
2. Cosa significa l'espressione «Roma by night»?
3. In italiano qual è un altro nome per Superman?
4. Chi è Gepy Mariani? Cosa ha fatto? in quale città italiana?
5. Con quali colori è decorata questa discoteca? Perché l'architetto ha scelto questi?
6. Cosa è un laser? A che cosa serve?
7. Che compito ha la «supergirl» Paola Mariani?
8. Cosa è la «Bat-caverna»? A chi è riservata?
9. Cosa bisogna avere per entrare nella «Bat-caverna»?
10. Dove si trova il Kripton? Quando apre? Per quante ore?
11. Dove si può lasciare l'automobile?
12. Che genere di musica suonano in questa discoteca?
13. Guardate attentamente la fotografia a destra. Come sono vestiti i dee jay?
14. Com' è vestita la ragazza nella fotografia in basso a destra? Chi è?

B. Vero o falso? Indicate quali delle seguenti asserzioni sono vere e quali sono false. Correggete quelle false.

1. Kripton è un locale di Milano.
2. Batman, Superman, Wonder Woman sono famosi dee jay.
3. Il Kripton è una nuova e piccola discoteca a Roma.
4. Gepy Mariani è il proprietario e dee jay del Kripton.
5. La Bat-caverna è aperta a tutti.
6. La Bat-caverna ha le pareti di vetro trasparenti.
7. Nella discoteca c'è anche uno schermo grandissimo.
8. Il Kripton è chiuso la domenica ed i giorni festivi.
9. Per chi va in automobile c'è un parcheggio privato a pagamento.
10. Il biglietto d'ingresso costa di più il sabato.

A VOI LA PAROLA

Vi sembra originale il concetto del Kripton? Cosa vi attira di più? Quale pensate che sia la clientela di questo locale? Descrivete la persona che, secondo voi, avrebbe diritto ad una «Kripton-card». Vi piacerebbe averne una? Perché?

MESSA IN SCENA

Siete un famoso architetto e vi è stato chiesto di preparare un progetto per una nuova discoteca. Esponete le vostre idee nei seguenti casi:

a. l'investitore ha fondi limitati
b. l'investitore ha fondi illimitati

ANGOLINO DEL PAROLIERE

Buon divertimento!
Dopo una lunga giornata di lavoro o di studio si ha anche diritto ad un po' di svago. Le espressioni che seguono potranno esservi utili in queste situazioni.

ECCO ALCUNE FRASI UTILI PER IL DIVERTIMENTO.

Stasera si esce.	We are going out tonight.
Buon divertimento!	Have fun!
Come è andata la serata?	How was your evening?
È andata bene (male).	It went well (badly).
Mi sono divertito(a) molto.	I had a very good time.
Me la/lo sono proprio goduta(o)!	I really enjoyed it!
È stato fantastico!	It was superb!
Abbiamo fatto le ore piccole.	We stayed up until the wee hours.
Hai capito la battuta?	Did you get the punch line?
Ho capito l'antifona.	I got the hint.
Abbiamo fatto risate da pazzi.	We laughed like crazy.
Ci siamo fatti quattro risate.	We had a few laughs.

TALVOLTA È NECESSARIO DARE QUALCHE BUON SUGGERIMENTO.

Attenti! Siate prudenti!	Be careful!
Non rientrate tardi!	Don't come back too late!
Comportatevi bene!	Behave yourselves!
Non fate sciocchezze (stupidaggini).	Don't get into trouble. Don't do anything foolish.
Non vi preoccupate.	Don't worry.
Non fate una baraonda!	Don't create a ruckus!
Usate cautela!	Be cautious!
Non piantate grane!	Don't make any trouble!

TALVOLTA CI SONO ANCHE DEGLI IMPREVISTI.

Mi ha piantato(a) in asso!	She (he) left me in the lurch!
La sua ragazza lo ha piantato (l'ha mandato a spasso)!	His girlfriend jilted him (told him to get lost)!
Non mi fa né caldo né freddo.	I don't care (one way or the other).
Filiamocela!	Let's take off!
Aveva la luna un po' storta (di traverso).	He (she) wasn't in a good mood (was irritable).
Per me fa lo stesso.	No difference. It's all the same to me.
Che guastafeste!	What a spoilsport (party-pooper)!

A VOI LA PAROLA

A. Situazioni imbarazzanti o inaspettate. Raccontate ad un(a) collega quello che vi è successo nelle situazioni seguenti. Lui/Lei vi darà la sua reazione.
   1. Vi siete trovati(e) ad una festa dove la musica era assordante.
   2. Siete andati(e) al cinema con la ragazza/il ragazzo di un vostro amico/una vostra amica.
   3. Vi trovate a cena con un'amica ed all'improvviso, al tavolo accanto sta venendo a sedersi un amico il cui invito a cena avevate rifiutato dicendo di sentirvi poco bene.
   4. Arriva il conto della cena che avevate offerto voi e vi rendete conto di non avere abbastanza denaro.
   5. Siete al cinema e la persona seduta davanti a voi si muove e parla continuamente.

B. Buoni consigli. Date consigli adatti nelle seguenti situazioni. Assumete il ruolo della seconda persona.
   1. un bambino va al luna-park/ un genitore
   2. un ragazzo va in campeggio per la prima volta/ la madre
   3. una ragazza va ad una festa in casa di amici/ la sorella maggiore
   4. una ragazza va in discoteca per la prima volta/ un genitore
   5. un(a) ragazzo(a) va a sciare per una settimana/ la(il) fidanzata(o)
   6. una studentessa esce con qualcuno che non conosce ancora bene/ la compagna di camera

C. Questioni di gusto. Come reagirebbero le persone indicate trovandosi nelle situazioni seguenti?
   1. passare una serata al Kripton (i vostri nonni/ vostro padre/ un compagno di classe)
   2. guardare un film di Charlie Chaplin (vostro padre/ voi/ un vostro amico)
   3. passare un pomeriggio al luna-park (il vostro fratello minore/ il vostro professore/ vostra nonna)
   4. trascorrere una vacanza con il Club Med su un'isola del mare Egeo (voi/ i vostri genitori/ la vostra ragazza)

D. Minidramma. Preparate e presentate con un compagno/una compagna di classe una delle seguenti situazioni fra un genitore ed il figlio/la figlia che vuole:
   1. prendere la Ferrari del padre per uscire con la ragazza/il ragazzo.
   2. trascorrere un week-end a New York.
   3. andare in Florida con amici facendo l'autostop.
   4. organizzare una serata-disco in casa.

VOCABOLARIO

SOSTANTIVI

avversario opponent
canottaggio boating
cartoni animati cartoons
cassa cashier's, box office
contorno side dish
coperto (table) setting
footing jogging
fumetti comic books
ghiaccio ice
(il/la) giornalista reporter
(il) luna-park amusement park
mancia tip
noia boredom
pattinaggio (su ghiaccio/ a rotelle) (ice/ roller) skating
(il) portiere goalie
(il/la) principiante beginner
(il) redattore editor
(la) redazione editorial office
(il/la) regista film director
rivista magazine, periodical (also: variety show)
salto jump
sceneggiato television drama
schermo screen
sottotitolo subtitle
spettacolo show, performance
(il) telefilm television series (made for TV film)
(il) telegiornale news broadcast (on television)
trama plot
(il) viale boulevard, path in a park

AGGETTIVI

ampio wide
assordante deafening
nascosto hidden
onnipossente all-powerful
spiritoso witty, fresh (person)
tenero soft, mellow
teso tense

VERBI

allettare to entice
annoiarsi to be bored
applicarsi to apply oneself
assistere (a) to attend
atterrare to land
avere diritto (a) to have the right, to deserve
battere le mani to clap
comportarsi to behave
distrarsi to amuse oneself (also: to get distracted)
fare la vela to sail
litigarsi (bisticciarsi) to argue
manifestare to show
possedere to own
praticare (uno sport) to take part, to be active (in a sport)
registrare to tape, to record
remare to row
restituire (-isc-) to return, to give back
rinforzare to strengthen
sfogliare to leaf through
trasmettere to broadcast

ESPRESSIONI

essere al verde to be broke
Buon divertimento! Have fun!
conversare del più e del meno to talk about this and that
pittosto (che) rather (than)
ossia in other words
alla buon'ora finally
ora di chiusura (di apertura) closing (opening) time
sci di fondo cross-country skiing
tenersi in forma to stay in shape
fare alla romana to go dutch (everyone pays for himself)

PER CHIUDERE IL DISCORSO

A. L'intrusa. In ogni gruppo trovate la parola che non è in relazione con le altre e spiegate il perché.

1. correre	nuotare	camminare	guardare
2. svago	lavoro	passatempo	hobby
3. libro	rivista	giornale	quotidiano
4. ristorante	trattoria	pizzeria	bar
5. «Raiuno»	«Retequattro»	«Stereo 1»	«Italia 1»
6. «Il Tempo»	«La Repubblica»	«Il Corriere della Sera»	«I Promessi Sposi»
7. canone	mancia	conto	stipendio
8. «Tartarughe Ninja»	«Nembo Kid»	«Uomo Ragno»	«Davy Crockett»
9. remare	fare la vela	fare il footing	nuotare
10. calcio	ginnastica	tennis	ping-pong

B. Ripassiamo un po' di vocaboli. Le parole che seguono indicano nomi di persone che praticano uno sport, nomi di attività sportive e verbi che descrivono quell'attività. Trovate i 10 gruppi di tre parole che hanno attinenza (*are related*) fra loro.

portiere	pesca	sciare	canottaggio
ciclismo	battersi	podista	nuotatore
sci	parare	boxe	camminare
pescatore	nuotare	calcio	corsa
pescare	canottiere	pedalare	pilota
nuoto	guidare	pugile	corridore
remare	podismo	sciatore	automobilismo
correre	ciclista		

C. Organizzate i gruppi di parole dell'esercizio precedente in dieci frasi originali.

D. Opposti. Cercate nel secondo gruppo il contrario delle parole contenute nel primo gruppo.

1. assordante	a. ricevere
2. ampio	b. annoiarsi
3. spiritoso	c. riprendere
4. trasmettere	d. stretto
5. restituire	e. silenzioso
6. distrarsi	f. noioso

E. Derivati. Seguendo il modello, da ogni verbo indicato formate una parola della stessa famiglia.

verbi	sostantivi	
1. remare	rematore	rematrice
2. nuotare	________	________
3. pattinare	________	________
4. cacciare	________	________
5. pescare	________	________
6. annunciare	________	________
7. giocare	________	________
8. fumare	________	________

verbi	sostantivi	
1. insultare	insulto	________
2. aiutare	________	________
3. rifiutare	________	________
4. sbadigliare	________	________
5. bagnare	________	________
6. sbagliare	________	________
7. invitare	________	________
8. baciare	________	________

TAVOLA ROTONDA: Di qua e di là dell'Atlantico

1. L'atleta di professione. Negli Stati Uniti lo sport fa parte della vita universitaria. Molti studenti ricevono borse di studio grazie alle loro capacità sportive, e quasi tutti gli atleti di professione hanno iniziato la loro carriera giocando in una squadra universitaria. In Italia, invece, l'università e lo sport sono totalmente separati: le università non hanno squadre che diano l'opportunità allo studente-atleta di farsi notare e molti dei giocatori di professione (particolarmente quelli del calcio) cominciano la loro carriera giocando per squadre locali. Discutete i pro e i contro dei due sistemi.

2. «Il Totocalcio»: Divisa in due gruppi, la classe discute i pro e i contro di questo genere di lotterie statali.

CAPITOLO III

Sezione: In villeggiatura
Sezione: Luoghi da visitare

L'Italia e gli italiani

Secondo un sondaggio recente, ogni anno l'Italia è visitata da più di venti milioni di turisti. Per quanto riguarda gli italiani, tre su cinque vanno in villeggiatura per un mese o più ogni estate. Mentre prima pochissimi andavano all'estero per le vacanze, negli ultimi anni è diventato sempre più di moda fare la vacanza all'estero.

INTAVOLIAMO IL DISCORSO

Dove trascorrete le vacanze estive? Avete mai viaggiato all'estero? In quale occasione? Dove? Preferite viaggiare nel vostro paese o all'estero? Perché? Preferite viaggiare da soli, in compagnia di amici o in gruppi organizzati? Spiegate in quali circostanze è preferibile ognuno di questi modi di viaggiare.

SEZIONE: In villeggiatura

IN POCHE PAROLE

Villeggiatura[1], villeggiare[2], andare in villeggiatura: queste sono parole che danno gioia a tutti gli italiani, dal bambino che ha appena cominciato a frequentare le scuole, all'anziano[3] che ora può godere la sua pensione[4], ed anche più tempo libero. Per il cittadino[5] tipico, andare in villeggiatura significa lasciare il proprio appartamento in città e andare, per un periodo di circa un mese, al mare, in campagna o in montagna. Villeggiare, per l'italiano, vuol dire qualche cosa di più completo, di più divertente e rilassante del semplice «andare in vacanza» o «prendere le ferie»[6]; queste espressioni significano semplicemente non fare il lavoro consueto[7]. Se prendiamo un buon vocabolario della lingua italiana vedremo che «villeggiare» significa molto di più; vuol dire trascorrere un periodo di riposo e di svago[8] in una località adatta. L'italiano che va in vacanza può viaggiare in Italia o all'estero; generalmente mangia in ristorante o in trattoria e dorme in albergo, in una pensione o, se vuole, può anche fare il campeggio. Durante il giorno può riposare, passeggiare, fare acquisti o visitare musei e luoghi d'interesse. L'italiano, insomma[9], fa le stesse cose che fanno tutti coloro che vanno in vacanza.

D'altro canto, l'italiano che va in villeggiatura parte per un periodo più lungo, e spesso ritorna alla stessa località o posto dove può darsi che abbia una casa o un appartamento, di villeggiatura naturalmente. Coloro che non hanno una seconda casa di proprietà, o che ogni tanto vogliono cambiare luogo di villeggiatura, possono prendere in affitto una casa o un appartamento ammobiliato[10].

---

1 holiday, vacation
2 to go on vacation
3 elderly person
4 retirement
5 urban resident
6 to take one's vacation (time)
7 usual
8 relaxation, diversion
9 in short
10 furnished

IN ALTRE PAROLE

A. Completate le seguenti frasi scegliendo la parola o espressione più adatta.

1. Villeggiare significa andare in vacanza...
   a. in una villa
   b. per pochi giorni
   c. per alcune settimane
   d. in città
2. La villeggiatura è un periodo di...
   a. svago e riposo
   b. lavoro diverso
   c. visite ai musei
   d. dolce far niente
3. Gli italiani vanno in villeggiatura...
   a. in città
   b. all'estero
   c. fuori città
   d. in albergo
4. Le persone che non hanno una seconda casa di proprietà per villeggiare...
   a. fanno il campeggio
   b. vanno in albergo
   c. non vanno in villeggiatura
   d. affittano un appartamento
5. La villeggiatura è...
   a. solo per i pensionati
   b. per gli stranieri
   c. per i bambini
   d. per tutti

B. Vero o falso? Indicate quali delle seguenti asserzioni sono vere e quali sono false. Correggete quelle false.

1. Andare in villeggiatura e andare in vacanza significano la stessa cosa.
2. Andare in villeggiatura è più divertente e più faticoso che andare in vacanza.
3. Se vado al mare per un weekend, posso dire che vado in villeggiatura.
4. Più spesso sono gli abitanti della campagna ad andare in villeggiatura.
5. Chi vuole andare in villeggiatura deve avere una seconda casa di proprietà.

6. Un periodo di svago è un periodo di riposo e di divertimento.
7. La villeggiatura è soltanto per i bambini e per gli anziani.
8. Per le vacanze, i cittadini preferiscono rimanere in città.
9. Tutti coloro che lavorano vanno in ferie durante l'anno.
10. Se si prende in affitto un appartamento ammobiliato bisogna comprare i mobili.

C. Completate le seguenti frasi scegliendo il termine più adatto fra quelli elencati.

di svago	in ristorante	musei
all'estero	di villeggiatura	un appartamento
le ferie	ammobiliato	in albergo
pensionato	in villeggiatura	

1. Quest'anno andiamo...
2. Voglio prendere ... a luglio.
3. L'anno scorso siamo restati in Italia, quest'anno viaggiamo...
4. Quando viaggio, preferisco dormire...
5. Quest'anno, invece di andare in albergo, vogliamo affittare...?
6. Durante le vacanze è più divertente mangiare...
7. Fortunati gli Ianniello, hanno una casa ... sul Gargano!
8. Quest'anno, vogliamo condividere un appartamento ... con i Fraschetti?
9. Ho lavorato molto ed ho proprio bisogno di un lungo periodo ...
10. Nelle grandi città ci sono sempre molti ... interessanti da visitare.

di un tempo, *as it used to be*
immersi, *immersed*

VEDIAMO INSIEME

1. Com'è la natura a Pugnochiuso? Perché la pubblicità dice che la natura è esclusiva? Perché a Pugnochiuso si può ritrovare la gioia di vivere? A chi pensate che sia diretto questo tipo di pubblicità? Perché?
2. Come si chiamano i due alberghi indicati nella pubblicità? Perché pensate che si chiamino così? Cosa significa «pugno chiuso»? Perché la località si chiamerà così? Nella cartina d' Italia trovate dove si trova il Gargano. È un'isola o una penisola?

A VOI LA PAROLA

1. Vi piacerebbe trascorrere una vacanza a Pugnochiuso? Perché? Cosa c'è nella pubblicità che vi attira maggiormente? A giudicare dalla fotografia, pensate che una vacanza nell'Hotel del Faro o in quello degli Ulivi costi molto? Perché?
2. La didascalia (*caption*) di questa pubblicità vi fa pensare a qualche posto che già conoscete? Quale? In che cosa consiste per voi la «gioia di vivere»?

Quando vanno in vacanza?

ITALIANI, FRANCESI E TEDESCHI

Quando vanno in vacanza

Il mese della vacanza, in Italia soprattutto, è agosto. Qualche madre con bambino a luglio, qualche temerario a settembre, ma l'alta stagione resta agosto. Il risultato di questo comportamento vacanziero degli italiani lo abbiamo, ogni estate, sotto gli occhi: code sulle autostrade, località affollate oltre ogni limite, servizi e trasporti al limite del collasso. E se la situazione è accettata malgrado tutto da noi italiani, abituati da sempre al caos d'agosto, certo appare quanto meno insopportabile a molti dei turisti stranieri che giungono in visita al Belpaese e che trovano difficoltà di ogni genere per spostarsi, per prenotare un qualsiasi tipo di servizio.

Ma cosa succede all'estero? Come distribuiscono nell'arco dell'anno le loro vacanze, per esempio, francesi e tedeschi? Ecco a proposito una tabella in cui appare la percentuale di movimento turistico suddiviso per stagionalità in Italia, Francia e Germania.

Periodo	Italiani	Francesi	Tedeschi
Genn.-febb.-marzo	3,3%	15,3%	4,6%
Apr.-mag.-giu.	10,2%	14,5%	23,6%
Luglio	28,2%	25,2%	29,2%
Agosto	48,7%	26%	23,9%
Sett.-ott.	6,8%	8%	16,8%
Nov.-dic.	3%	9%	1,2%

VEDIAMO INSIEME

A. Rispondete alle seguenti domande.

1. Quando preferiscono andare in vacanza gli italiani? Chi va in vacanza a settembre? E a luglio? Cosa succede d'estate sulle autostrade italiane? Perché gli italiani accettano questa situazione? Cosa ne pensano gli stranieri? Quali difficoltà trovano?
2. Secondo la tabella, qual è l'alta stagione per i francesi? e per i tedeschi? Qual è la bassa stagione in Italia, in Francia e in Germania? Secondo voi, dove vanno in vacanza le persone che scelgono il periodo dicembre-febbraio?

B. Riscrivete le seguenti frasi usando un sinonimo, o parafrasando le parole indicate.

1. In Italia l'alta stagione resta agosto.
2. I servizi e i trasporti sono al limite del collasso.
3. Molti turisti amano visitare il Belpaese.
4. I francesi distribuiscono le loro vacanze nell'arco dell'anno.
5. Il movimento turistico varia a seconda dei mesi dell'anno.

soprattutto, *above all*
temerario, *daredevil*
comportamento vacanziero, *vacation-related behavior*
code, *lines*
al limite del collasso, *ready to collapse*
quanto meno insopportabile, *even more unbearable*
il Belpaese, *Italia*
nell'arco dell'anno, *in the course of the year*
a proposito, *with regard (to this)*

A VOI LA PAROLA

1. Per voi qual è il periodo migliore per andare in vacanza? Spiegate il perché. Spiegate quali sono i vantaggi e gli svantaggi di una vacanza in alta stagione e di una in bassa stagione.
2. Perché pensate che la maggior parte degli italiani insista ad andare in vacanza ad agosto? Delle tipiche vacanze scolastiche americane, *winter* e *spring break,* quale preferite voi? Perché? Sul modello della tabella precedente, fatene una che rifletta le abitudini vacanziere degli americani.
3. Scrivete un componimento su uno dei seguenti argomenti.
   a. Quando vanno in vacanza gli americani.
   b. La *spring vacation* in Florida (o in California).
   c. Una vacanza che non dimenticherò mai!

Gli italiani e il Ferragosto

La maggior parte degli italiani che lavorano nel settore pubblico e in quello dei servizi (ministeri, banche, poste, ferrovie, ecc.) ha diritto ad un mese di vacanza ogni anno. Come abbiamo visto nell'articoletto precedente, la maggior parte degli italiani va in vacanza d'estate e quasi la metà preferisce il mese di agosto. Perché questa preferenza, potremmo chiederci? Particolarmente quando gli effetti di questa abitudine vacanziera sono così sconvenienti, fastidiosi e talvolta, addirittura drastici. La risposta è abbastanza semplice se consideriamo quelle che possono essere le due cause principali della predilezione che gli italiani hanno per il mese di agosto.

La predilezione per agosto, come mese vacanziero, è da ricercare[1] nel carattere dell'italiano che non ama stare solo, e non cerca la vacanza solitaria, contemplativa, appartata[2]. Le vacanze sono da trascorrere in massa, preferibilmente dove si possono ritrovare amici e conoscenti[3]. Il concetto di *privacy,* tipico e caro agli anglosassoni, è estraneo allo spirito italiano e non ha neanche un vero equivalente nella lingua italiana. Infatti, recentemente questa parola comincia ad apparire nel linguaggio corrente, ma nella forma inglese.

La seconda ragione è da ricercare nel Ferragosto[4], una festività di tradizione antichissima che risale[5] addirittura al tempo dei Romani. Benché il Ferragosto coincida con una festa religiosa, quella dell'Assunzione, il termine deriva dal *feriae augusti* latino; cioè, le festività istituite per onorare l'imperatore romano Augusto. La vacanza del Ferragosto tipicamente va dal 12 al 20 agosto. In questo periodo si chiudono quasi tutti i negozi, molte industrie, ed anche ristoranti e musei. Quasi tutti i servizi cittadini[6] sono ridotti e le città si vuotano[7] e sono meta[8] ideale degli stranieri che possono goderle in pace e tranquillità, senza rumori e con traffico ridotto, ma anche... senza, o quasi, ristoranti, trattorie e musei. Il periodo del Ferragosto finisce così anche con l'essere il cuore, il nucleo del mese di vacanza che gli italiani prendono d'estate.

[1] is to be sought
[2] secluded
[3] acquaintances
[4] August 15, Catholic feast of the Assumption
[5] dates back
[6] city services
[7] become empty
[8] destination

IN ALTRE PAROLE

A. Completate le seguenti frasi scegliendo la parola o l'espressione più adatta.

1. Il Ferragosto è una festa...
   a. romana
   b. europea
   c. italiana
2. Quasi tutti gli italiani che lavorano hanno diritto a... di vacanza.
   a. quindici giorni
   b. quattro settimane
   c. due settimane
3. A Ferragosto le grandi città italiane sono...
   a. affollate
   b. caldissime
   c. quasi deserte
4. Gli italiani amano stare...
   a. in compagnia
   b. soli
   c. a casa
5. Molte... chiudono a Ferragosto.
   a. trattorie
   b. scuole
   c. stazioni

B. Rispondete alle seguenti domande.

Quando vanno in vacanza gli italiani? Perché quasi tutti gli italiani vanno in vacanza nello stesso periodo? Quanti giorni di vacanza all'anno hanno gli italiani? Quando è Ferragosto? Quando è lunga la vacanza del Ferragosto?

A VOI LA PAROLA

1. Vi piacerebbe essere in Italia a Ferragosto? Dove, in particolar modo? Perché? Cosa pensate del concetto di *privacy?* Cosa significa per voi?
2. Che tipo di vacanza preferite voi? Spiegate la vostra preferenza. Secondo voi qual è il periodo ideale per andare in vacanze?
3. Componimento. Esprimete le vostre preferenze a riguardo di uno dei seguenti argomenti.
   a. Vacanza di massa o vacanza solitaria.
   b. Vacanze di un mese o vacanze di due settimane per tutti i lavoratori.

CONFRONTI CULTURALI

Il Ferragosto è la vacanza per eccellenza degli italiani, e segna anche la fine del periodo estivo e l'inizio di un nuovo anno lavorativo (o di studi). C'è qualche festività particolare che abbia un valore e un significato simile nella vostra cultura? Discutete qual è e le possibili somiglianze e differenze fra le due.

ANGOLINO DEL RELAX

Le ultime parole famose...

— **I tempi sono cambiati, ormai: vedrai che quasi nessuno va in gita, per il week-end.**

NELLA VIGNETTA PRECEDENTE...

1. Chi pensate che abbia avuto l'idea di fare la gita?
2. Chi avrà detto «le ultime parole famose», il marito o la moglie?
3. Cosa pensate che risponderà l'altra persona? Suggerite una battuta (*sharp, witty reply*) adatta.

A VOI LA PAROLA

1. Vi è mai successo di partire per una vacanza o una gita e di trovarvi bloccati nel traffico? Con chi eravate? Cosa avete detto? Cosa avete deciso di fare?
2. Se dovete partire in macchina per un week-end avete un'ora preferita per la partenza? Spiegate. Avete un sistema particolare per evitare di trovarvi bloccati nel traffico? Spiegatelo ai vostri compagni di classe.

Come andare in vacanza? Oggi le scelte sono varie, c'è il treno, l'aeroplano ma malgrado i vari svantaggi molti continuano a preferire l'automobile.

Il male dell'automobile ormai ha contagiato[1] anche gli italiani. In qualsiasi periodo di vacanze, ma principalmente d'estate, non è raro trascorrere buona parte della giornata sull'autostrada, in un'automobile circondata da migliaia di altre automobili che vanno nella stessa direzione, a passo di lumaca[2]. D'estate, e particolarmente in agosto, ai caselli[3] delle autostrade si incontrano code spesso lunghe tre, quattro e anche cinque chilometri. Non è raro stare in coda per tre ore per poi fare trenta chilometri di strada.

Benché molti italiani l'abbiano abbandonato, il modo migliore di viaggiare rimane il treno. I collegamenti[4] sono buoni, i treni sono veloci (quando non

[1] has infected
[2] at a snail's pace
[3] tollbooths
[4] connections

ci sono scioperi!) e comodi, e viaggiare in treno è relativamente poco costoso, più rilassante e sicuramente più interessante. Si può godere il paesaggio, non ci si stanca[1], e si ha l'opportunità di conoscere persone simpatiche. Le FS, ovvero «Ferrovie dello Stato», il nome del servizio ferroviario italiano, offrono vari servizi di treni. Il rapido e l'espresso sono i treni più veloci che collegano le città principali. Questi treni sono di lusso, con aria condizionata, e una varietà di servizi che includono anche il ristorante e le cuccette[2] per chi viaggia di notte; per viaggiare con questi treni bisogna prenotare il biglietto in anticipo. Fra questi treni speciali troviamo l'«Intercity», un treno rapido che collega velocemente le principali città italiane. Un «Intercity» può andare da Roma a Milano, una distanza di quasi 600 chilometri, in poco più di cinque ore. Per gli altri treni, come il diretto e l'accellerato, non c'è bisogno di prenotare il biglietto. Quest'ultimo è il treno meno veloce e si ferma in tutte le stazioni, anche le più piccole.

IN ALTRE PAROLE

A. Vero o falso? Indicate quali delle seguenti asserzioni sono vere e quali sono false. Correggete quelle false.

1. Gli italiani preferiscono viaggiare in treno.
2. Le autostrade italiane sono molto affollate.
3. Spesso ai caselli autostradali bisogna fare la coda.
4. I treni italiani sono veloci e comodi.
5. Viaggiare in treno costa molto.
6. Il rapido è meno veloce del diretto.
7. L'accelerato ferma soltanto nelle stazioni principali.
8. Chi vuole viaggiare di notte deve dormire sul sedile (*seat*).
9. Non c'è bisogno di prenotare i biglietti sui treni italiani.
10. Viaggiare in treno può essere più interessante.

B. Completate le seguenti frasi scegliendo la parola adatta.

espresso	casello	code
comodo	prenotare	costoso
accellerato	cuccette	

1. Per accedere all'autostrada bisogna fermarsi al...
2. L'... è il treno più lento.
3. Bisogna... il biglietto per il rapido.
4. Le... ai caselli sono spesso molto lunghe.
5. Il treno è relativamente poco...

A VOI LA PAROLA

1. Quali sono i sistemi di trasporto che si usano nel vostro paese? Quali sono i più popolari per chi va in vacanza? E per quelli che viaggiano per affari?

2. In Italia, chi prenderebbe un rapido? Perché? Chi, invece, sceglierebbe l'accellerato? Avete mai preso un treno? Perché? Avendo la possibilità della scelta, quale tipo di treno preferireste prendere voi? Perchè?

3. Sapreste spiegare quali sono alcune delle differenze fra i treni italiani e quelli americani? Quale mezzo di trasporto scegliereste per una vacanza in Italia? E per una vacanza negli Stati Uniti? Spiegate le ragioni per ognuna delle vostre scelte.

[1] one doesn't get tired
[2] sleeping berths

Chi viaggia spesso ha bisogno di «Centocittà».

orario, *schedule*
mette in chiaro, *explains*
edicole, *newsstands*
chiarezza, *clarity*

VEDIAMO INSIEME

Rispondete alle seguenti domande.

1. Come si chiama il nuovo orario?
2. Quali informazioni vi possiamo trovare?
3. In che modo ci dà queste informazioni?
4. Quanto costa Centocittà? Dove lo si può comprare?
5. Cosa basta per trovare le informazioni che cerchiamo?
6. Perché si chiama Centocittà? Vi sembra un buon nome?

Viaggiare in treno può offrire molti vantaggi.

Per i giovani c'è...

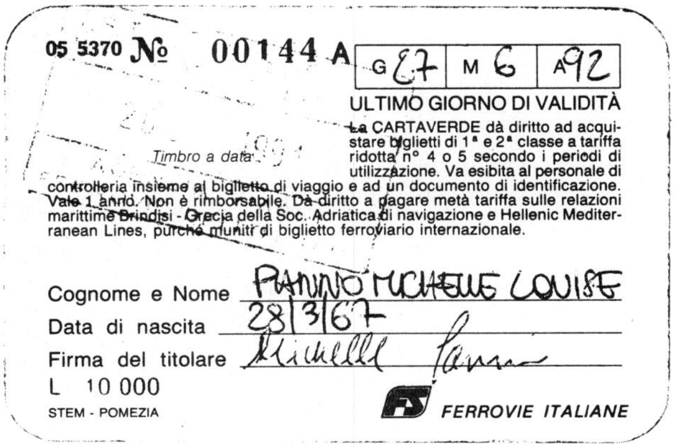
05 5370 № 00144 A | G 27 | M 6 | A 92 |

ULTIMO GIORNO DI VALIDITÀ

Timbro a data

La CARTAVERDE dà diritto ad acquistare biglietti di 1ª e 2ª classe a tariffa ridotta nº 4 o 5 secondo i periodi di utilizzazione. Va esibita al personale di controlleria insieme al biglietto di viaggio e ad un documento di identificazione. Vale 1 anno. Non è rimborsabile. Dà diritto a pagare metà tariffa sulle relazioni marittime Brindisi - Grecia della Soc. Adriatica di navigazione e Hellenic Mediterranean Lines, purché muniti di biglietto ferroviario internazionale.

Cognome e Nome PIANNO MICHELLE LOUISE
Data di nascita 28/3/67
Firma del titolare Michelle Panno
L 10 000
STEM - POMEZIA
FS FERROVIE ITALIANE

Per le famiglie...

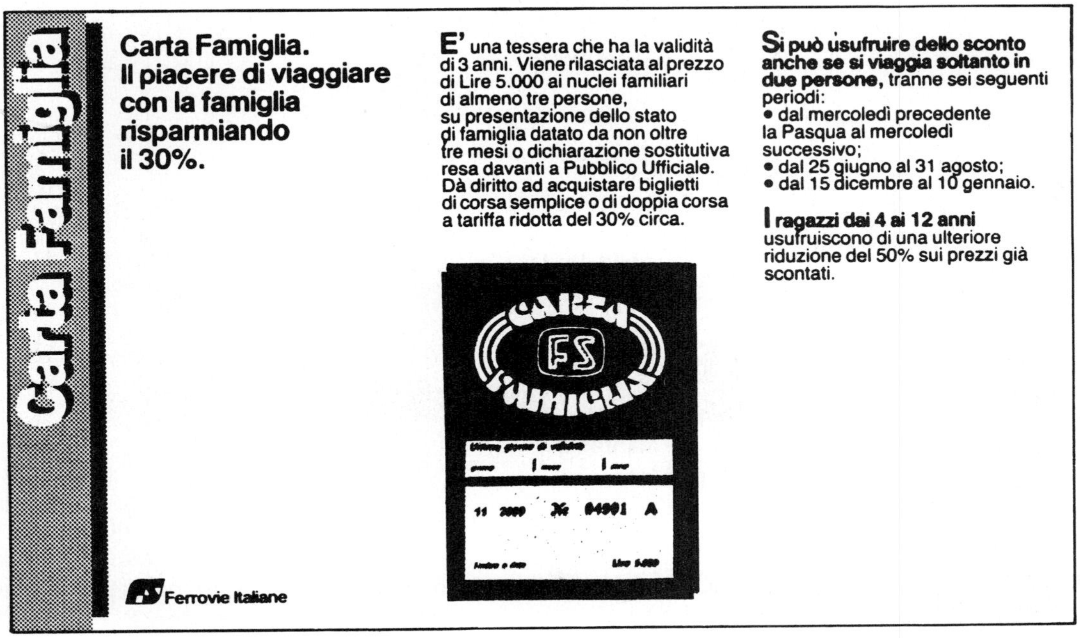

risparmiando, *saving*
stato di famiglia, *document showing family status*
corsa semplice, *one-way trip*
doppia corsa, *round trip*

Per gli anziani...

VEDIAMO INSIEME

1. Cosa è una Carta d'Argento? Quali vantaggi offre? Quanto si risparmia? Dove si può comprare la Carta d'Argento? Quanto costa? Quanti tipi di Carte d'Argento ci sono?
2. Cosa è la Carta Famiglia? Quanto permette di risparmiare? Sempre? Quanto pagano i ragazzi che hanno meno di 12 anni? Chi può usare la Carta Famiglia?
3. Di quali vantaggi godono i giovani che viaggiano in treno? È più vantaggioso viaggiare da soli o in gruppo? Quale carta possono usare i giovani che hanno più di 12 anni?

A VOI LA PAROLA

1. Secondo voi perché la Cartaverde e la Carta d'Argento si chiamano così? Vi sembrano nomi appropriati? Quali altri nomi potreste trovare per ognuna di queste tessere?
2. Ci sono agevolazioni (*reductions*) simili dove vivete voi? Per chi sono e per quali situazioni? Se esistono tessere simili per il pubblico, come si chiamano? Bisogna pagarle o sono gratuite?

Se viaggiamo in automobile si potrebbe avere bisogno di...

VIAGGI NOSTOP. ASSISTENZA TECNICA E SANITARIA PER VIAGGIARE CON TRANQUILLITÀ

Risolvere i problemi dove siamo di casa è una seccatura. Doverli risolvere in viaggio è una seccatura doppia. O tripla, a seconda della distanza. Per questo Europ Assistance ti propone Viaggi Nostop: un servizio che ti offre 24 ore su 24, per tutti e 365 i giorni dell'anno l'assistenza di cui puoi aver bisogno. Dall'invio dei pezzi di ricambio per il tuo mezzo di locomozione, ad esempio, al rientro gratuito dalle vacanze in caso di necessità. Un servizio fatto per risolverti i problemi in tutta tranquillità e senza spese.
E soprattutto subito. Cioè quando serve.

MEDICO NOSTOP
- *Consulti medici immediati.*
- *Rientro sanitario.*
- *Pagamento spese mediche.*

CASA SICURA
- *Sorveglianza all'abitazione quando si è in viaggio.*
- *Rientro gratuito al domicilio in caso di necessità.*

AUTO NOPROBLEM
- *Auto in sostituzione.*
- *Rimpatrio veicolo.*
- *Soccorso stradale.*

Per ricevere senza alcun impegno maggiori informazioni su Viaggi Nostop spedisca il coupon a Europ Assistance - P.zza Trento, 8 - 20135 Milano.
O ci telefoni, direttamente, allo 02-54.24.1

NOME E COGNOME

INDIRIZZO

TEL. PROFESSIONE

europ assistance
L'AIUTO QUANDO SERVE.

EP VNS

sanitaria, *medical*
seccatura, *nuisance*
pezzi di ricambio, *replacement parts*
impegno, *obligation*

VEDIAMO INSIEME

Rispondete alle seguenti domande.

1. Osservando il disegno, i titoli e i vari simboli usati, quale tipo di servizio pensate che offra la pubblicità precedente? Spiegate.
2. Fate una breve descrizione di cosa succede nel disegno (dove si trovano i viaggiatori, cosa è accaduto alla macchina, ecc.).
3. Quale potrebbe essere un'altra didascalia (*caption*) per il disegno?

IN ALTRE PAROLE

A. Riscrivete le seguenti frasi esprimendo a modo vostro le parole indicate.

1. Viaggi Nostop.
2. Assistenza tecnica per viaggiare con tranquillità.
3. Dover risolvere i problemi è una seccatura.
4. I pezzi di ricambio per il tuo mezzo di locomozione sono gratis.
5. Rientro gratuito dalle vacanze garantito.
6. Per ricevere senza impegno maggiori informazioni, spedisca il coupon a Europ Assistance.
7. Il servizio offre l'assistenza di cui hai bisogno 24 ore su 24.
8. Europ Assistance ti propone «Viaggi Nostop».

B. Basandovi sulla pubblicità, indicate con un SÌ od un NO in quali delle seguenti situazioni «Europ Assistance» potrebbe esservi di aiuto.

1. Siete in viaggio da Milano a Roma e la vostra macchina si guasta (*breaks down*).
2. Vi trovate in un'altra città dove non conoscete nessuno, e avete bisogno di un medico.
3. Vi trovate a casa vostra ed avete bisogno di un medico.
4. Avete paura di lasciare la vostra casa incustodita (*unprotected*) durante un viaggio.
5. Non avete più denaro e dovete rientrare immediatamente dalle vacanze.

A VOI LA PAROLA

A. Rispondete alle seguenti domande.

1. Quali tipi di assistenza offre Europ Assistance?
2. Cosa è il «Viaggi Nostop»?
3. Per quanto tempo è valido il servizio «Viaggi Nostop»?
4. Se l'automobile si guasta, quali servizi offre Europ Assistance?
5. Quanto costa ogni servizio offerto?
6. Come si possono ricevere altre informazioni?
7. Dove è la sede di Europ Assistance?
8. Si possono avere informazioni soltanto inviando il tagliando?
9. Dove si trovano i viaggiatori che appaiono nella pubblicità?
10. Cosa è successo alla loro macchina? È un incidente normale? Perché?

B. State viaggiando in Europa e non avete Europ Assistance. Spiegate cosa potrebbe accadere in ognuna delle situazioni indicate.

1. Vi sentite molto male.
2. Avete un incidente stradale e la vostra macchina non può proseguire.
3. Vi rubano tutto e non avete i soldi per continuare il viaggio o per rientrare a casa.
4. Venite a sapere che la vostra casa è stata svaligiata (*ransacked*).

C. Argomenti di componimento o per presentazione in classe.

1. Una vacanza interrotta.
2. Problemi che potrebbero sorgere durante un viaggio all'estero. Come affrontarli o come evitarli.
3. Alcuni contrattempi che vi sono accaduti durante un viaggio.

Prendiamo la macchina? La scelta è vasta!

noleggiare, *to rent*
tariffe, *rates*
pretendiamo, *we expect*
diamo i numeri, *we are crazy (lit.: we give the figures)*

IN ALTRE PAROLE

A. Rispondete alle seguenti domande.

1. Quanti uffici Avis ci sono in Italia?
2. Cosa offre il servizio Avis?
3. Come dimostra Avis la sua serietà?
4. Qual è lo slogan della ditta Avis?
5. Dove si possono riconsegnare le macchine della Avis?

B. Riscrivete le seguenti frasi esprimendo a modo vostro le parole indicate.

1. Noleggiare un'auto è facile, ovunque siate.
2. Le macchine Avis sono perfette, e le tariffe sono chiare.
3. Facciamo di più. E meglio.
4. L'Avis è una ditta seria.
5. Riconsegnare una macchina Avis è facile.

A VOI LA PAROLA

Cosa pensate di questa pubblicità? Vi incoraggerebbe a noleggiare una macchina dalla Avis? Perché? Cosa pensate che voglia dire lo slogan «La nostra serietà si vede quando diamo i numeri»? Pensate che «Facciamo di più. E meglio» sia un buono slogan per una compagnia di autonoleggio? Spiegate. Potete formulare un altro slogan basandovi su questa pubblicità?

CIÒ CHE È INNOVATIVO PER EUROPCAR, È CONVENIENTE PER TE!

"AUTOFACILE"®

Un nuovo servizio Europcar: 150 Km al giorno di libertà.

30% DI RISPARMIO SULLE NORMALI TARIFFE

Continua la serie dei servizi innovativi Europcar: dopo Prendilaereo e Prendilacittà*, ecco il nuovo servizio **Autofacile: la superconvenienza di una percorrenza media giornaliera di 150 Km.** Quella più diffusa e rispondente alle tue esigenze d'uso. **Autofacile taglia mediamente del 30% le normali tariffe di autonoleggio.** Giudica tu! Con 86.000 lire al giorno potrai disporre di un'auto del gruppo A, con 150 Km inclusi, e poi lasciarla a qualsiasi stazione della vasta rete Europcar. Sia nelle città che negli aeroporti. Che significa questo? ● Che sei libero di usare l'auto per uno o più giorni e che ogni giorno puoi percorrere in media **150 Km già compresi nel prezzo.** ● Che sei libero di consegnare la vettura alla stazione Europcar che più ti fa comodo, perchè **il servizio è valido in tutta Italia.** ● Che sei libero da sorprese di ogni tipo, perchè **il prezzo è prefissato** e gli eventuali chilometri in più sono **a prezzo ridotto.** ● Che ti basta percorrere 80 Km al giorno **per conoscere già il risparmio.** ● Che hai la garanzia di **un'auto affidabile e sicura,** offerta con l'accoglienza e la cortesia Europcar. ● Che questa libertà e questa convenienza - sulle medie distanze - puoi averle solo con **Autofacile,** il nuovo servizio organizzato e curato dall'esperienza Europcar.

***Prendilaereo:** da 57.000 lire un'auto da e per gli aeroporti con chilometraggio illimitato. Per la convenienza dei tuoi spostamenti rapidi.*
***Prendilacittà:** da 49.000 lire un'auto in città con 100 Km al giorno compresi nel prezzo. La soluzione più vantaggiosa per i tuoi spostamenti urbani.*

Centri di informazione e prenotazione Europcar: Roma (06) 54.904.226/7/8/9 — Milano (02) 60.71.053/4/5, l'ufficio Europcar sulle Pagine Gialle della tua città alla voce "Autonoleggio" oppure il tuo Agente di Viaggio o il portiere dell'albergo che ti ospita.

percorrenza media giornaliera, *average daily mileage*
mediamente, *on the average*
disporre, *to avail (oneself)*
ti basta, *it's sufficient for you*
affidabile, *reliable*

VEDIAMO INSIEME

A. Completate le seguenti frasi con l'espressione più adatta.

1. «Autofacile» è un servizio di... di automobili.
   a. vendita b. riparazioni c. noleggio
2. «Autofacile» ... le normali tariffe di autonoleggio.
   a. riduce b. aumenta c. rompe
3. Con 86.000 lire al giorno si può... un'auto.
   a. eliminare b. comprare c. avere
4. Alla fine del noleggio la macchina può essere riconsegnata....
   a. nella stessa città
   b. alla stessa stazione Europcar
   c. in una qualsiasi stazione Europcar
5. «Prendilaereo» è un servizio di...
   a. prenotazione di posti in aereo
   b. informazioni sui voli
   c. autonoleggio per andare all'aeroporto
6. Il servizio «Autofacile» è valido...
   a. nella stessa città
   b. in Europa
   c. soltanto in Italia

B. Basandovi sulla pubblicità, completate in parole vostre le seguenti frasi.

1. «Autofacile» è un servizio...
2. «Prendilacittà» è utile per...
3. Le automobili di Europcar sono...
4. Con «Autofacile» le tariffe di autonoleggio sono...
5. «Prendilaereo» è molto conveniente per chi...

A VOI LA PAROLA

1. Perché pensate che il servizio si chiami «Autofacile»? Vi sembra uno slogan interessante e che colpisce l'attenzione? Spiegate le vostre ragioni. Potete creare voi un'altro nome per questo genere di servizio?
2. Sulla base di quello che le due pubblicità dicono, preferireste noleggiare una macchina presso Avis o presso Europcar? Spiegate le vostre ragioni.

E infine, chi preferisce viaggiare in aereo, può scegliere una compagnia straniera...

KLM LINEA AEREA DELL'ANNO

La vacanza è piú vacanza se è di alta qualità. E le vacanze KLM, in 128 città di 78 paesi nel mondo, puntano a questo. Sia che vogliate trascorrere un week-end ad Amsterdam o una settimana in Olanda; sia che vogliate scoprire i misteri d'Oriente o l'Africa primitiva o il mondo del futuro negli USA; sia che vi piaccia sognare sotto il sole dei Caraibi o vivere le antiche storie dei Maya in Messico o godere sensazioni sconosciute in Amazzonia, in Alaska, alle Galapagos o nelle Isole Vergini. Con KLM avete solo l'imbarazzo della scelta di dove andare: al resto pensa KLM (anche alle bevande, alla musica e alle riviste gratis a bordo), per portarVi comodi, assistiti e puntuali dove desiderate. KLM «prima nell'aria» è prima in tutto per qualità. Chiedete una vacanza KLM al Vostro Agente di Viaggi: è un esperto.

Affidabilita': KLM Royal Dutch Airlines

puntano, *aim*
sognare, *dream*
sconosciute, *unknown*
l'imbarazzo della scelta, *you only have to choose*
affidabilità, *reliability*

VEDIAMO INSIEME

A. Completate le frasi scegliendo l'espressione adatta.

1. Le vacanze con KLM sono di qualità...
   a. superiore b. buona c. accettabile
2. Le vacanze KLM sono...
   a. soltanto per l'Europa
   b. per l'Europa e l'America
   c. per tutto il mondo
3. Gli agenti di viaggio sono...
   a. informati b. inesperti c. puntuali
4. Generalmente i voli KLM arrivano a destinazione in...
   a. ritardo b. orario c. fretta
5. Volare con KLM è...
   a. piacevole b. gratis c. imbarazzante

B. Rispondete alle seguenti domande.

1. Dove vola la KLM? Quali sono le attrattive (*attractions*) dell'Oriente? dell'Africa? degli Stati Uniti? Cosa è incluso nel servizio KLM? A che cosa deve pensare chi viaggia con questa compagnia?
2. Cosa si può godere in Alaska? e in Amazzonia? Perché? Com' è un viaggio con un aereo della KLM? A chi bisogna chiedere una vacanza KLM? La KLM è più conveniente per lunghi viaggi o per brevi viaggi?

A VOI LA PAROLA

1. Secondo voi, sono esatti gli aggettivi usati per descrivere i paesi menzionati? Spiegate. Quali sarebbero degli aggettivi più interessanti? Più descrittivi? Più esatti?
2. Quali dei luoghi menzionati vi piacerebbe visitare di più? Perché? C'è qualche altro luogo non menzionato che vi piacerebbe visitare? Quale? Spiegate perché. Di quali aggettivi o espressioni vi servireste per descrivere questo posto?

ARGOMENTI PER COMPONIMENTO

1. La mia vacanza indimenticabile a... (Includete i seguenti argomenti: dove ha avuto luogo, quanto tempo è durata, con chi eravate, perché avete scelto quel luogo, ecc.)
2. Discutete alcuni problemi che potrebbero sorgere durante un viaggio all'estero, e come affrontarli o evitarli.

ANGOLINO DEL RELAX

Le ultime parole famose...

— **Ma hai letto? Organizzano viaggi aerei convenientissimi, per quell'incontro di calcio a Madrid!**

NELLA VIGNETTA PRECEDENTE...

1. Dove sono seduti i due passegeri?
2. Secondo voi, perché sono seduti lì?
3. Dove stanno andando? Per quale ragione?
4. Cosa starà pensando il compagno di viaggio?
5. Pensate che nel futuro i due amici si serviranno della stessa agenzia di viaggi? Perché?

...o viaggiare a bordo di un «lembo» (*piece*) d'Italia!

VOLO FLIGHT

MD11 il nuovo gioiello

di Baldassare Catalanotto

Sistemi elettronici all'avanguardia, comfort di elevato livello, interni firmati Armani: ecco il nuovo aereo della flotta Alitalia.

Benvenuti a bordo!

Per il conforto dei passeggeri a bordo degli aerei Alitalia, si possono trovare vari articoli[1] che vanno dai quotidiani e riviste italiane e straniere, alle coperte e cuscini[2]. A seconda della destinazione e delle classi di servizi, Alitalia mette a disposizione[3] dei passeggeri: giochi per bambini, scarpette da riposo, carta da lettere, penne, cartoline, sigarette e fiammiferi in confezione omaggio[4].

Un appuntamento[5] importante, durante il viaggio è la colazione. Alitalia cerca di venire incontro alle[6] esigenze ed al gusto di tutti i passeggeri. C'è anche chi, ad esempio, per ragioni di osservanza religiosa e di dieta, richiede all'atto della prenotazione, vivande[7] particolari. La compagnia garantisce a tutti il livello di una cucina internazionale che conserva nei tipici piatti italiani la sua fisionomia[8].

Non mancano, peraltro, spumanti[9] italiani e liquori all'altezza dei più raffinati buongustai[10] e vino e birra delle migliori marche.

Questo è il servizio di bordo dell'Alitalia. Una proposta di confort che lasciamo al giudizio del passeggero.

VEDIAMO INSIEME

A. Rispondete alle seguenti domande.

1. Quali sono alcune delle cose che possiamo trovare a bordo di un aereo Alitalia?
2. Tutti gli articoli menzionati sono disponibili su ogni volo? Spiegate.
3. Cosa fa l'Alitalia per la colazione dei suoi passeggeri?
4. In quali circostanze l'Alitalia offre colazioni speciali?
5. Com'è la cucina a bordo degli aerei Alitalia?
6. Durante il volo cosa si può bere con il pranzo?
7. Cosa deve giudicare ogni passeggero?

[1] items
[2] blankets and pillows
[3] makes available
[4] complimentary packages
[5] moment
[6] to meet
[7] foods
[8] character
[9] sparkling wines
[10] gourmets

B. Accoppiate le parole della colonna A alla parola più vicina per significato della colonna B.

A	B
1. confezione omaggio	a. bevande
2. scarpette da riposo	b. giornali
3. quotidiani	c. champagne
4. vivande	d. intenditore
5. fisionomia	e. decisione
6. spumante	f. cibi
7. vino e birra	g. pantofole
8. buongustaio	h. carattere
9. giudizio	i. regalo

A VOI LA PAROLA

A. Secondo voi quali dei servizi elencati esigerebbe ognuno dei passeggeri indicati? In ogni situazione, spiegate la vostra scelta.

Tipo di passeggeri:

1. un uomo o donna di affari
2. madre accompagnata da bambini piccoli
3. coppia di sposi in luna di miele
4. persona che vola per la prima volta
5. personaggio politico

Servizi desiderati:

a. giochi
b. bevande gratis
c. scelta di pasti
d. tranquillità
e. musica stereo (precisate il genere)
f. film (precisate il genere)
g. selezione di vini
h. tariffe economiche
i. cartoni animati
j. cabina ampia
k. poltrone comode
l. telefono
m. *privacy*
n. assistenza del personale

B. Rispondete alle seguenti domande.

1. Voi, avete mai viaggiato in aereo? In quale occasione? Dove siete andati? Come avete occupato il tempo durante il volo? Se vi fosse possibile, cosa vorreste portare con voi sull'aereo? Perché?

2. Quali sono alcune cose che può fare chi ha paura di viaggiare? Sapete cosa è lo spostamento di orario? Chi ne soffre? Perché? Quali sono i sintomi? Cosa si può fare per alleviarli?

COMPONIMENTO

1. Descrivete il primo viaggio in aereo che avete fatto. Quanti anni avevate, l'occasione del viaggio, i vostri sentimenti prima del viaggio e le vostre impressioni durante e dopo il viaggio.
2. Se non avete mai viaggiato in aereo, dove vi piacerebbe andare per il primo viaggio? Perché? Con chi? Come vi immaginate che sarà il vostro primo volo? Spiegate.

ANGOLINO DEL RELAX

Una romantica e rilassante alternativa al treno, alla macchina ed all'aereo è sempre la crociera in nave!

— **Crociera di due settimane per sole centomila lire!... Dovevo capire che c'era qualcosa, sotto.**

NELLA VIGNETTA PRECEDENTE...

1. Cosa stanno facendo i passeggeri?
2. Di che cosa si lamenta il signore? Con chi si lamenta?
3. Pensate che abbiano pagato molto per questa crociera?
4. Avrebbero dovuto sospettare qualcosa dato (*considering*) il costo?

— **Se tu avessi chiesto scusa al comandante, Olga, ci saremmo evitati tutti questi guai!**

NELLA VIGNETTA PRECEDENTE...

1. Cosa sta facendo l'ufficiale? Pensate che sia il comandante della nave?
2. Dove si trova ora la coppia?
3. Cosa fa la signora? Pensate che sarà sempre lei a remare? Perché?
4. Dove andranno? Ci impiegheranno molto tempo?
5. Cosa avrà detto la signora al comandante?

SEZIONE: Luoghi da visitare

Una panoramica della spiaggia riminese.

IN POCHE PAROLE

Dove andare in vacanza

Ogni anno, L'Italia è la meta di milioni di turisti che vengono da tutto il mondo. Le ragioni sono abbastanza ovvie e risapute[1]: l'Italia è sempre stata famosa per le sue bellezze artistiche e naturali, per la sua storia, la sua cucina e per la cordialità del suo popolo. Ma, potremmo anche chiederci, dove vanno in vacanza gli italiani? Ebbene, la risposta è altrettanto[2] facile: secondo un recente sondaggio, l'89% degli italiani ha detto che ha trascorso le vacanze... in Italia! Di questi, esattamente la metà ha scelto di trascorrere le vacanze nello stesso luogo degli anni precedenti. Sembrerà strano ma l'italiano, membro di un popolo di navigatori[3], di esploratori, di emigranti, se ha la possibilità di scegliere preferisce restare in casa propria[4] per le vacanze, cioè, in Italia.

Con tante possibilità di luoghi di vacanza che l'Italia offre, dove preferiranno andare gli italiani per le loro vacanze? In un recente sondaggio, alla domanda «Dove si è recato per le vacanze?», gli italiani hanno risposto:

in montagna	23%
al mare	63%
in campagna	3%
a visitare città	2,5%
altri luoghi (collina, lago/fiume)	8,5%

È ovvio che gli italiani preferiscono il mare, e ciò non dovrebbe stupirci[5] se consideriamo che l'Italia

[1] well-known
[2] equally
[3] seamen
[4] at home
[5] surprise us

è una penisola con circa 7500 kilometri (1 km = .621 mi) di coste, incluse le grandi isole Sicilia e Sardegna. Cosa fanno questi milioni di italiani quando non sono sdraiati sotto gli ombrelloni[1], sulle sedie a sdraio[2] messe a loro disposizione dalle migliaia di stabilimenti balneari[3] che si trovano su quasi tutte le spiagge italiane? Molti di loro, particolarmente i giovani, si divertono con la canoa, il kajak o il windsurf. Nelle piscine, che molti stabilimenti oggi offrono a causa dell'inquinamento[4] del mare, si gioca a «swimming polo», a «beach volley», a palla d'acqua[5] o a acquascontro[6].

1 beach umbrellas
2 lounge chairs
3 bathing establishments
4 pollution
5 water volleyball
6 floating bumper-cars

IN ALTRE PAROLE

A. Completate le seguenti frasi con l'espressione più adatta.

1. La maggior parte degli italiani preferisce andare in vacanza...
   a. in Europa
   b. in Italia
   c. all'estero
2. Per le loro vacanze, gli italiani preferiscono...
   a. visitare le città storiche
   b. riposare in campagna
   c. andare al mare
3. I turisti che visitano l'Italia vengono...
   a. dall'America
   b. dall'Europa
   c. da tutto il mondo
4. Molti amano visitare l'Italia perché...
   a. è economica
   b. è piccola
   c. ha molto da offrire
5. I giovani italiani al mare...
   a. si divertono
   b. prendono il sole
   c. nuotano

B. Rispondete alle seguenti domande.

1. Perché l'Italia attira molti turisti? Per che cosa è famosa l'Italia? Dove vanno gli italiani per le loro vacanze? Quanti italiani preferiscono trascorrere le loro vacanze in campagna? Qual è il luogo di vacanza preferito dagli italiani? Qual è il meno popolare?
2. Cosa fanno gli italiani al mare? Cosa è uno stabilimento balneare? Cosa offrono gli stabilimenti? Perché molti stabilimenti balneari hanno anche la piscina? Come ci si può divertire nelle piscine degli stabilimenti? Si può soltanto nuotare?

A VOI LA PAROLA

1. Voi dove preferite andare in vacanza? Spiegate la vostra preferenza. Cosa vi piace fare quando siete in vacanza? Se poteste scegliere (e avere il denaro necessario), preferireste una vacanza negli Stati Uniti o all'estero? Dove? Perché? Come trascorrereste queste vacanze ideali?
2. Ci sono stabilimenti balneari sulle spiagge americane? Sono molto popolari? In che cosa consistono? Quali servizi offrono? Cosa fate voi quando andate al mare? Qual è la vostra spiaggia preferita? Ci andate spesso, con gli amici o da soli?

ANGOLINO DEL RELAX

— Senti Dora, capisco che sei decisa a divertirti per la tua vacanza, ma questo è ridicolo!

NELLA VIGNETTA PRECEDENTE...

1. Chi sono i due personaggi raffigurati?
2. Cosa stanno facendo?
3. Chi dei due ha scelto di andare al mare?
4. Perché l'uomo dice che «è ridicolo»?

Come abbiamo visto la maggior parte degli italiani preferisce la vacanza *homemade*. Il dilemma più grande ogni anno è la scelta.

fascino, *charm*
comodità, *amenities*
assolate, *sunny*
unite, *put together*
animazione interna, *organized entertainment*

VEDIAMO INSIEME

1. Dove si trova il Tanka Village? Cosa è? Quali amenità offre? Cosa si può fare nel Tanka Village? Quanto costa una vacanza al Tanka Village? Perché i prezzi variano? Cosa è incluso nella pensione completa? Bisogna pagare i pranzi?
2. In quale mare si trova la Sardegna? Com'è il mare? Come sono le sue spiagge? Come sono descritti i piatti della cucina sarda?

A VOI LA PAROLA

1. Quali delle attività elencate vi alletta (*entices*) maggiormente? Spiegate la vostra preferenza.
2. La pubblicità vi convincerebbe a restare nel Tanka Village? Perché? Cosa vi attira di più o di meno? Secondo voi, perché questo luogo di villeggiatura si chiama «Tanka Village»? Vi sembra un buon nome? Che tipo di turisti pensate che possa attirare?

COMPONIMENTO

Scegliete una località di villeggiatura che conoscete bene e preparate una breve pubblicità ispirandovi alla precedente. Come si chiamerebbe? Includete le cose da fare e da vedere, le caratteristiche, i vantaggi e le sue amenità.

Regalati il Veneto

Il Veneto è mare. Cento chilometri di spiagge e l'ampio arenile che degrada dolcemente in mare. Nelle località pulsanti di vita, o in quelle più tranquille del Veneto c'è la spiaggia per te.

Il Veneto è montagna. I due terzi delle Dolomiti si trovano nel Veneto: splendide rocce, verdi prati, sentieri fra i boschi, vie ferrate, ridenti paesini, località di fama internazionale. Nel Veneto C'è la montagna per te.

Il Veneto è lago. La sponda veneta del Lago di Garda è ricca di spiagge, di rocche e di castelli, il clima dolce e felice, come le acque del lago, ci offre la ricchezza delle occasioni sportive e la riservatezza romantica di un soggiorno diverso. Nel Veneto c'è il lago per te.

Il Veneto è terme. Il bacino termale euganeo è il più grande d'Europa, con 155 modernissimi alberghi, 150 piscine coperte e scoperte con acqua termale. Oltre alla fangoterapia si possono fare cure di bellezza, ginnastica, riabilitazione. Nel Veneto ci sono le terme per te.

Il Veneto è arte. Per la ricchezza dei suoi capolavori nel campo della architettura, della scultura e della pittura, è un originale sintesi dell'arte non solo italiana, ma universale. Nel Veneto c'è l'arte per te.

Desidero ricevere maggiori informazioni e materiale illustrativo sul Veneto

Mi interessano in particolare
❑ mare ❑ montagna
❑ lago ❑ terme
❑ arte

Compilare e spedire a:
DIPARTIMENTO REGIONALE TURISMO
Lista di Spagna, 168
30121 VENEZIA

ampio arenile, *wide beaches*
pulsanti, *throbbing*
prati, *fields*
sentieri, *trails*
sponda, *lakeshore*
rocche, *fortresses*
bacino termale euganeo, *thermal area of the Euganean hills*
fangoterapia, *mud-bath therapy*
ginnastica, *exercises*
capolavori, *masterpieces*

VEDIAMO INSIEME

A. Completate le frasi seguenti scegliendo le parole o l'espressione più adatta.

1. Il Veneto è...
   a. una regione b. un paese
   c. un villaggio turistico
2. Il Veneto si trova nell'Italia...
   a. centrale b. meridionale
   c. settentrionale
3. Una città famosa del Veneto è...
   a. Milano b. Firenze
   c. Venezia
4. Le Dolomiti sono...
   a. spiagge famose b. montagne
   c. paesini del Veneto
5. Sul lago di Garda ci sono...
   a. capolavori artistici
   b. castelli e rocche
   c. splendide rocce

B. Riscrivete le seguenti frasi e slogan in parole vostre. Tentate di variare il più possibile.

1. Il Veneto è mare.
2. Il Veneto è lago.
3. Il Veneto è arte.
4. Nel Veneto c'è la spiaggia per te.
5. Nel Veneto troviamo ridenti paesini.
6. Nel Veneto troviamo località pulsanti di vita.
7. Nel Veneto ci sono capolavori di architettura e di pittura.
8. La sponda del lago di Garda è ricca di castelli.

C. Rispondete alle seguenti domande.

1. Cosa si può trovare nel Veneto? Come sono le spiagge venete? e le montagne? Come si chiama il lago che troviamo nel Veneto? Cosa offre d'interessante?

2. Ci sono molti alberghi nel bacino termale? Cosa altro troviamo? Cosa si può fare alle terme? A chi servono?
3. Osservate lo stemma (*coat of arms*) della regione veneta. Descrivete l'animale che vi è rappresentato. Cosa ha sotto la zampa? Sapete che cosa rappresenta? Cosa c'è di strano nell'aspetto di questo animale? È un animale che esiste o è un animale estinto?

A VOI LA PAROLA

1. Scegliete una delle fotografie riprodotte nel dépliant, e descrivete cosa rappresentano.
2. Sulla base della pubblicità spiegate quello che un turista potrebbe fare nel Veneto d'estate, d'inverno? in autunno?
3. Preparate un breve dialogo con un compagno di classe. Fate finta di telefonare all'ufficio informazioni della regione veneta per chiedere maggiori informazioni su qualche aspetto del Veneto.

COMPONIMENTO

Preparate una breve presentazione intitolata «Regalati il/la...», facendo la pubblicità turistica del vostro stato.

Mentre tanti italiani preferiscono ancora la vacanza «in casa», un numero sempre maggiore comincia a cercare la vacanza differente, esotica.

senza scalo, *non-stop*
aeromobili, *airplanes*
circuiti, *tours*
soggiorni balneari, *beach vacations*
autopullman esclusivo, *private coach*
piste, *trails*
quote a partire da, *prices starting from*

VEDIAMO INSIEME

A. Esprimete in un altro modo le parole o espressioni indicate.

1. Abbiamo fatto un volo senza scalo.
2. Ho preso un modernissimo aeromobile.
3. La compagnia offre circuiti in esclusiva.
4. Al rientro c'erano gli amici ad aspettarmi.
5. È una città alle porte del Sahara.
6. Ad Agadir l'inverno non ha mai inizio.

B. Rispondete alle seguenti domande.

1. Dov' è il Marocco? È lontano dall'Italia? Come si chiama la compagnia che organizza questi viaggi? Quanto costa un viaggio in Marocco? Come si può andare in Marocco dall'Italia? E dagli Stati Uniti?
2. Cosa è il Sahara? Perché la pubblicità dice che ad Agadir «l'inverno non ha mai inizio»? Spiegate.

A VOI LA PAROLA

1. Spiegate cosa sarà incluso in una «soluzione aereo + auto». E in quella «aereo + albergo + auto». Quale soluzione preferireste voi? Perché?
2. Vi interesserebbe visitare il Marocco? Perché? Cosa vi attirerebbe di più? Quale altra nazione non europea vi piacerebbe visitare? Spiegate la vostra scelta. Elencate alcune cose interessanti da fare nel Sahara.

ARGOMENTI PER COMPONIMENTO

1. La mia prima notte trascorsa nel Sahara.
2. La mia prima notte trascorsa al Polo Sud.

ANGOLINO DEL RELAX

— È proprio come diceva la pubblicità: «Mare pulito, spiagge deserte», però è un po' troppo a nord e un po' troppo freddo.

NELLA VIGNETTA PRECEDENTE...

1. Dove si trova il campeggio? Come sarà il tempo?
2. Perché la famiglia è andata lì? Cosa cercavano per la vacanza?
3. Pensate che abbiano trovato quello che cercavano?
4. Pensate che godranno questa vacanza? Vorranno ripeterla? Perché?
5. Come si divertirà il bambino durante la vacanza?

Per chi ha il tempo...e anche il denaro, c'è sempre la crociera.

periplo, *circumnavigation*
raggiungete, *you reach*
distese, *expanse*
stupefacente, *amazing*
vi scorrerà, *will flow*
vi avvolgerà, *will envelop, embrace you*
si sviluppa, *extends*
collegamenti aerei, *plane connections*

VEDIAMO INSIEME

A. Esprimete in un altro modo le parole o espressioni indicate.

1. Periplo del Sud America.
2. Parte la Danae a raggiungere l'estate.
3. Un viaggio straordinario attraverso contrastanti meraviglie.
4. Tutto quello che di stupefacente possono offrirvi tre continenti, vi scorrerà davanti agli occhi.
5. La crociera si sviluppa dal 21 dicembre al 31 marzo.

B. Rispondete alle seguenti domande.

1. Quali continenti si potranno visitare durante questa crociera?
2. Quanto tempo durerà la crociera?
3. Si è obbligati a fare tutta la crociera o ci sono varie opzioni?
4. Com'è la Terra del Fuoco? Dove si trova?
5. Quali animali sono rappresentati in questa pubblicità? Quali paesi o continenti rappresentano?

A VOI LA PAROLA

1. Nella pubblicità, cosa significa lo slogan «Colori e candori, nell'estate del Sud»? Spiegate. Qual è la vostra reazione a questa pubblicità? La trovate interessante, indifferente? Spiegate.

2. Delle possibilità offerte, vi piacerebbe fare tutta la crociera o uno dei tratti proposti? Quale? Giustificate la vostra scelta.

3. Quale sarebbe per voi la crociera ideale? Quali paesi vi piacerebbe includere? Perché?

COMPONIMENTO

Siete un agente di viaggi. Concepite una crociera e preparatene la pubblicità. (Includete uno slogan adatto, durata della crociera, paesi da visitare, attrattive dei luoghi, ecc.)

Personaggi famosi. Qual è la loro vacanza ideale?

Abbiamo visto come e dove gli italiani godono le loro vacanze, e abbiamo parlato un po' delle nostre preferenze personali in materia (*on the subject*). Vediamo un attimo il genere di vacanza che preferiscono alcune personalità del mondo dell'arte.

TONY CURTIS: Le luci di Taormina

«Ho scoperto il fascino di Taormina in occasione del Festival del Cinema. In questa perla della natura ho respirato il clima della storia antica. Lo splendido Teatro Greco è certamente uno dei capolavori più affascinanti. È ancora viva in me la visione dell'Etna, il gigante che arde, e del mare attorno ai faraglioni del Ciclope.
Il mio ricordo di Taormina è, quindi, un vivissimo ricordo di luci, di limpide giornate, di un paesaggio dalle tinte vivaci, di un caldissimo sole».

clima, *atmosphere*
gigante che arde, *the burning giant*
faraglioni, *rock formations rising from the sea. These and the ones near the island of Capri are very famous.*
tinte, *colors*

IN ALTRE PAROLE

A. Spiegate in parole vostre o date un sinonimo per le parole indicate.

1. Ho scoperto il fascino della città.
2. Quell'isola è la perla del mar Tirreno.
3. L'Etna, il gigante che arde, offre uno spettacolo magnifico.
4. Conservo ancora un vivissimo ricordo di quella vacanza.
5. Da lì si gode uno splendido paesaggio dalle tinte vivaci.

B. Con l'aiuto di un dizionario date il contrario delle espressioni indicate.

1. Taormina è una città affascinante.
2. M'interesso molto alla storia antica.
3. Quel tuo amico è proprio un gigante.
4. Se ricordo bene è una città piena di luci.
5. Le giornate estive sono proprio limpide.
6. Quel giorno brillava un caldissimo sole.
7. È un quadro dalle tinte molto vivaci.

ORNELLA MUTI: Una casa nel verde

«Per chi ha scelto di lavorare nel mondo del cinema, la vacanza è un concetto strano, bizzarro, sfalsato nel tempo. Il mio rifugio segreto ed adorato è la casa di Ansedonia, in Toscana, immersa nel verde: è lì che cerco di lasciarmi andare totalmente, senza obblighi, senza orologi e con un po' del mio stesso disordine in giro».

sfalsato nel tempo, *time-warped*
rifugio, *hideaway*
lasciarmi andare, *to relax*
disordine, *untidiness*

VEDIAMO INSIEME

Chi è Ornella Muti? Dove le piace andare in vacanza? Perché chiama la sua casa di villeggiatura un «rifugio»? Dove si trova la sua casa? Cosa tenta di fare la Muti quando è in vacanza? Cosa c'è nella sua casa? Perché?

GLI "U2": Vacanza è amore

BONO: «Tutti quelli che aspettano ansiosamente le ferie, non riescono a godersi a fondo la vita: la vacanza è un momento che si deve inventare, può durare un giorno o un mese ed essere altrettanto bella».

EDGE: «Viaggiando in continuazione per i concerti riusciamo a vedere ben poco, a conoscere qualcuno. Anche per questo la vacanza è viaggio, esplorazione, ricerca».

ADAM: «Gran parte della mia infanzia è stata segnata dal mare: la forza e la clandestinità del mare, soprattutto quello d'Irlanda. Per questo mare e vacanza sono un binomio inscindibile. Ma detesto il freddo: e quindi cerco sempre un mare dove mi sia assicurata la presenza del sole perenne».

LARRY: «La vacanza ideale è la casa isolata sull'isola deserta che tutti sognamo, senza telefono, senza luce, avendo vicino solo chi si ama».

altrettanto, *equally*
in continuazione, *all the time*
ricerca, *research, discovery*
segnata dal mare, *associated with the sea*
sono un binomio inscindibile, *are inseparable concepts*

VEDIAMO INSIEME

A. In ogni frase sostituite la parola o espressione che più si avvicina al significato delle parole indicate.

1. Non riescono a godersi le ferie.
   a. le vacanze b. i giorni di festa
   c. i giorni feriali
2. Può durare un giorno o un mese.
   a. trenta giorni b. molto
   c. pochissimo o molto
3. Viaggiamo in continuazione per i concerti.
   a. per dare b. per dirigere
   c. per ascoltare
4. Amo la forza e la clandestinità del mare.
   a. il mistero b. il segreto
   c. l'illegalità
5. Mi piacciono i luoghi dove c'è un sole perenne.
   a. non fa mai notte b. fa sempre caldo
   c. non è mai nuvoloso

B. Rispondete alle seguenti domande.

1. Chi sono gli «U2»? Da dove viene Adam? Perché per lui, vacanza significa mare? Dov'è l'Irlanda? Com'è il mare dell'Irlanda? Quale clima preferisce lui?
2. Edge preferisce riposare in un luogo particolare per le vacanze? Perché? Cosa cerca lui in una vacanza? Perché?
3. A Larry piace riposarsi circondato da amici? Spiegate. Qual è la sua vacanza ideale?
4. Bono aspetta le ferie per andare in vacanza? Quando prende le vacanze lui? Cosa rappresenta una vacanza per lui?

A VOI LA PAROLA

1. Quale dei personaggi che abbiamo visto vi sembra avere le idee più realistiche riguardo alle vacanze? Spiegate le vostre impressioni. Chi di loro sembra essere più sognatore? Perché? Quale di loro vi sembra essere il più sincero? Perché?
2. Quale dei personaggi di cui abbiamo letto, esprime più da vicino i vostri sentimenti riguardo alle vacanze? Spiegate in che modo li rappresenta.

COMPONIMENTO

Un personaggio famoso con cui mi piacerebbe trascorrere una vacanza. (Includete le seguenti informazioni: chi è, perché vorreste essere con lui/lei, dove vi piacerebbe essere, ecc.)

ARGOMENTI DI DISCUSSIONE

1. Soltanto durante le vacanze uno può godersi la vita.
2. Per una personalità del mondo artistico o politico, è difficile godersi una vacanza.

IN POCHE PAROLE

Dove possiamo fermarci quando siamo in vacanza?

Le possibilità di alloggio[1] sono molte e varie per chi va in ferie, sia per una breve vacanza che per una prolungata villeggiatura. L'alloggio più economico è sicuramente la pensione; questa offre anche il vantaggio di uno o più pasti inclusi nel prezzo della camera. Per un breve soggiorno, ma quasi sempre più caro della pensione, c'è l'albergo. Di questi ve ne sono di varie categorie e tipi: dall'albergo economico di famiglia (di 3ª e di 4ª categoria) all'hotel di superlusso. Per chi preferisce l'albergo inconsueto[2] o anche addirittura esotico, l'Italia offre molti antichi castelli e abbazie convertiti in alberghi, che offrono non solo tutti i comfort moderni, ma anche l'opportunità di dormire circondati da alcuni secoli di storia e di arte. Chi preferisce più spazio, amenità moderne come piscine e campi da golf e da tennis, e spesso attività di gruppo organizzate, può sempre scegliere di restare in uno dei tanti villaggi, o *residences,* o «residenze» che si trovano in tutti i luoghi principali di villeggiatura. Infine, la famiglia che non ha una seconda casa di proprietà, e che vuole trascorrere tutta la vacanza nello stesso luogo, può sempre affittare una casa, un villino o un appartamento ammobiliato. La scelta non manca, basta decidere e prenotarsi molti mesi prima, spesso da un anno all'altro.

[1] lodgings
[2] unusual

IN ALTRE PAROLE

1. Quali tipi di alloggio sono disponibili per chi va in vacanza? Quali sono i più economici? Dove si spende di più, in un albergo di terza categoria o in uno di prima?
2. Quali vantaggi offre restare in un *residence?* Gli edifici antichi convertiti in alberghi sono comodi? Cosa offrono?

A VOI LA PAROLA

Cosa vi aspettereste di non trovare in un albergo di quarta categoria? E in uno di prima categoria? Quali servizi pretendereste ricevere in un albergo di prima categoria? In uno di superlusso?

ANGOLINO DEL RELAX

In un piccolo albergo di una località di mare, un villeggiante osserva che, il terzo giorno dopo il suo arrivo, sulla porta dell'ascensore c'è sempre il cartello con la scritta «In riparazione».
—Ma ci vuole tanto tempo, per ripararlo?—chiede seccatissimo (*very annoyed*) al portiere.
—Detto tra noi (*Just between us*)—confessa l'altro a bassa voce,—quella è la porta di un armadio a muro, ma dà prestigio al nostro albergo!

NELLA BARZELLETTA PRECEDENTE...

1. Dove si trova il villeggiante?
2. Cosa significa la scritta che è sull'ascensore?
3. A chi chiede informazioni il villeggiante? Di che umore è?
4. Cosa risponde il portiere? Perché parla a bassa voce?
5. Pensate che il villeggiante si trovi in un albergo di lusso? Perché?

Per una settimana o soltanto un weekend in una landa innevata che fa pensare al Colorado c'è:

MINIGUIDA

COME ARRIVARE

In auto. Si percorre l'autostrada del Brennero uscendo al casello di Bolzano nord; quindi si prosegue per Prato Isarco, Fiè allo Sciliar, Siusi, Alpe di Siusi, Saltarìa, giungendo al Rifugio Tirler, dove è a disposizione un parcheggio gratuito all'aperto. **Treno e pullman.** In treno fino a Bolzano e proseguimento fino a Saltarìa con autopullman di linea della società SAD di Bolzano (tel. 0471/97.12.59-60-61). Viaggi organizzati per i soci del Touring Club Italiano il 22 e il 29 dicembre 1989, il 7 gennaio 1990, nonché tutte le domeniche dal 28 gennaio all'8 aprile e il 16 aprile (verrà effettuato un trasferimento diretto in autopullman).

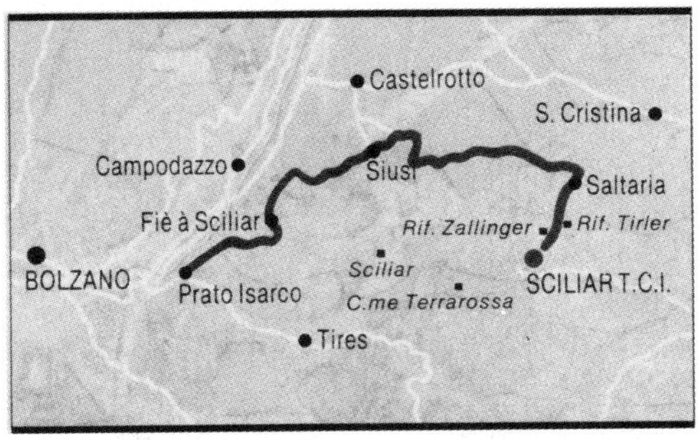

DOVE DORMIRE E MANGIARE

E' possibile alloggiare nei rifugi della zona, chiedendo informazioni all'◨ AZIENDA DI SOGGIORNO SIUSI. Se si preferisce il tutto organizzato è consigliabile appoggiarsi all'organizzazione del Touring Club Italiano. L'albergo Sciliar 2145 è utilizzabile sia dagli ospiti occasionali sia dai gruppi organizzati dallo stesso Touring Club per le settimane bianche oltre che per i periodi di Natale e Capodanno. Insieme alle lezioni giornaliere di scialpinismo, fondo e fuoripista (6 ore), le quote settimanali comprendono: trattamento di mezza pensione, risalita giornaliera con gatto delle nevi, animazione con tornei e feste, conferenze e proiezioni, assicurazione infortuni, servizio medico permanente, sauna ed idromassaggio, trasporto in arrivo e partenza. Le quote a settimana variano da un minimo di 330.000 lire ad un massimo di 545.000 lire per il solo soggiorno. Per quanto riguarda il soggiorno con corso di fuori pista o scialpinismo si va da 493.000 a 780.000 lire. I corsi di fondo con soggiorno variano tra le 433.000 e le 710.000 lire. I prezzi cambiano a seconda della stagione.

NOTIZIE UTILI

◨ AZIENDA TURISMO SIUSI (tel. 0471/727904). Per ulteriori informazioni rivolgersi a ◨ SCILIAR 2145 (tel. 0471/727922) o al ◨ TOURING CLUB ITALIANO (corso Italia 10, 20122 Milano; tel. 02/85261).

si percorre, *one takes*
si prosegue, *one continues*
nonché, *as well as*
rifugi, *shelters*
è consigliabile appoggiarsi, *you should call*
scialpinismo, *down hill skiing*
difondo, *cross-country skiing*
quote settimanali, *weekly rates*
gatto delle nevi, *bobcat*
animazione, *entertainment*

VEDIAMO INSIEME

1. Con quali mezzi di trasporto si può arrivare a questo albergo? Se usiamo l'automobile, dove bisogna uscire dall'autostrada? Se andiamo in treno, a quale stazione bisogna scendere? Cosa si prende poi, per arrivare all'albergo?
2. A chi bisogna rivolgersi per informazioni riguardanti l'alloggio? Quale agenzia può organizzare tutto?
3. Quali sono le attività offerte dall'albergo? Menzionatene alcune.

A VOI LA PAROLA

1. Cosa vi convincerebbe a trascorrere una vacanza in questo albergo? Cosa vi attira di più? Spiegate le ragioni della vostra scelta. Secondo voi, perché l'albergo si chiama «Sciliar 2145»? Cosa potrà indicare il numero?
2. Vi piace sciare? Perché? Quale tipo di sci preferite, scialpino o di fondo? Perché? Avete un luogo preferito dove andare? Perché? Cosa offre di particolare?

MESSA IN SCENA

1. Volete invitare alcuni vostri compagni di classe per un weekend nella vostra casa in montagna (o al mare). Date loro le indicazioni di come arrivarci in macchina (o in treno o in pullman).
2. Immaginate, lavorando con altri compagni di classe, di essere un agente turistico e di dare a prospettivi clienti informazioni relativi alle settimane bianche, soggiorni estivi, prezzi, attività, ecc. di un centro turistico di vostra scelta.

COME ARRIVARE

Forte dei Marmi si raggiunge percorrendo l'autostrada A
12 Genova-Livorno fino al casello Versilia o Viareggio-Ca-
maiore e proseguendo lungo la vecchia via Aurelia.

DOVE MANGIARE E DORMIRE

Segnaliamo alcuni tra i tanti ristoranti e alberghi presenti
lungo l'itinerario. Per un pranzo nei primi, si spendono tra le
25 e le 50.000 lire. **Pietrasanta:** ■ TRATTORIA DA COP-
PO (tel. 0584/70350) via Aurelia 121 ■ RISTORANTE IL
GATTO NERO (tel. 0584/70135) piazza Carducci 32 ■ PA-
LAGI (tel. 0584/70249) rist. e albergo in piazza Carducci
23. camera doppia L. 80.000. ■ IL DONATELLO (tel.
0584/70175) rist. e albergo in viale Oberdan 9, la doppia L.
50.000. **Camaiore:** ■ RISTORANTE CENTRO STORICO
(tel. 0584/989786) via Battini 66, specialità funghi ■ RISTO-
RANTE IL CAMPAGNOLO (tel. 0584/913675) via Italiaca
332 ■ ALBERGO LA STELLA (tel. 0584/989258) piazza
XXIX Maggio, la doppia L. 30.000. **Seravezza:** ■ RISTO-
RANTE AI CASTAGNI (tel. 0584/773350) via Giustagnana 37 ■ I 4 MORI (tel. 0584/769516) via Alessandrini 71
■ ALBERGO LA MERIDIANA (tel. 0584/769091) loc. Querceta, via Versilia 9, la doppia L. 31.500 ■ HOTEL
GRAPPOLO D'ORO (tel. 0584/799422) loc. Strettoia, via Casone, la doppia L. 55.000. **Forte dei Marmi:** ■ HO-
TEL NEGRESCO (tel. 0584/83533), lungomare Italico 82, la doppia L. 200.000 (compresa la colazione).

NOTIZIE UTILI

■ EPT LUCCA (tel. 0583/43639) ■ AZIENDA TURISMO FORTE DEI MARMI (tel. 0584/80091) ■ PRO LOCO
SERAVEZZA (tel. 0584/75100) ■ UFFICIO TURISTICO LIDO DI CAMAIORE (tel. 0584/64397).

Un itinerario per voi nella verde Toscana...

si raggiunge percorrendo, *can be reached following*
segnaliamo, *we draw to your attention*

fronte mare, *waterfront*
sale convegni, *conference halls*
rustici, *rustic, country homes*
entroterra, *inland*

VEDIAMO INSIEME

1. Come si arriva a Forte dei Marmi? È lontano dal mare?
2. Quanto può costare un pranzo nei ristoranti suggeriti?
3. Qual è l'albergo meno caro? Il più caro? In quale città si trova ognuno di essi?
4. Cosa offre l'Hotel Negresco? Dove si trova?
5. La Villas Italia è un albergo? Cosa offre?

A VOI LA PAROLA

Con i compagni di classe preparate una delle seguenti scenette:

1. Volete fare un giro della zona indicata dalla cartina. Vi recate all'Azienda Turismo di Lucca e chiedete informazioni sugli alberghi e ristoranti della zona.
2. Volete prenotare una camera nell'Hotel Negresco per alcuni giorni. Telefonate alla recezione (*front desk*) e chiedete informazioni sul costo delle camere, e su quello che l'abergo può offrire.

ANGOLINO DEL RELAX

In un hotel, un cliente chiama il cameriere del piano e gli dice:
—Come mai mi avete riportato un scarpa nera e una marrone?
—Non saprei proprio dirvelo, signore— risponde l'altro.—È un fenomeno che mi è capitato già con un altro cliente, stamattina!

NELLA BARZELLETTA PRECEDENTE...

1. Perché il cliente ha dato le sue scarpe al cameriere?
2. Cosa ha fatto il cameriere?
3. Cosa è già successo al cameriere? Perché?
4. Pensate che questo cameriere riceverà molte mance? Perché?

Baia di Conte

ALGHERO - SARDEGNA

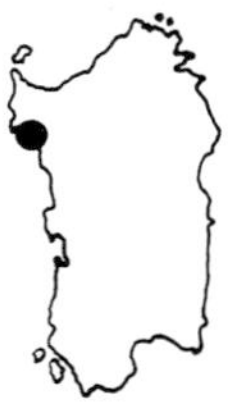

Pink and Violet, Indaco Sardinia! Vieni a vivere i colori della splendida Baia aperta sul Mediterraneo! Il **Rosa violetto che** tinge il cielo al tramonto, il **Bianco dorato** della sabbia finissima, il **Turchese** di un mare limpido e vivo. E ancora il

Verde argenteo del parco di ulivi e quello intenso e cangiante degli arbusti, il **Giallo ocra** delle piste per le passeggiate a cavallo. Vieni e vivi l'allegria fra le vele **Bianche** e **Azzurre** che guizzano sulle onde profilate di schiuma. Viene ad esplorare le profondità **Blu cobalto** dove, come d'incanto, ti appariranno i **Rossi** dei coralli, i **Porpora** degli anemoni ondeggianti

ed una moltitudine di guizzanti colori delle più svariate specie di pesci. E a sera **l'Arancio** delle aragoste e il **Giallo paglierino** dei ghiacciati vini sardi esaltano il gusto raffinato delle tue cene alla luce soffusa delle confortevoli sale da pranzo. E più tardi? Il **Blu nero** della notte farà da sfondo all'esplosione di ritmati lampi colorati della discoteca e al danzante **arcobaleno** dei balli folkloristici. Vieni a Baia di Conte, i colori dei tuoi sogni ti stanno aspettando!

tinge, *tints*
limpido, *transparent*
parco di ulivi, *olive groves*
cangiante degli arbusti, *changing (color) of the shrubs*
guizzano, *dart*
luce soffusa, *dim*

VEDIAMO INSIEME

1. Dove si trova l'Hotel Baia di Conte? È all'interno dell'isola o sulla costa?
2. Quali sono i colori che troviamo in questa baia? Cosa rappresentano alcuni di essi?
3. Dove si può cenare la sera? Com'è l'atmosfera? Che tipo di cucina offre l'albergo? Dopo cena che cosa si può fare? Dove?
4. Quali sono alcuni dei servizi e delle attività che offre quest'albergo?

A VOI LA PAROLA

1. Quale delle attività offerte dall'albergo vi interesserebbe di più? Spiegate le vostre preferenze.
2. In questa pubblicità cosa vi colpisce di più? Spiegate il perché.
3. Immaginate di essere in vacanza in questo albergo. Descrivete una vostra tipica giornata. Siete soli o in compagnia? Come trascorrereste il tempo?
4. Voi, avete uno o più colori preferiti? Cosa rappresentano per voi? Vi fanno pensare a qualche cosa in particolare? Spiegate.

È venuto il momento di cominciare a pensare alla villeggiatura. Quest'anno però, vorremmo andare in un luogo diverso dal consueto. Diamo un'occhiata al giornale e vediamo se possiamo trovare qualche cosa che ci alletti (*appeals to us*) particolarmente.

In Sardegna, nel residence Tanca Manna Arzachena, affitto appartamenti confortevolmente arredati, tutti con terrazzo e splendida vista sul mare. Comodità di supermercato, pizzeria, ristorante, campi da tennis e bocce, windsurf vela. Telefonate al numero 045/42159 (anche ore pasti).

In Grecia, isola ore Rodi, a Pilona (2 km dalla stupenda baia di Vlihàe) affitto un graziosissimo villino su 2 piani, con giardino e doppi servizi. Affitto inoltre, anche per brevi periodi, camere con 2/3/4 posti letto, sempre a Pilona. Mi potete telefonare al numero 07/200241.

Ad Alghero affitto per i mesi estivi una spendida villa, con parco e scalo a mare privati, con 8 posti letto. Per accordi scrivete a Donzelli. Località Lazzaretto. Fertilia (SS).

In Sardegna, vicino alla Costa Smeralda, affitto un monolocale con 4 posti letto in residence sul mare, con comodità di supermercato, tavola calda, pizzeria, discotecs, campi da tennis e bocce. Telefonate nelle ore dei pasti al numero 0541/22058

arredati, *furnished*
monolocale, *studio apartment*
graziosissimo villino, *very charming cottage*
doppi servizi, *two full baths*
parco, *grounds*
scalo a mare, *dock and access to the sea*

VEDIAMO INSIEME

In Sardegna...

1. Dove si trovano gli appartamenti? Sono ammobiliati? Cosa c'è vicino al residence? È necessario mangiare in casa? Quali possibilità di svago ha chi abita lì? Quando si può telefonare per avere informazioni?
2. Secondo voi si starebbe comodi in questa abitazione? Perché? Chi potrebbe interessarsi ad affittare questo monolocale? Perché?

In Grecia...

Dov'è Pilona? Cosa si affitta a Pilona? Che cosa offre di particolare questa abitazione? Si può affittare solamente il villino in questa zona? Chi preferirebbe affittare un villino? Chi, invece, sceglierebbe le camere?

Ad Alghero...

È grande questa casa? Quante persone potrebbero villeggiarci? Da che cosa si deduce questo? Quando si può telefonare per avere informazioni? È un'ora insolita? Perché?

ANGOLINO DEL RELAX

— C'è la spiaggia a due passi!

NELLA VIGNETTA PRECEDENTE...

1. Dove si trova l'appartamento che questa coppia sta visitando?
2. Pensate che sia lontano dalla spiaggia? Perché?
3. Pensate che decideranno di prendere l'appartamento? Perché?

A VOI LA PAROLA

1. Scegliendo una delle abitazioni descritte negli annunci, descrivete il genere di persona che si interesserebbe ad affittare quell'abitazione particolare. Spiegate le vostre ragioni.

2. Dopo aver letto questi annunci, quale avete deciso di affittare per la villeggiatura? Quale, definitivamente non vi interessa? Quale pensate che sia il più costoso? Quale il meno caro? Quale vi piacerebbe affittare? In ogni situazione spiegate le ragioni per la vostra particolare decisione.

3. A ciascuno il suo! (*To each his own*) Immaginate che le seguenti persone stiano per cercare una sistemazione (*accommodation*) per le vacanze. Degli annunci elencati, quale sarebbe la più adatta?
   a. Una coppia a cui piace fare gli sport acquatici.
   b. Tre amici che vogliono trascorrere le ferie all'estero.
   c. Una famiglia numerosa, composta da genitori, figli sposati e nipotini.
   d. Una signora sola che non vuole assolutamente cucinare.

MESSA IN SCENA

Con un compagno di classe preparate e presentate una delle seguenti situazioni davanti alla classe.

Siete una coppia (o un gruppo di amici) che discute dove andare al mare e il tipo di locale (o appartamento) da affittare.

COMPONIMENTO

1. Prendendo i precedenti annunci come modello, preparate voi un annuncio da inserire nel giornale per offrire in affitto la vostra casa di villeggiatura.

2. Scrivete un annuncio di giornale in cui cercate un appartamento, o villino, o altro per il periodo estivo. Precisate cosa cercate, località, durata della villeggiatura, numero di persone in famiglia, ecc.

ANGOLINO DEL PAROLIERE

Nel prendere commiato (*taking leave*) dagli amici, quando partite per la villeggiatura, potete usare alcune di queste espressioni:

(Fate) buon viaggio!	Have a good trip!
Buona permanenza!	Have a good stay! (usually wished to those who are staying behind)
Non dimenticare di scrivere!	Don't forget to write!
Arrivederci al ritorno!	See you when I (you) return!
Potresti riportarmi...?	Could you bring me back . . .?
Se non ti è di troppo fastidio...	If it isn't too much trouble . . .
Ci vediamo (il mese prossimo).	I'll see you (next month).
State attenti!	Be careful! Take care of yourselves.

Una volta arrivati a destinazione, per chiedere o dare informazioni, potete dire:

Come si arriva a...?	How can one get to . . . ?
Dove si può (comprare, mangiare)...?	Where can one (buy, eat) . . . ?
Vada diritto (fino a...).	Go straight (until you reach . . .).
Giri a destra (a sinistra).	Turn right (left).
È a due passi.	It's nearby.
È il secondo edificio a destra.	It's the second building on the right.
È in fondo alla strada (piazza).	It's at the end of the street (square).
È di fronte (a...)	It's in front of . . .
È vicino (a...)	It's near . . .
È dietro (a...)	It's behind . . .
È accanto (a...)	It's near . . .
È dall'altro lato di...	It's on the other side of . . .

Una volta vi siete orientati, avete bisogno di altro.

Da dove parte il treno per...?	What track is the train for . . . leaving from?
Il treno parte dal binario...	The train leaves from track . . .
C'è un ristorante che serva...?	Is there a restaurant that serves . . . ?
Dove si trova un ristorante a prezzo fisso?	Where can I find a restaurant offering complete dinners?*
Da queste parti c'è un ristorante con menù turistico?	Is there a restaurant serving a tourist (special) menu around?
In che cosa posso servirLa?	How may I help you?
Si accomodi.	Please have a seat (table).
Mi porti il menù.	Please bring me the menu.
Quanto è (devo)?	How much is it (I owe you)?
Hanno una camera singola?	Do you have a single (bed) room?
Desidero una camera matrimoniale.	I would like a double-bed room.

A VOI LA PAROLA

A. Siete appena arrivati a Roma, dopo un lungo viaggio. Formulate delle domande appropriate alle seguenti situazioni.

1. Siete stanchi morti e avete bisogno di riposo.
2. Non avete mangiato nulla da dodici ore.
3. Dovete prendere il treno per Firenze.
4. Avete mal di testa.
5. Desiderate una camera d'albergo.

B. Con un compagno di classe, preparate una breve serie di scambi fra un turista che cerca informazioni e una persona del luogo (*a local*).

C. State per partire per un viaggio. Preparate un breve dialogo che ha luogo fra voi e degli amici che vi hanno accompagnato alla stazione.

*Most Italian restaurants offer menus a la carte; a «prezzo fisso» is a complete dinner consisting of first and second course, a side dish, fruit or dessert and wine or mineral water.

VOCABOLARIO

SOSTANTIVI

albergo	hotel
assegni per viaggiatori	traveler's checks
bagaglio (a mano)	(carry-on) baggage
bevanda	drink
camera	room
contrattempo	mishap
denaro	money
divertimento	entertainment
dogana	customs (at an airport)
gusto	taste, flavor
mancia	tip
opuscolo	brochure
orario	schedule
piscina	pool
prenotazione (f.)	reservation
ricordo	souvenir
tabella	chart
tappa	stage (of a trip)
valigia	suitcase

AGGETTIVI

ampio	vast
circondato	surrounded
comodo	comfortable
fastidioso	bothersome
ignoto	unknown
impegnativo	demanding
indolente	lazy
seccato	bothered, annoyed
sicuro	safe, sure
sconveniente	inconvenient
veloce	fast

VERBI

accadere	to happen
consentire	to allow
esigere (p.p.: esatto)	to require, to demand
guastarsi	to break down
gustare	to taste
lamentarsi	to complain
noleggiare	to rent
perdere	to lose
rendersi conto (p.p.: reso)	to realize
restituire (-isc-)	to give back
riconsegnare	to give back, to return
spostarsi	to move
tagliare	to cut
trascorrere (p.p.: trascorso)	to spend (time)
vuotarsi	to become empty

ESPRESSIONI

a bordo	on board
addirittura	absolutely, quite
a giudicare da	judging from
al di sopra di	over, above
al di sotto di	under, below
a seconda di	according to
a volte	sometimes
da sempre	always, from time immemorial
in viaggio	on a trip
ovvero	in other words
qualsiasi	any
relativamente	comparatively

ESPRESSIONI CON IL VERBO FARE

fare la coda	to stand in line
fare comodo	to be useful
fare un giro	to take a tour, to walk around
fare una passeggiata	to take a walk
fare la valigia	to pack one's suitcase
fare un viaggio	to take a trip

PER CHIUDERE IL DISCORSO

A. Nell'elenco di parole che segue, accoppiate quelle che più si avvicinano in significato fra loro.

alloggio	casa	panorama	automobile
paese	volare	denaro	hotel
albergo	preferire	affittare	vacanza
conoscente	affollato	feriale	amico
soldi	macchina	villeggiatura	nazione
viaggiare	trattoria	noleggiare	scegliere
pieno	paesaggio	lavorativo	ristorante

B. L'intrusa (*the intruder*). In ogni gruppo, trovate la parola che non è in relazione con le altre tre e spiegate il perché.

1. macchina	casa	alloggio	albergo
2. autostrada	barca	casello	autista
3. crociera	volo	viaggio	passeggiata
4. treno	stazione	cuccetta	cabina
5. denaro	mancia	pranzo	lire
6. rapido	nave	sci	aeroplano
7. noleggiare	comprare	rubare	affittare
8. villeggiatura	ferie	vacanze	giorni feriali
9. orario	orologio	tempo	ora
10. spiaggia	ombrellone	stabilimento	fiume

C. Organizziamoci bene. Quando siete in vacanza cosa fate per primo? Elencate le seguenti attività in ordine cronologico. Poi usate le espressioni in un breve componimento.

1. fare le valige
2. andare in albergo
3. fare un giro della città
4. andare all'agenzia di viaggi
5. andare a cena
6. prenotare il biglietto
7. prendere il treno
8. riposarsi
9. chiedere dov'è un buon ristorante
10. decidere dove andare in vacanza

D. In viaggio con me! Un'agenzia di viaggi vi ha promesso biglietto e permanenza pagata se mettete insieme un gruppo di almeno dieci altri studenti per la «*spring vacation*». Preparate un annuncio da distribuire nella vostra scuola; includete date del viaggio, paese da visitare, attività, ecc.

E. La campagna pubblicitaria. Un'agenzia di viaggi ha mandato alla vostra scuola un elenco di vacanze per l'estate. Scegliete una delle seguenti e descrivete il viaggio (date, mezzo di trasporto, alloggio, luoghi d'interesse da vedere, costo, ecc.)

1. Una minivacanza al mare.
2. Dalle Alpi alla Sicilia in treno.
3. Una vacanza esotica.
4. L'Egitto dal dorso di un cammello.
5. Una vacanza economica.

TAVOLA ROTONDA

Scegliete uno dei seguenti argomenti per discussione in gruppo.

1. Cosa è la «gioia di vivere» per un americano?
2. Secondo voi, in che cosa consiste la «gioia di vivere» per un italiano?
3. Secondo voi, chi sa godere di più la vita: l'italiano o l'americano? Date le vostre ragioni ed esempi.

CAPITOLO IV

Sezione: La nostra storia—L'Italia e gli italiani
Sezione: Gli italiani nel mondo—l'emigrazione
Sezione: Il *«Made in Italy»*
Sezione: A tavola non s'invecchia—La cucina italiana
Sezione: Feste e festeggiamenti

Noi italiani

Capital

Spesso, negli stati Uniti, quando si sente la parola «italiano» si pensa subito alla pizza, agli spaghetti e forse alle canzoni, quasi sempre suonate da un mandolino. Ugualmente, quando si pensa «Italia», si hanno immagini di un sole che splende su ruderi antichi[1], di monumenti e musei e forse anche di una gondola che scivola[2] sulla laguna mentre il marinaio canta «'O sole mio». E cosa possiamo dire degli italiani? Beh, tutti sanno che il tipico italiano è piccolo, un po' scuro, con capelli neri, qualche volta i baffi; egli gesticola continuamente, parla a voce alta ed è molto emotivo. Se è sposato, ha una famiglia numerosa e la moglie è una buona casalinga[3] che si occupa della casa e dei numerosi figli. Non è vero?

INTAVOLIAMO IL DISCORSO

1. Siete d'accordo con quello che dice il brano precedente? Cosa vi viene in mente quando pensate all'Italia? Quali sono gli stereotipi più comuni legati all'Italia e agli italiani? Perché è pericoloso fare generalizzazioni quando si parla di un popolo o di un gruppo etnico? Come pensate che siano caratterizzati gli americani dagli italiani?
2. Potete elencare almeno cinque prodotti italiani che conoscete o di cui avete sentito parlare? Menzionate il nome di un prodotto italiano per ognuna delle seguenti categorie:
   a. automobili
   b. moda
   c. prodotti alimentari
3. Basandovi sulla vostra esperienza personale, o sull'esperienza di vostri amici e conoscenti, spiegate quali sono gli elementi della cultura e della società italiana che possono affascinare o interessare un americano e vice versa.

---
1 ancient ruins
2 glides
3 housewife

IN POCHE PAROLE

Il discorso precedente è stato ovviamente detto con un sorrisetto ironico[1].

Le affermazioni erano volutamente esagerate ed alquanto semplicistiche. Tutti noi, prima o poi abbiamo fatto l'esperienza diretta di generalizzazioni di questo tipo, o siamo stati noi stessi colpevoli di stereotipare qualcosa o qualcuno. Come gli italiani sono tutti romantici e rumorosi, così gli inglesi sono impassibili, gli americani smargiassi o spacconi[2], gli spagnoli e i latinoamericani impetuosi, ecc... Ma forse avremo incontrato qualche volta un italiano che era silenzioso e impassibile, o forse un inglese che si eccitava facilmente, o anche un americano riservato e modesto. In fondo, quando si parla di nazioni e di popoli, è sempre imprudente[3] generalizzare.

Vediamo un po' di sfatare insieme alcuni di questi luoghi comuni che riguardano l'Italia e gli italiani.

Geografia: Basta guardare una carta geografica per rendersi conto che gran parte dell'Italia, soprannominata affettuosamente «lo stivale», è una penisola che sembra tagliare il Mediterraneo a metà. Incluse le isole, l'Italia ha più di 7.500 km. di coste; per un americano del Midwest questo potrà sembrare incredibile, ma nessun punto della penisola è a più di 100 km. dal mare. Gli italiani, ovunque essi vivano, hanno il mare a portata di mano[4] e possono arrivarci in un'ora o meno di automobile. D'altro canto, L'Italia è anche un paese molto montuoso[5]: soltanto un quinto del paese consiste di pianure; il resto, più del 75% è fatto di montagne o colline. Benché sia un paese altamente sviluppato e molto affollato, l'Italia ha cinque parchi nazionali principali, designati per la protezione di molte specie di animali (tra cui orsi e aquile) e per la salvaguardia dell'ambiente; tra i più grandi vi sono il parco dello Stelvio (fra la Lombardia e il Trentino Alto Adige), quello del Gran Paradiso (che copre zone del Piemonte e della Valle d'Aosta) e il Parco Nazionale d'Abruzzo (fra l'Abruzzo, il Molise e il Lazio).

Se si sovrappone la carta dell'Italia a quella degli Stati Uniti, vedremo che la penisola italiana si estende da Bangor nel Maine a Raleigh nella Carolina del Nord. Benché il clima italiano sia variabile da nord a sud, le temperature sono generalmente miti. A nord si trovano le Alpi, che proteggono il paese dai venti freddi dell'Europa e su tre lati c'è il Mar Mediterraneo che ne mitiga il clima. Per esempio, il clima di Milano, molto simile a quello di New York, ha una temperatura invernale media intorno a zero gradi centigradi. Nelle valli alpine, invece, la temperatura può scendere fino a −20 gradi centigradi. Al contrario, il centro e il sud sono caratterizzati da temperature invernali più miti. D'estate la temperatura media è intorno ai 25 gradi centigradi.

Popolazione: Nella sua lunga storia, l'Italia è stata abitata, occupata ed attraversata da moltissimi popoli. Questo ha contribuito ad una grande varietà di «tipi» italiani: troviamo il meridionale[6] basso, bruno e con i capelli ricci[7], ma anche il siciliano alto e biondo discendente dei normanni o anche dei vichinghi che molti secoli fa si stabilirono nell'isola. Ci sono italiani alti e italiani bassi, biondi e bruni, con

[1] tongue-in-cheek
[2] braggarts
[3] unwise
[4] at hand
[5] mountainous
[6] southerner
[7] curly

i capelli rossi e con le lentiggini[1], con il naso piccolo e all'insù[2] e altri con il naso affilato[3], aquilino[4], greco e via di seguito[5]. In tutti i suoi secoli di storia, e preistoria, l'Italia è diventata un vero crogiuolo di popoli.

In Italia ci sono più donne (51% della popolazione) che uomini, ma questo è dovuto al fatto che, come in altri paesi industrializzati, le donne vivono più a lungo degli uomini. Infatti, fra i giovani il numero dei maschi è maggiore. Già dall'inizio degli anni 80 la popolazione italiana ha raggiunto crescita zero[6]; in questi ultimi anni, anzi, la popolazione sta addirittura diminuendo! La famiglia tipica moderna italiana, particolarmente nel centro-nord ha uno, massimo due figli.

La popolazione italiana è concentrata nelle grandi città e in centri con più di 100.000 abitanti. Le grosse città come Milano, Torino, Roma e Napoli hanno una densità di popolazione che supera[7] i 1.000 abitanti per chilometro quadrato!

Economia: L'Italia è una delle maggiori nazioni industriali del mondo. Per tenore e qualità di vita[8] si trova al 5° posto, dopo gli Stati Uniti, il Giappone, la Germania e la Francia. Pochi anni fa ha superato l'Inghilterra ed ora si trova quasi alla pari con la Francia e potrebbe anche superarla fra poco. La zona più altamente industrializzata dell'Italia è il cosiddetto «triangolo industriale» che comprende la Liguria, il Piemonte e la Lombardia; altri grossi centri industriali si trovano nella Valle Padana, in Toscana, nel Lazio e intorno a Napoli. Cosa si produce in Italia? Ovviamente automobili ma anche veicoli di tutti i tipi (autobus, camion, trattori, vetture per treni e per metropolitane), poi elettrodomestici[9], prodotti elettronici, strumenti di precisione e macchinari industriali. L'Italia è grande esportatrice di veicoli, di oro, d'argento e di gioielleria, di pellame[10] e di materie plastiche e sintetiche. I principali paesi che importano dall'Italia sono gli Stati Uniti, la Gran Bretagna, la Germania e la Francia.

Storia e politica: Sebbene sia un paese antichissimo, l'Italia è una nazione soltanto dal 1870, quando Vittorio Emanuele II divenne il primo re d'Italia e stabilì la capitale a Roma. Prima l'Italia era stata centro dell'impero romano, poi parte del Sacro Romano Impero di Carlomagno, sede delle prime repubbliche dell'Europa, mosaico di stati indipendenti e occupata a turno da greci, arabi, normanni, francesi, tedeschi e spagnoli. Un detto[11] popolare italiano dice: «Molti hanno tentato di calzare lo stivale ma nessuno è riuscito a farlo per lungo tempo[12]». Dopo la seconda guerra mondiale, con la Costituzione del 1947, l'Italia divenne una repubblica guidata dal Presidente della Repubblica, eletto ogni sette anni dal Parlamento, e dal Presidente del

1 freckles
2 turned up
3 sharp
4 hooked
5 and so on
6 zero-growth
7 goes above
8 standard and quality of life
9 appliances
10 leather goods
11 saying
12 *Lit.:* Many have tried to wear the boot, but no one has succeeded for long.

Consiglio, o Primo Ministro, che è nominato dal Presidente. Tutti hanno diritto al voto, a partire dall'età di 18 anni. Forse per la loro lunga storia, forse perchè la repubblica è un'istituzione recente, e forse a causa dell'esperienza fascista, gli italiani prendono molto sul serio[1] il diritto al voto che loro considerano piuttosto un dovere. Per le elezioni nazionali, una presenza alle urne[2] del 90–92% è piuttosto normale. La TV e i giornali considerano un fatto preoccupante quando meno dell'80% degli elettori va a votare.

La lingua: La lingua ufficiale e nazionale del paese è l'italiano, parlato anche nella Repubblica di San Marino, nel Canton Ticino, in Corsica, a Nizza, Monaco e dintorni e in Istria e Dalmazia. Fino a poco tempo fa la maggior parte degli italiani erano praticamente bilingui; parlavano, cioè, l'italiano (come lingua ufficiale e culturale) e il loro dialetto. Per varie ragioni geografiche e storiche, ogni regione e praticamente ogni città italiana ha un suo dialetto; i dialetti possono differenziarsi fra loro molto o pochissimo. Uno di Palermo non capirebbe mai una persona di Torino che parlasse nel suo dialetto; d'altro canto la parlata locale di città come Siena e Pisa o Napoli e Salerno presenta pochissime differenze. Oggi, grazie ai mezzi di comunicazione di massa, l'istruzione generale, e i viaggi, le nuove generazioni vanno gradualmente perdendo l'uso del dialetto; specialmente nei centri urbani, i dialetti sono quasi del tutto italianizzati e sono usati occasionalmente in famiglia o fra amici. Ovviamente, anche nell'italiano parlato ci saranno differenze regionali, perloppiù di accento e di intonazione, e un romano non parlerà come un milanese o un veneziano come, anche negli Stati Uniti, del resto, è possibile notare la differenza fra una persona che viene da Boston e uno del Texas o della Virginia.

La Costituzione italiana, garantisce anche l'integrità delle minoranze linguistiche. In alcune regioni si trovano altre lingue usate e insegnate nelle scuole (un po' come il francese e l'inglese nel Quebec). Nella Valle d'Aosta troveremo quindi il francese, nel Friuli-Venezia Giulia lo sloveno e nell'Alto Adige il tedesco.

[1] seriously
[2] turnout at the polls

IN ALTRE PAROLE

A. Completate le seguenti frasi con l'espressione adatta.

1. In Italia ci sono...
   a. molte pianure
   b. molte montagne
   c. molti laghi
   d. poche spiagge
2. L'italiano tipico...
   a. è basso e bruno
   b. è alto e biondo
   c. non esiste
   d. è alto con il naso aquilino
3. L'Italia è un paese principalmente...
   a. agricolo
   b. industriale
   c. turistico
   d. sottosviluppato
4. La maggior parte degli italiani abita...
   a. in città
   b. in campagna
   c. in montagna
   d. al mare
5. L'Italia produce principalmente...
   a. opere d'arte
   b. frutta e verdura
   c. vestiti
   d. veicoli
6. L'Italia è governata da...
   a. un re
   b. un presidente
   c. un dittatore
   d. nessuno
7. Quando c'è un'elezione ... italiani vanno a votare.
   a. pochi
   b. tutti
   c. molti
   d. moltissimi
8. L'Italia come nazione unita esiste...
   a. da molti secoli
   b. dalla seconda guerra mondiale
   c. da poco più di un secolo
   d. da pochi anni

B. Vero o falso? Indicate se le seguenti asserzioni sono corrette o no. Correggete quelle false.

1. L'Italia è una penisola che ha la forma di una scarpa.
2. L'Italia ha molte coste e poche montagne.
3. In Italia ci sono minoranze linguistiche, particolarmente nel nord.
4. In Italia fa molto caldo d'estate e l'inverno è freddissimo.
5. L'Italia è grande quanto la costa atlantica degli Stati Uniti.
6. L'Italia è una repubblica il cui presidente è eletto dal popolo ogni sette anni.
7. L'industria italiana principale è l'agricoltura.
8. Per tenore di vita l'Italia è fra le prime cinque nazioni del mondo industriale.
9. La popolazione italiana continua ad aumentare.
10. L'Italia fu unificata nel 1870 da un dittatore che si chiamava Mussolini.

A VOI LA PAROLA

A. Sapete già qualcosa della storia e della cultura italiana? Di quali personaggi storici, scienziati e artisti avete già sentito parlare? Abbinate i nomi della prima colonna ai fatti citati nella seconda.

A	B
1. Alessandro Volta	a. soprannominato «l'eroe dei due mondi»
2. Dante Alighieri	b. famosa regista
3. Giuseppe Garibaldi	c. scrisse «Il Principe»
4. Giuseppe Verdi	d. perfezionò il cannocchiale (*telescope*)
5. Michelangelo Buonarroti	e. studiò la prima reazione nucleare a catena (*nuclear chain reaction*)
6. Alcide De Gasperi	f. inventò la pila elettrica (*battery*)
7. Galileo Galilei	g. compose opere famose
8. Niccolò Machiavelli	h. scrisse la «Divina Commedia»
9. Lina Wertmüller	i. dipinse la Cappella Sistina
10. Enrico Fermi	j. fu Primo Ministro del Consiglio della repubblica italiana

B. Rispondete alle seguenti domande.

1. In quali paesi l'inglese è lingua nazionale? L'inglese è l'unica lingua parlata negli Stati Uniti? Ci sono minoranze linguistiche negli Stati Uniti? Queste persone hanno la possibilità di studiare la loro lingua o la loro cultura a scuola? In quale modo? Quali altre lingue si parlano negli Stati Uniti? Dove? Ci sono persone bilingui negli Stati Uniti? Quali?
2. Conoscete altri italiani che hanno contribuito al mondo dell'arte? Delle scienze? Della cultura? Conoscete italiani che hanno contribuito alla storia e alla civiltà americana? Quali?
3. Il nome della città di «Columbus» nell'Ohio è ovviamente derivato dal nome di Cristoforo Colombo. Potreste indicare altri nomi di città o paesi derivati da nomi italiani?
4. Gli Stati Uniti sono un paese pluriculturale? Spiegate. Secondo voi, esiste una «cultura americana»? Spiegate quali sono le sue caratteristiche. Esiste un «tipo» di persona americana? Ci sono delle caratteristiche, fisiche o di comportamento, tipicamente americane? Quali? Esistono differenze fra gli abitanti delle varie regioni o zone degli Stati Uniti? Ci sono differenze fra, diciamo un «New Englander» e un californiano? Quali?

TAVOLA ROTONDA

Con un gruppo di compagni discutete uno dei seguenti argomenti:

1. Vantaggi e svantaggi di una persona bilingue negli Stati Uniti.
2. Il vero bilingualismo e biculturalismo non esiste.

SEZIONE: La nostra storia— L'Italia e gli italiani

Un popolo di santi... : San Francesco d'Assisi, il santo «poverello»[1]

Santo patrono dell'Italia, forse il personaggio più celebre[2] di tutta la letteratura religiosa, conosciuto e ammirato anche fuori della cultura cristiana e occidentale.

Francesco nacque ad Assisi in Umbria nel 1182 figlio di un ricco mercante di panni[3] e di una donna della Provenza. Il padre diceva spesso: «Io sgobbo[4], ma voglio che mio figlio cresca fra gli agi, che conosca della vita solo la bellezza e il sorriso». Dalla madre, Francesco imparò il provenzale e, come molti giovani dell'epoca che appartenevano a famiglie ricche, egli imparò la musica e la danza, a suonare e a comporre versi. Partecipò alle lotte politiche dell'epoca e nel 1204, durante una battaglia, fu fatto prigioniero dai perugini. Ritornò dalla prigionia stanco e malato e un giorno, mentre pregava in solitudine nella chiesa mezzo diroccata[5] di San Donato, sentì una voce che gli diceva: «Vai, Francesco, e ripara la mia chiesa che cade». Dapprima[6] Francesco prese alla lettera quelle parole e con il suo denaro e anche qualche cosa del padre si mise a riparare la piccola chiesa, lavorandoci personalmente con l'aiuto di qualche muratore[7]. Seguirono poi altre piccole chiese della zona, semidistrutte dal tempo e dalle intemperie[8]; Francesco vi lavorava con zelo a portare sabbia, acqua e sassi per le riparazioni. Nel 1206 si convertì ad un' esistenza di povertà, umiltà e servizio ai poveri e a chi più ne avesse bisogno. La maggior parte dei suoi vecchi amici e concittadini[9] lo consideravano un folle. Il padre, deluso ed esasperato, lo fece chiamare e, sulla pubblica piazza, alla presenza di una gran folla di curiosi lo diseredò[10] dopo avergli gridato che non lo considerava più figlio. Francesco, sereno, si tolse di dosso anche gli stracci[11] che portava e disse: «Io non voglio nulla, non ho bisogno di nulla, perché Dio mi ha illuminato». Poi, malgrado la resistenza dei suoi, fece voto di povertà e cominciò a viaggiare per l'Umbria predicando la carità, la concordia e la pace. Nella sua nuova vita non perse mai il suo spirito gioioso, il suo amore della natura e della poesia. Accettò la povertà con gioia, non come penitenza[12] ma come una liberazione.

Nel 1209 Francesco e i suoi compagni formarono la prima comunità francescana, detta[13] dei «Poveri d'Assisi» o «Poverelli». Cominciò così lo sviluppo del monachismo francescano con i suoi ideali di proselitismo, predicazione delle virtù cristiane e l'appello allo spirito di carità e di pace.

A lui si sono ispirati letterati e artisti, uomini politici, e anche rivoluzionari che hanno visto in lui l'apostolo della contestazione[14] non violenta, un precursore dell'opposizione contro il materialismo e il consumismo.

San Francesco fu anche l'autore del primo testo letterario in lingua italiana, una poesia conosciuta come il «Cantico delle Creature»; fu, inoltre, l'ideatore[15] del primo Presepe[16] nella storia cristiana; in occasione del Natale del 1223 «montò»[17] un presepe vivente a Greccio.

1 beggar
2 famous
3 cloth merchant
4 work hard
5 half crumbling
6 at first
7 mason
8 damaged by time and weather

9 fellow citizens
10 disinherited
11 took off the rags
12 penance
13 called
14 protest
15 inventor
16 Nativity Scene
17 put together

IN ALTRE PAROLE

A. Rispondete alle seguenti domande.

1. Quando è vissuto San Francesco? Dove? Cosa faceva il padre? Che tipo di educazione ricevette Francesco da giovane? Cosa diceva di lui il padre?
2. Cosa disse la voce a Francesco? Dove si trovava lui in quel momento? Da dove era tornato? Cosa decise di fare dopo aver sentito la voce? Di chi era la voce che gli parlò?
3. Perché San Francesco è chiamato «il santo poverello»? Spiegate cosa fece suo padre. Perché? Quale fu la reazione di Francesco? Spiegate. Come si chiamava la comunità che lui formò? Perché scelsero questo nome? Cosa facevano? Quali erano gli ideali di questa comunità? Per quali altre ragioni è famoso San Francesco?

B. Il brano che segue è parte del famosissimo «Cantico delle Creature» composto da San Francesco poco prima di morire. Scegliendo fra le seguenti parole, completate il brano.

fratello	luna	lodato	illumini
belle	creature	giocondo	umile

Lodato sii (*Be praised*), mio Signore, per sorella
_______ e le stelle
in cielo l'hai formate chiare e preziose e _______
Lodato sii, mio Signore, per _______ vento
e per aria e nuvole e sereno ed ogni tempo,
per il quale alle tue _______ dai sostentamento.
Lodato sii, mio Signore, per sorella acqua,
la quale è molto utile, e _______ e preziosa e pura.
Lodato sii, mio Signore, per fratello fuoco,
grazie al quale _______ la notte:
ed egli è bello e _______ e robusto e forte.

C. Nel brano del canto che avete letto San Francesco chiama alcune cose «sorella» e «fratello». Quali sono queste? Perché ha deciso di chiamare alcune «fratello» ed altre «sorella»? Perché le chiama così? Quali sono alcuni degli aggettivi che egli usa per descrivere gli oggetti della natura? Potreste spiegarne qualcuno?

A VOI LA PAROLA

1. Secondo voi, quale sarebbe la reazione della nostra società di fronte ad un uomo come San Francesco? Spiegate. Come potrebbe diffondere il suo messaggio un moderno San Francesco?

2. Scrivete una conversazione che avrebbe potuto avere luogo tra San Francesco e il presidente americano. Con un collega presentate la scena di fronte al resto della classe. Un altro studente potrebbe assumere il ruolo di intervistatore.

MESSA IN SCENA

Con altri compagni di classe preparate e presentate un dibattito a quattro fra San Francesco, il presidente di una ditta multinazionale e il capo di un sindacato di lavoratori.

Popolo di navigatori... : Cristoforo Colombo

INTAVOLIAMO IL DISCORSO

Cosa sapete di Cristoforo Colombo? Completate ognuna delle seguenti frasi con l'informazione giusta.

1. Cristoforo Colombo era...
   a. genovese b. francese c. spagnolo
2. Colombo nacque nel...
   a. 1506 b. 1492 c. 1451
3. La caravella su cui si trovava Colombo si chiamava...
   a. Niña b. Pinta c. Santa Maria
4. ... dette le tre caravelle a Colombo.
   a. La regina di Spagna b. Il re di Francia
   c. Il re del Portogallo
5. Colombo partì verso ovest per...
   a. scoprire l'America
   b. scoprire il Giappone
   c. arrivare in Cina

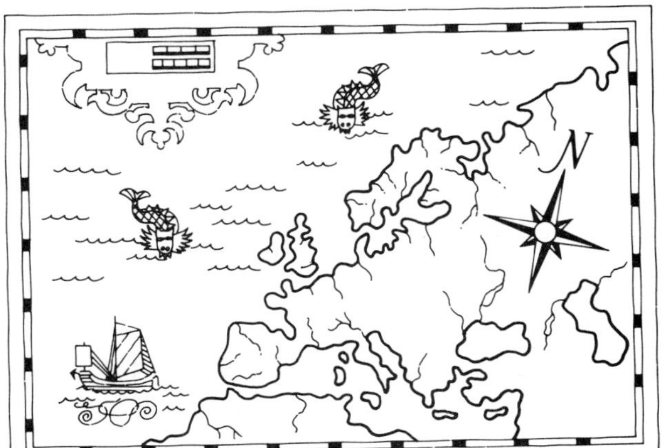

Terra! Terra!

Per molti secoli l'oceano Atlantico era stato considerato una barriera insuperabile[1]. Non solo si credeva che fosse popolato da mostri marini ferocissimi e pieno di pericoli inimmaginabili, ma molti credevano fermamente che la terra fosse piatta[2] e che una volta arrivati alla fine dell'oceano si sarebbe caduti nell'abisso. Ma alcuni, invece, erano attirati dall'oceano immenso e dai suoi misteri e pochi pensavano anche di poter trovare una via più breve per raggiungere l'India e la Cina, il favoloso Catai visitato nel 13° secolo da un altro famoso italiano, Marco Polo. Tra questi, il più avventuroso, e sicuramente il più convincente e il più tenace fu Cristoforo Colombo.

Colombo era nato a Genova nel 1451, figlio di un commerciante[3] di lana; all'età di 15 anni aveva cominciato a navigare[4] e aveva così visitato la Gran Bretagna e il Medio Oriente. Verso il 1480, per ragioni commerciali, si stabilì in Portogallo e cominciò a maturare il piano di raggiungere le Indie attraversando l'oceano Atlantico. Si presentò alle varie corti europee, Portogallo, Spagna, Genova, Venezia per ottenere il finanziamento[5] necessario per intraprendere un tale viaggio. Il suo progetto fu esaminato da una commissione di dotti[6] di Salamanca, che trovò pazzesca[7] la sua idea di rivoluzionare la geografia accettata! Eventualmente egli riuscì a convincere la regina Isabella di Castiglia, e il 17 aprile del 1492 i re di Spagna e Cristoforo Colombo stipularono un accordo[8] per il quale Colombo era nominato ammiraglio e vicerè delle terre che avrebbe scoperto.

Il 3 agosto del 1492 le tre caravelle (l'ammiraglia «Santa Maria», la «Pinta» e la «Niña») con 120 uomini partirono da Palos. Dopo settimane di navigazione in un mare sconfinato[9] e sconosciuto, la sera dell'11 ottobre 1492 un gabbiere[10] della «Pinta» lanciò il tanto aspettato grido: «Terra! Terra!».

Il resto è storia. Oggi si discute ancora quale fosse esattamente questa isola che Colombo toccò per prima e che lui chiamò «San Salvador». Quasi sicuramente era un'isola delle Bahama. Colombo fece altri tre viaggi nelle Americhe, scoprendo Cuba,

1 insurmountable
2 flat
3 trader
4 sail
5 financing
6 learned men
7 insane
8 signed an agreement
9 endless
10 lookout

Hispaniola, Giamaica, varie isole del Mar dei Caraibi, e toccò anche il continente meridionale, cioè l'America del Sud. Dopo varie peripezie[1], per l'invidia dei nobili e degli altri capitani spagnoli per questo forestiero non nobile, Cristoforo Colombo morì in Spagna povero e dimenticato il 21 maggio del 1506, sempre convinto di aver toccato l'Asia. Restava ad un altro navigatore italiano il compito di confermare la scoperta di un nuovo continente e di dargli il suo nome.

IN ALTRE PAROLE

Rispondete alle seguenti domande basate sul brano appena letto.

1. Chi era Cristoforo Colombo? Di dove era? Perché si trovava in Portogallo? Perché pensate che volesse andare in Cina? Come voleva arrivarci? Perché? Quale altro italiano, prima di lui aveva visitato la Cina? Quando?
2. A chi si era rivolto Colombo per avere aiuti per questo viaggio? Chi finalmente accettò di aiutarlo e come lo aiutò? Perché lo aiutarono? Perché Colombo aveva bisogno di aiuto?
3. Chi gridò «Terra! Terra!»? Perché? Cosa significa quel grido? Dove si trovava il gabbiere? Perché?
4. Quale terra aveva raggiunto Cristoforo Colombo? Quali isole scoprì? Quanti altri viaggi fece Colombo al Nuovo Mondo? Sapeva di aver scoperto un «nuovo mondo»? Potete spiegare perché si usa questa espressione per indicare le Americhe?

[1] ups and downs

ANGOLINO DEL RELAX

Risate a denti stretti.

Sapevate perché fa così freddo in America?
—Perchè da quando Colombo l'ha scoperta, non l'ha più ricoperta!

A VOI LA PAROLA

A. Discutete i seguenti argomenti.

1. Come viene commemorato oggi Colombo? Dove si celebra ogni anno la sua festa? Quando? Secondo voi perché non c'è una festa italiana dedicata a Colombo? È giusto festeggiare la «giornata di Colombo» dato che lui non sapeva di aver scoperto l'America? Spiegate le vostre ragioni.

2. Potreste descrivere lo stato d'animo (*state of mind*) di Colombo quando sentì il grido «Terra! Terra!»? Descrivete anche lo stato d'animo di uno dei marinai durante questo lungo viaggio verso delle terre sconosciute. Secondo voi che cosa poteva spingere un marinaio ad arruolarsi (*sign up*) su una delle navi di Colombo?

3. Se voi foste vissuti all'epoca di Cristoforo Colombo avreste accettato di fare un viaggio con lui? Spiegate le vostre ragioni. In quale dei tre viaggi che Colombo fece, avreste preferito partecipare? Spiegate il perché.

4. Pensate che oggi ci siano ancora persone come Cristoforo Colombo? Quali? Date alcuni esempi. Quali differenze ci sono fra un esploratore di oggi e uno dell'epoca di Colombo? È rimasto qualche cosa da esplorare sulla terra? Cosa?

B. Se fossi io...

1. Elencate, in ordine di importanza, dieci cose che avreste portato con voi se foste stati Cristoforo Colombo. Spiegate la vostra scelta.
2. Elencate, in ordine di importanza, dieci cose che un esploratore o una esploratrice di oggi porterebbe con sé. Giustificate la vostra scelta.

VEDIAMO INSIEME

Grandi esploratori e viaggiatori italiani...

Abbinate i nomi del primo gruppo alle descrizioni contenute nella seconda colonna.

1. Marco Polo
2. Giovanni da Verrazzano
3. Amerigo Vespucci
4. Giacomo Bove
5. Alessandro Volta
6. Giovanni Caboto
7. Enrico Tonti
8. Umberto Nobile
9. Achille Compagnoni
10. Francesco De Pinedo

a. Nato a Genova intorno al 1450 morto in Inghilterra nel 1498. Al servizio di Enrico VII d'Inghilterra. Con il figlio Sebastiano scoprì il Labrador e la Groenlandia.

b. Esploratore, aviatore e generale italiano; nato ad Avellino nel 1885. Ebbe il comando del «Norge», il dirigibile con il quale Amundsen volò sopra il Polo Nord il 12 maggio del 1926.

c. Nato nel 1852, morto a Verona nel 1887. Partecipò come rappresentante dell'Italia alla spedizione di Adolf Erik. Questa spedizione scoprì il passaggio marittimo di Nord-Est tra l'Europa e l'Asia, navigando dall'Atlantico al Pacifico per il mare Glaciale Artico.

d. Esploratore fiorentino nato nel 1485, morto nel 1528. Al servizio del re di Francia, esplorò le coste dell'America del Nord fra il Canada e la Florida. Scoprì il fiume Hudson e la baia di New York.

e. Nato e morto a Venezia nel 1254–1324. Con il padre e lo zio fece un viaggio che durò 24 anni. La sua avventura lo condusse attraverso l'Armenia, la Persia fino alla Cina, l'Indonesia e l'India. Al suo ritorno scrisse un libro che venne chiamato «Il Milione».

f. Alpinista e sciatore italiano nato a Sondrio nel 1914. Con Lino Locatelli, il 31 luglio 1954 raggiunse la cima del K2, la montagna più alta (m. 8610) delle Himalaya dopo il Monte Everest.

g. Nato a Napoli nel 1890, morto a New York nel 1933. Nel 1925 divenne famoso con il «volo dei tre continenti», partendo dall'Italia, andò in India, Australia e Cina, percorrendo in 350 ore di volo 55.000 km. Nel 1927 con un altro famoso aviatore, Carlo Del Prete, compì la traversata dell'Atlantico e delle due Americhe.

h. Nato nel 1650 e morto nel 1704. Esplorò i Grandi Laghi e il fiume Mississippi con Robert de La Salle.

i. Nato a Firenze nel 1454, morto a Siviglia nel 1512. Visitò le Indie e il Brasile. Grazie ai suoi scritti di viaggio e ai suoi schizzi delineò l'aspetto (*outlined the features*) del Nuovo Mondo. Nell 1507 un cartografo tedesco, nelle carte geografiche che lui disegnava, indicò il Nuovo Mondo come «Terra di Amerigo».

j. Nel 1800 inventò la pila elettrica, uno strumento che riusciva a produrre corrente elettrica.

RISPOSTE:
1–e; 2–d; 3–i; 4–c; 5–j; 6–a; 7–h; 8–b; 9–f; 10–g

A VOI LA PAROLA

Conoscete altri italiani o italiane famosi (scienziati, artisti, politici, ecc.)? Fate una breve descrizione di uno di loro e lasciate che i vostri compagni indovinino chi è.

INTAVOLIAMO IL DISCORSO

Popolo di eroi... : Giuseppe Garibaldi

Alcuni eventi importanti del «Risorgimento» italiano[1]

La rivoluzione francese aveva diffuso[2], attraverso l'Europa, i nuovi ideali di libertà e di uguaglianza; dopo la caduta di Napoleone Bonaparte i domini tirannici[3] che ancora opprimevano molte parti dell'Italia non poterono fermare i movimenti di indipendenza. Molte «società segrete» come la «Massoneria», la «Carboneria» e la «Giovine Italia» si formarono in Italia allo scopo di liberare il paese dall'oppressione straniera.

Fra il 1849 e il 1860 Vittorio Emanuele II, re di Piemonte e Sardegna, e il suo Primo Ministro, Camillo Benso di Cavour, operarono[4] sul piano militare e politico per compiere[5] l'unità d'Italia. Nel 1860 ebbe luogo la «Spedizione dei Mille», comandata da Giuseppe Garibaldi; invase la Sicilia e l'Italia meridionale scacciandone i Borboni mentre Vittorio Emanuele II scendeva dal Piemonte. Nel 1861 si formò il Regno d'Italia con capitale a Torino; con l'occupazione di Roma nel 1870, questa diventò la capitale della nuova nazione.

---

[1] *Lit.:* the revival, the resurgence. The *"Risorgimento"* designates the historical period (from the 1840's to 1871) during which Italy regained its independence and achieved national unity.
[2] spread
[3] tyrannical dominions
[4] worked
[5] achieve

L'«Eroe dei due Mondi»

Giuseppe Garibaldi è per l'Italia una figura quasi leggendaria di eroe. Personaggio importantissimo del Risorgimento, combattè anche nell'America del Sud e per questo è conosciuto come l'«Eroe dei due mondi».

Garibaldi nacque a Nizza (ora città francese) nel 1807. Secondo la tradizione di famiglia diventò marinaio e navigò per il Mediterraneo e in Oriente. Bravissimo nuotatore, all'età di otto anni si era tuffato in un torrente per salvare una donna che stava annegando[1]. A Marsiglia conobbe Giuseppe Mazzini, patriota italiano e fondatore della «Giovine Italia». Costretto[2] a fuggire, andò nell'America del Sud dove combattè per l'indipendenza di vari stati; lì conobbe Anita che diventò sua moglie e lo seguì ovunque, persino combattendo al suo fianco sui campi di battaglia.

Nel 1843, mentre era ancora nell'America del Sud Garibaldi creò la Legione Italiana, un gruppo di combattenti volontari; segno distintivo di questi uomini era la camicia rossa, che poi diventerà il simbolo dei «garibaldini» che infatti passeranno alla storia anche come «camicie rosse». Nel 1848 Garibaldi ritornò in Italia per partecipare alla guerra d'indipendenza. L'11 maggio del 1860 Garibaldi, accompagnato da poco più di mille volontari male armati sbarcò[3] a Marsala, in Sicilia. Lo «sbarco dei Mille» (come entrerà poi nei libri di storia) segna l'inizio delle ultime battaglie per l'unità d'Italia. Durante una delle molte battaglie contro l'esercito borbonico più numeroso e meglio armato dei garibaldini, Nino Bixio, luogotenente di Garibaldi lo consigliò a ritirarsi[4], ma Garibaldi ancora una volta dimostrò la propria determinazione rispondendo: «No Bixio, qui si fa l'unità d'Italia o si muore!».

In poche settimane l'eroe dei due mondi fu in grado di conquistare l'isola e di attraversare lo Stretto di Messina. A settembre dello stesso anno entrò a Napoli da cui il re Francesco di Borbone era già fuggito. Dopo l'ultima battaglia contro l'esercito borbonico, Garibaldi andò incontro a Vittorio Emanuele II, che scendeva da Ancona con il suo esercito, lo incontrò sul ponte[5] di Teano, lo salutò sollevando il cappello e gridando: «Salute al Re d'Italia!» Il 9 novembre Garibaldi si ritirò nella sua casa sull'isola di Caprera, e si dedicò a coltivare la terra.

Il condottiero era ora diventato agricoltore[6] ma la vita tranquilla poco si addiceva[7] al generale;

---

1 was drowning
2 forced
3 landed
4 to retreat
5 bridge
6 farmer
7 wasn't suitable for

inoltre, c'erano ancora città italiane da liberare: Venezia e Trento erano sotto gli austriaci, Roma con la protezione dei francesi era ancora nelle mani del Papa. Nell 1866 quando l'Italia dichiarò guerra all'Austria, Garibaldi con le sue «camicie rosse», si batté[1] più volte contro gli austriaci vincendoli. Era quasi arrivato a Trento quando venne firmato l'armistizio fra l'Italia e l'Austria. Riceve un telegramma che gli ordina di ritirarsi; Garibaldi è agnosciato ma risponde con una parola: «Obbedisco![2]».

Dopo la cattura di Napoleone III, durante la guerra franco-prussiana, Garibaldi andò in Francia a combattere contro i prussiani e li sconfisse a Digione. Tornato a Caprera, vi rimase fino alla morte avvenuta il 2 giugno 1882. Il grande scrittore francese Victor Hugo dirà di lui che è «l'unico generale non vinto[3]». Durante la sua vita Garibaldi aveva combattuto 40 battaglie, vincendone 37, e non era stato mai vinto. La tomba di Garibaldi si trova sull'isola di Caprera; sul colle Gianicolo[4] a Roma c'è un monumento alla moglie Anita.

Altri monumenti in onore di quest'eroe, che aveva dedicato la sua vita alla libertà dei popoli, possono trovarsi in Europa e in America, incluso uno in Washington Square a Manhattan.

IN ALTRE PAROLE

A. Vero o falso? Indicate quali delle seguenti asserzioni sono vere e quali sono false. Correggete quelle false.

1. Garibaldi è un eroe del Rinascimento italiano.
2. Garibaldi è nato in Francia.
3. Giuseppe Mazzini fondò l'organizzazione «Giovine Italia».
4. Garibaldi conobbe la futura moglie Anita in Italia.
5. I «garibaldini» portavano le camicie nere.
6. I «Mille» è il gruppo di volontari con cui Garibaldi sbarcò a Napoli.
7. Nino Bixio era un generale italiano.
8. La casa di Garibaldi è a Caprera.
9. Garibaldi ha combattuto anche per la Francia.
10. Garibaldi è stato vinto poche volte.

B. Ripetete le seguenti frasi esprimendo a parole vostre le parti indicate.

1. Per l'Italia, Giuseppe Garibaldi è <u>una figura quasi leggendaria di eroe</u>.
2. Garibaldi si era tuffato per salvare una donna <u>che stava annegando</u>.
3. Garibaldi <u>solleva il cappello</u> e grida: «Salute al Re d'Italia!»
4. Ritornò a Caprera <u>a coltivare la terra</u>.
5. Victor Hugo disse che Garibaldi era <u>l'unico generale non vinto</u>.

A VOI LA PAROLA

1. Potreste spiegare perché, secondo voi, Garibaldi scelse la camicia rossa per i suoi garibaldini? Che significato ha il rosso? Potreste indicare altri colori che hanno avuto un significato simbolico nella storia di nazioni come la Russia, la Germania e gli Stati Uniti?

2. Quali sono alcune figure eroiche della storia americana? Spiegate a uno studente straniero quello che hanno fatto e perchè sono importanti.

3. Leggendo il brano precedente, avrete notato che Garibaldi, in varie occasioni, disse parole che poi sono entrate nella storia. Potreste menzionare o citare fatti e parole "storiche" attribuiti ad americani famosi? Potete spiegarne il significato e le circostanze?

4. Ci sono donne nella storia americana che sono state onorate con monumenti o in altro modo come Anita Garibaldi in Italia? Chi sono? Cosa hanno fatto?

5. Spiegate a dei compagni italiani l'importanza dei seguenti nella storia americana:
   1. *Old North Church*
   2. *Liberty Bell*
   3. *the "Minutemen"*
   4. *the Boston Tea Party*
   5. *Pearl Harbor*
   6. *The Alamo*
   7. *"Old Ironsides"*
   8. *Fort Sumter*
   9. *the Mayflower*
   10. *Plymouth Rock*

---

[1] fought
[2] I obey
[3] unbeaten
[4] One of the seven hills of Rome, on the right bank of the Tiber.

SEZIONE: Gli italiani nel mondo—l'emigrazione

Per una varietà di ragioni storiche, politiche ed economiche, quello italiano è sempre stato un popolo di grandi viaggiatori, per conto degli[1] altri o per conto proprio. Da Marco Polo ad oggi, gli italiani hanno esplorato, visitato e si sono stabiliti in praticamente tutte le parti del mondo. Sarebbe difficile oggi, in qualunque nazione della terra, sfogliare un elenco telefonico[2] e non leggervi un cognome italiano. Probabilmente sarebbe ancora più difficile visitare una qualsiasi grande città del mondo e non trovarvi... una pizzeria!

[1] on behalf of
[2] telephone book

INTAVOLIAMO IL DISCORSO

1. Secondo voi, perché emigrano le persone? L'emigrazione è un'esperienza positiva o negativa? Per chi? Quali sono alcuni dei problemi che gli emigrati incontrano nel paese in cui si trasferiscono?
2. Gli Stati Uniti sono probabilmente una delle pochissime nazioni del mondo popolate quasi esclusivamente da immigrati. Potete menzionare alcuni dei gruppi etnici che si trovano negli Stati Uniti? Potete indicare un contributo di ognuno alla vita e alla cultura statunitensi? Quali sono altre nazioni popolate quasi esclusivamente da immigrati? Dove si trovano?
3. Nel folklore italo-americano troviamo una vecchia storiella raccontata da un immigrante: «*In the Old Country, they told me the streets in America were paved with gold. When I got there, I learned three things. First, that the streets were not paved with gold. Second, that they were not paved at all. Third, that I was expected to pave them*». A quale periodo pensate che risalga[3] questa storia? Perché? Pensate che quello che l'immigrante dice sia vero anche per gli altri popoli che sono immigrati negli Stati Uniti? Spiegate le vostre ragioni.

[3] dates back

New York Opera House

Da emigrazione a immigrazione

A differenza di nazioni come la Francia e l'Inghilterra, l'Italia non ha avuto un vero impero coloniale e non ha imposto[1] la sua lingua e cultura ai popoli delle colonie. D'altro canto, da Marco Polo a Michelangelo, da Leonardo da Vinci a Guglielmo Marconi ed Enrico Fermi, gli italiani hanno condiviso la loro cultura e le loro energie con il resto del mondo.

Che si sappia[2] il primo italiano che toccò il suolo[3] americano fu Cristoforo Colombo. A lui, seguirono molti altri ma per la maggior parte questi erano esploratori, missionari, intellettuali e artisti. Alcuni rimasero per poco tempo, altri rimasero per tutta la loro vita. Ma, dalla scoperta dell'America alla seconda metà del 1800 non possiamo ancora parlare di immigrazione italiana, soltanto di individui che talvolta sceglievano di stabilirsi nel Nuovo Mondo. Alcuni di questi però contribuirono qualcosa all'esplorazione e allo sviluppo degli Stati Uniti: Marco Da Nizza esplorò l'Arizona nel 1539; Filippo Mazzei, amico intimo[4] di Thomas Jefferson, raccolse denaro in Europa per aiutare la Rivoluzione Americana. Inoltre, in un suo libro troviamo, prima che Jefferson l'inserisse nella Dichiarazione d'Indipendenza, l'espressione: «tutti gli uomini sono creati uguali».

Lorenzo da Ponte

William Paca fu tra i firmatari[5] della Dichiarazione d'Indipendenza e fu anche governatore del Maryland. Molti italiani combatterono anche durante la Guerra Civile Americana da tutti e due i lati del conflitto. Luigi da Cesnola, fu generale nell'esercito

[1] did not impose
[2] As far as we know
[3] soil
[4] close friend

[5] signers

dell'Unione e ricevette la Medaglia d'Oro del Congresso (*Congressional Medal of Honor*). In seguito divenne anche direttore del «Metropolitan Museum of Art». Lorenzo da Ponte, autore dei libretti di «Don Giovanni», «Figaro» e «Così fan tutte» di Mozart, fu il fondatore della *New York Opera House* nel 1833, che poi divenne la famosa *Metropolitan Opera House*.

Forse non tutti sanno, quando visitano la rotonda del «Capitol» a Washington e ne ammirano i dipinti, che stanno anche ammirando l'opera di un altro italiano, Costantino Brumidi, chiamato il «Michelangelo degli Stati Uniti». Ugualmente quando usiamo la «Bankamericard» («Visa») non ci rendiamo sempre conto che ci stiamo servendo di una carta di credito che fu emessa[1] per primo dalla «Bank of America», la più grande banca commerciale degli Stati Uniti; ma saremmo forse ancora più sorpresi nel sapere che prima del 1930 questa banca si chiamava «Banca d'Italia in America» e che era stata stabilita da Amedeo Giannini a San Francisco per servire gli immigrati italiani di quella città.

Subito dopo l'unità, a causa delle condizioni economiche, si creò in Italia una situazione critica, particolarmente nelle regioni più popolate del Meridione e del Veneto. Il risultato fu l'inizio delle emigrazioni di massa, prima in Francia, Svizzera e Tunisia e dal 1880 verso gli Stati Uniti, l'Argentina e il Brasile. Fra il 1875 e il 1925 circa 10 milioni di italiani lasciarono il loro paese. Durante il periodo fascista (1922–1945) l'emigrazione andò verso le nuove colonie italiane in Africa. Dopo la seconda guerra mondiale si verifica la seconda ondata[2] di emigrazione, questa volta principalmente verso le nazioni più industrializzate come la Francia, la Svizzera, il Belgio e la Germania. Verso il 1970 l'emigrazione cambia ad una all'interno del paese, dal Sud al Nord dell'Italia stessa, e il numero di emigrati che ritorna in Italia è superiore a quello di coloro che lasciano il paese. Il «miracolo economico», cioè lo sviluppo industriale italiano, che ha fatto dell'Italia una delle potenze industriali[3] del mondo, è in parte dovuto a questa emigrazione interna.

Oggi, l'emigrazione di massa degli italiani è qualche cosa che appartiene al passato e alla storia. Ci sono italiani che continuano a lasciare il paese per ragioni di studio, ricerca, specializzazione o lavoro e che si stabiliscono negli Stati Uniti o in Canada; questa però è piuttosto un'immigrazione di individui che sono quasi sempre commercianti, uomini di affari e professionisti, spesso già fluenti in inglese e non raramente con denaro da investire.

Da un paese di emigranti, l'Italia degli anni Novanta comincia ad essere, come gli altri paesi della Comunità Europea, un paese che accoglie[4] gli immigrati da altri paesi. Questi vengono dal sud-est asiatico[5], dalle Filippine e, in numero sempre crescente, dall'Africa. Si calcola che oggi, soltanto a Roma, ci siano più di 200.000 immigrati illegali!

[1] was issued
[2] we have the second wave
[3] industrial powers

IN ALTRE PAROLE

A. Chi sono? Trovate nella seconda colonna le parole o espressioni che meglio identificano ognuno dei personaggi elencati nella prima colonna.

A	B
1. C. Colombo	a. Arizona
2. F. Mazzei	b. *Metropolitan Opera*
3. W. Paca	c. guerra civile americana
4. A. Giannini	d. nuovo mondo
5. C. Brumidi	e. Dichiarazione d'Indipendenza
6. L. da Cesnola	f. Banca d'America
7. L. da Ponte	g. rivoluzione americana
8. M. da Nizza	h. cupola (*dome*) del Capitol a Washington

B. Rispondete alle seguenti domande basate sul brano precedente.

1. In quale modo gli italiani hanno condiviso la loro cultura con il mondo?
2. Quante ondate di emigrazione italiana ci sono state? Quando sono avvenute? Da quali parti dell'Italia venivano la maggior parte degli emigrati? Perché? Gli italiani hanno emigrato soltanto verso gli Stati Uniti? Spiegate.
3. Cosa è l'«emigrazione interna»? Quando è accaduta? Cosa è il «miracolo economico»? Perché pensate che in Italia lo abbiano chiamato «miracolo»?
4. Continua ancora oggi l'emigrazione italiana? Verso quali paesi? Di che tipo è? Ci sono immigrati in Italia? Da dove provengono?

[4] welcomes
[5] Southeast Asia

A VOI LA PAROLA

1. Quali sono alcuni dei problemi principali a cui va incontro un immigrante? La vita dell'immigrante è più facile ora o era più facile agli inizi del secolo? Discutete.
2. Ci sono state ondate di immigrazione negli Stati Uniti da altre nazioni? Potreste menzionarne alcune? Quando sono avvenute? Quali sono state le cause di ognuna di queste immigrazioni? Spiegate.
3. Ci sono stati americani che hanno lasciato gli Stati Uniti per stabilirsi in altri paesi? Chi? Perché hanno emigrato?
4. Ognuno di voi ha quasi sicuramente un antenato (*ancestor*) che è venuto negli Stati Uniti da un altro paese. Sapreste dire da quale nazione era venuto, quando e perché?

CHI SONO? Italiani e italo-americani famosi. Oltre a quelli già menzionati nella lettura, molti altri italiani, italo-americani e oriundi italiani (*of Italian extraction*) si sono fatti un nome nella società americana. Fate un breve elenco di alcuni personaggi che voi conoscete e chiedete ai vostri compagni di identificarli. Per facilitare l'attività potreste dare loro qualche suggerimento.

Per esempio:

1. Aviatore, sindaco di *New York*, un aeroporto di *New York*.
   (Fiorello La Guardia)
2. Simbolo sexy del cinema muto
   (Rudolph Valentino)

Da paese «di fuga» a paese «ospite»

In Europa, dopo la Francia e la Germania, l'Italia è il paese che ospita più extracomunitari, cioè persone di paesi che non appartengono al Mercato Comune Europeo. Secondo stime non ufficiali gli immigrati illegali in Italia sarebbero circa un milione e mezzo, circa il 3 per cento della popolazione.

I lavoratori stranieri in Italia

Tradizionalmente il nostro è stato, per quasi un secolo, paese di emigranti. Solo a partire dagli[1] anni Settanta l'Italia è divenuta da «paese di fuga» un «paese ospite» e ha accolto[2] un numero via crescente di lavoratori stranieri provenienti, soprattutto, dall'Africa settentrionale, dall'Asia e dall'America Latina. I dati statistici sono estremamente problematici: il Ministero del Lavoro e quello degli Interni forniscono cifre[3] limitate agli immigrati «regolari», cioè quelli che hanno permesso di soggiorno e autorizzazione al lavoro. Secondo dati «ufficiali» del 1985 i lavoratori stranieri in Italia sono intorno ai 500.000: provenienti per il 30% dal Medio Oriente, per il 28% da paesi dell'Europa occidentale, per il 16% dall'Africa, per l'11% dall'Asia e per il 5% dal Nord America.

Quest'ultima è in gran parte un'immigrazione di tecnici e specialisti. Del tutto diversa, invece, è la condizione degli immigrati provenienti da paesi del Terzo Mondo; sono giunti in Italia lavoratori che hanno lasciato le loro terre spinti[4] dalla mancanza di lavoro o da motivi politici. Questi sono i lavoratori «clandestini»; si danno da fare[5], trovano impieghi precari e sottopagati[6] nel settore dei servizi (alberghi, ristoranti, pesca, e attività stagionali nei settori agricoli). Molti immigrati trovano alloggi precari (case sfitte[7] spesso occupate abusivamente[8]), in edifici fortemente degradati, talvolta nel luogo stesso di lavoro (retrobotteghe, ripostigli di ristoranti e autorimesse[9]).

Il contesto urbano tende, naturalmente a isolare l'immigrato, il cui punto di riferimento è rappresentato dagli altri connazionali. Le iniziative che tendono ad integrare gli immigrati sono ancora scarse, ma in città come Milano, Firenze, Bologna e Roma le amministrazioni locali sono sensibili ai problemi degli immigrati dal Terzo Mondo. Le amministrazioni di queste città hanno organizzato centri per l'integrazione degli immigrati e sono stati organizzati corsi di lingua italiana e corsi di alfabetizzazione[10].

---

[1] starting with
[2] welcomed
[3] figures
[4] pushed, forced
[5] manage
[6] temporary and underpaid
[7] unrented, unoccupied
[8] illegally
[9] back of a shop, store rooms, and garages
[10] literacy

IN ALTRE PAROLE

A. Rispondete alle seguenti domande.

1. Perchè l'articolo chiama l'Italia un «paese di fuga»? Cosa fuggivano gli emigrati italiani? Come mai è diventato ora un «paese ospite»? Chi ospita? Chi sono gli immigrati «regolari»? Di che cosa hanno bisogno questi immigrati per lavorare in Italia?
2. Chi sono gli immigrati del Terzo Mondo? Perché vanno in Italia? Quali lavori vi svolgono? Dove vivono? Si trovano bene in Italia? Quali aiuti ricevono dall'amministrazione italiana?

B. Completate le frasi seguenti basandovi sull'informazione contenuta nell'articolo.

1. Per quasi un secolo gli italiani...
2. Negli ultimi venti anni l'Italia...
3. La maggior parte di coloro che lavorano «ufficialmente» in Italia viene...
4. La condizione degli immigrati clandestini...
5. Molti di questi immigrati vivono...
6. Nelle città gli immigrati...
7. Le amministrazioni dei grossi centri urbani...
8. L'immigrato tende naturalmente a cercare...

A VOI LA PAROLA

1. Cosa è il Terzo Mondo? Quali sono alcuni dei paesi che appartengono al Terzo Mondo? Perchè pensate che sia chiamato così? Vi sembra un nome giusto? Quale altro nome usereste voi? Spiegate le vostre ragioni. Quali sono gli altri due «mondi»? Come pensate che si senta un cittadino del Terzo Mondo quando sente questa espressione?

2. Di che cosa ha bisogno un immigrato per vivere e lavorare negli Stati Uniti? È facile ottenerlo? Ci sono immigrati «irregolari» negli Stati Uniti? Da quali paesi provengono? Come arrivano qui? Come vivono? Quali lavori svolgono?

3. Secondo voi i lavoratori «non regolari» rappresentano un problema o un vantaggio per il paese che li «ospita» e per la sua economia? Spiegate.

TAVOLA ROTONDA

Due persone o due gruppi di studenti possono presentare e difendere i pro e i contro delle seguenti questioni. Dopo una breve presentazione, aprite il dibattito al resto della classe.

1. I paesi industrializzati, come gli Stati Uniti, la Germania e l'Italia dovrebbero controllare più attentamente l'immigrazione dal Terzo Mondo.

2. I paesi industrializzati dovrebbero legalizzare tutti coloro che vogliono entrare nel paese per lavorare.

3. Le persone (ditte, negozi, ristoranti, ecc.) non dovrebbero assumere (*employ*) gli immigrati clandestini e dovrebbero subito denunciarli (*report them*) alle autorità.

SEZIONE: Il «*Made in Italy*»

Quasi tutti sanno che l'Italia è famosa per i prodotti di pelle[1]. Dall'inizio degli anni Cinquanta il turista in visita all'Italia, e particolarmente a Firenze, tornava in patria con almeno un paio di guanti, una borsa e forse anche un paio di scarpe «Varese» o «Ferragamo» nella valigia. Ma il «miracolo industriale» italiano consiste in molto di più! Vediamo insieme alcuni dei prodotti e delle cause che hanno reso l'etichetta «*Made in Italy*» così popolare e ricercata in tutto il mondo.

INTAVOLIAMO IL DISCORSO

A. Quali di questi nomi conoscete già? Provate ad associare i prodotti del secondo gruppo con i nomi famosi elencati nel primo gruppo.

A	B
1. Maserati	a. elettrodomestici
2. Ferragamo	b. dolci
3. Gucci	c. vestiti
4. Brioni	d. alta moda
5. Bulgari	e. automobili
6. De Longhi	f. scarpe
7. Valentino	g. gioielli
8. Ferrero	h. borse di pelle

B. L'intrusa. In ogni gruppo di parole, eliminate quella che non ha nessuna associazione con le altre e spiegate il perchè.

1. Maserati	Alfa Romeo	Honda	Fiat
2. parmigiano	provolone	romano	prosciutto
3. anello	occhiali	collana	bracciale
4. camicia	scarpe	guanti	borsa
5. Armani	Valentino	Ferragamo	Pininfarina

[1] leather

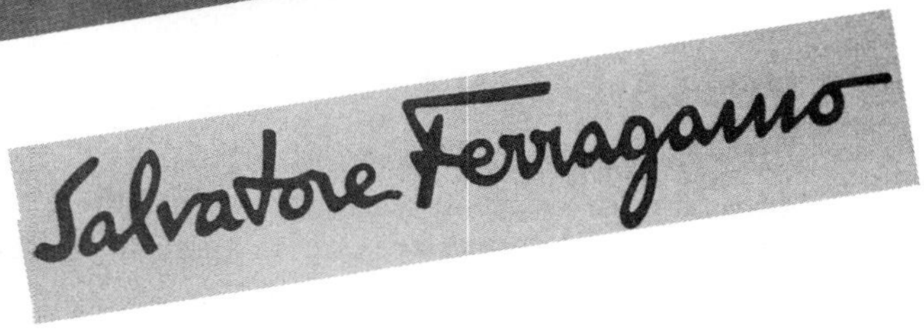

La moda: Via Condotti[1] *e dintorni*

«Parto da New York domattina alle dieci, ci vediamo ad Orly quando sali sul jet e alle cinque siamo a Roma per lo shopping. Non vedo l'ora di entrare...» È il rito di Via Condotti. Perché Via Condotti è ormai un mito dei nostri giorni. Qui, tra gli altri abitavano i Torlonia[2] e nelle sale del Caffè Greco hanno fatto le ore piccole, in interminabili e dotte[3] discussioni, i nomi e cognomi dell'«intelligentia» europea. Oggi i grandi nomi sono scritti sulle insegne[4] degli «atelier» che aprono le vetrine nella celebre via. Sono nomi che abbiamo sempre sognato, desiderato, cercato e indossato[5], nomi che ci hanno fatto impazzire di gioia o crepare[6] d'invidia. E li abbiamo amati. Scendiamo dalla scalinata di Piazza di Spagna, e un po' pazzi e un po' felici, tuffiamoci nella via più elegante di Roma per un bagno nel favoloso regno del bello.

Cenerentola[7] può cominciare il suo giro delle meraviglie al 77/B di Piazza di Spagna, davanti alle vetrine di Krizia, con gli stupefacenti[8] colori e l'eleganza degli abiti e delle invenzioni firmate da Krizia stessa e presentate con il gusto di Giancarla Rosi, proprietaria del negozio oltre che sorella della stessa Krizia.

Poi eccoci dentro alla via dei Condotti, meno di trecento metri di sogni. Al n. 66 la tradizione di un nome noto in tutto il mondo come Ferragamo. Se a Firenze ha addirittura fondato un museo della scarpa, a Roma Ferragamo propone tutto lo chic di calzature[9] bellissime fatte per camminare veramente, oltre che una gamma di accessori e di capi di abbigliamento[10] che hanno conquistato attraverso gli anni Audrey Hepburn come Roger Moore, Gabriella di Savoia come Henry Kissinger.

Il Principe Azzurro[11] non disdegnerebbe una visita a Polidori. Tra quegli specchi neo-déco, sono

---

1 Street in the heart of historic Rome, near the Spanish Steps. Famous the world over for its boutiques.
2 ancient and noble family of Rome
3 learned, erudite
4 signs
5 worn
6 burst

7 Cinderella
8 stupefying
9 footwear
10 articles of clothing
11 Prince Charming

in mostra cachemire coloratissimi o superclassici, impermeabili di Burberry's, completi[1] di D'Avenza, per una clientela di tutte le età ma sicuramente elegante.

Indispensabile anche una visita a Battistoni, un punto fermo[2] dello chic romano. Certo, fra i quadri stupendi che ornano le pareti (da Modigliani a Cocteau) si possono vedere cachemire leggerissimi, camicie inimitabili[3] fatte su misura.

Gioielli veri o gioielli falsi? Al n. 10, Bulgari, uno dei più celebri gioiellieri del mondo, propone lo splendore delle sue pietre preziose multicolori e le sue medaglie di scavo incastonate[4]. Ora esibisce la nuova collezione: i mosaici miniaturizzati ispirati alla scuola di Castellani.

E se Cenerentola volesse pensare anche al matrimonio? C'è, perfetto per liste di nozze, per doni, il negozio Richard-Ginori, con le sue cristallerie, le sue porcellane, i suoi Wedgewood, le stesse cose Richard-Ginori per cui la casa di Firenze ha creato, a Doccia, un museo alla propria storia. Un ultimo perfetto saluto alla principessa Cenerentola e a via Condotti, con la convinzione che tornerà presto...

[1] suits
[2] the last word
[3] incomparable
[4] antique coins mounted with precious stones

IN ALTRE PAROLE

A. Completate le seguenti frasi con l'informazione esatta.

1. Via Condotti è famosa...
2. Nel Caffè Greco s'incontravano...
3. Se voglio comprare... vado da Krizia.
4. Per gioielli originali e preziosi bisogna...
5. Da Battistoni si vendono...
6. Polidori è un negozio per...
7. Da Richard-Ginori si trova...
8. Da Ferragamo non ci sono soltanto... ma anche...

B. Rispondete alle seguenti domande.

1. Dove si trova Via Condotti? Perché è famosa? È sempre stata una strada molto conosciuta? Perché? Chi frequentava il Caffè Greco? Cosa facevano lì? Chi sono stati alcuni dei clienti di Ferragamo? Cosa vi avranno comprato?
2. Qual è il primo negozio che s'incontra prima di entrare in Via Condotti? Dove si trova l'atelier di Krizia? Chi è la proprietaria del negozio? Chi è Krizia? Cosa troviamo da Battistoni? Cosa rende il negozio di Battistoni unico nel suo genere?
3. Dove potrebbe andare il Principe Azzurro? Perché? E Cenerentola? Spiegate il perché.

C. Componimento. Avete vinto un viaggio di andata e ritorno ad una città di vostra scelta e credito illimitato per sei ore di spese. Descrivete dove e come vorreste trascorrere queste sei ore.

A VOI LA PAROLA

1. Chi pensate che stia parlando all'inizio dell'articolo? un uomo o una donna? Spiegate. Descrivete come vi immaginate questa persona (chi è, quanti anni ha, com'è, cosa fa, ecc.).

2. Chi pensate che frequenti il Caffè Greco oggi? Perché? Ci sono luoghi di ritrovo di questo tipo nella vostra città? Quali? Dove? Chi li frequenta? Cosa vi fanno?

3. Trovandovi a Via Condotti, quali negozi vorreste visitare? In quale ordine di preferenza? Perché? Spiegate la vostra scelta. Vi fermereste anche al Caffè Greco? Perché?

4. C'è una zona o strada di negozi supereleganti nella vostra città? Come si chiama? Descrivetela. Quali negozi vi si trovano? Chi li frequenta?

quest'aria nuova, *new look*
lieve, *delicate*
sostenuta, *supported*
spolverino, *overcoat*
filtri le tendenze, *select the trends*
accostamenti, *combinations*
sfumatura, *shade, nuance*

VEDIAMO INSIEME

1. Cosa è «Federica»? Per chi è? Dove si trova? Si trova anche all'estero? Dove?
2. Potreste nominare almeno cinque oggetti di abbigliamento che si vedono nelle fotografie di questa pubblicità?

A VOI LA PAROLA

1. Secondo voi a chi è diretta questa pubblicità? Perché? Spiegate le vostre ragioni. Che tipo di donna è rappresentata nella pubblicità? Spiegate.
2. Quale dei completi illustrati vi sembra più elegante? Più pratico? Più sportivo? Spiegate le vostre scelte. Quale preferireste personalmente? Perché?
3. Qual è la vostra reazione a questa pubblicità? La trovate convincente, efficace, indifferente? Spiegate. Quali frasi o immagini pensate che colpiscano di più? Perché? Secondo voi chi ha concepito questa pubblicità? un uomo o una donna? Perché?

Bulgari «sfida» Tiffany's

Alla fine del 1989 si è aperta, nel cuore della Quinta Strada di New York, una nuova vetrina[1] del «design» italiano. La famosa casa Bulgari di Roma si prepara a sfidare una delle più vecchie tradizioni americane, Tiffany, in casa sua[2].

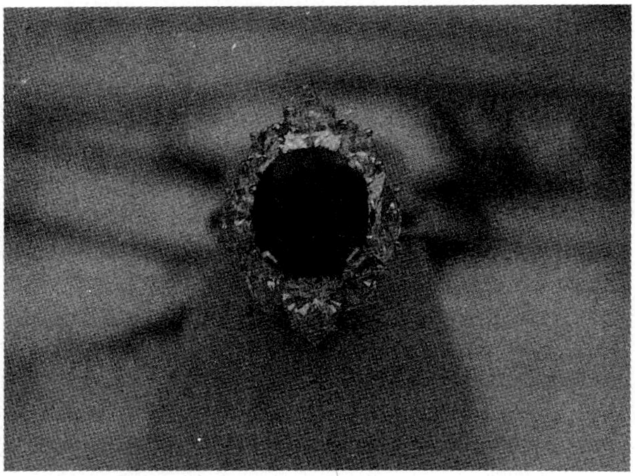

Una presenza a New York non rappresenta una novità per Bulgari, che aprì il primo negozio fuori Roma nel 1970 proprio nell'Hotel Pierre. Questo segnò l'espansione internazionale; seguirono negozi a Ginevra (1974), Montecarlo (1977), Parigi (1979), Tokyo (1987), Hong Kong, Singapore e Osaka (1988) e un negozio a Londra, inaugurato nel 1988. Il negozio di Londra ha goduto di grande successo ed è stata la prova definitiva, se di prova c'era bisogno, che lo stile italiano in gioielli e oggetti preziosi, come nell'abbigliamento e nella moda, è ben apprezzato dal pubblico anglosassone.

Il nuovo negozio della Quinta Strada rappresenta un enorme balzo in avanti[3] sia per dimensioni che per qualità. Il negozio si trova di fronte al famoso Tiffany e vicino al Trump Tower, circondato dai nomi più prestigiosi del mondo. Ma i nuovi locali non sono soltanto un punto di vendita per la vasta gamma di gioielli, argenteria e accessori Bulgari; sono anche un esempio del gusto italiano in architettura e arredamento[4]. Lo stesso studio di architetti, responsabile del «look» Bulgari in tutto il mondo—un insieme dei migliori marmi e legni—si è occupato del progetto. La facciata di questo nuovo atelier è ricoperta di marmo di Vicenza, beige e rosa, qualcosa di inconsueto per la Quinta Strada.

[1] showcase
[2] on its home turf
[3] leap forward
[4] interior design

Il grado di eccellenza[1] stabiliti dal nonno e dal padre di Paolo e Nicola Bulgari richiedono che si presti enorme attenzione alla produzione dei gioielli che portano il loro nome: gioielli simmetrici, sobri, spesso con cabochon[2] multicolori incastonati in oro giallo invece dei soliti brillanti freddi e del platino. Ultimamente, altri oggetti quali penne e accendini[3] si sono aggiunti al famoso orologio Bulgari-Bulgari, completando una selezione[4] che va dal gioiello unico, di valore inestimabile[5] alle coppe d'argento e completi da tè in stile contemporaneo.

[1] standard
[2] cabochon cut, smooth unfaceted stones
[3] lighters
[4] assortment
[5] priceless

VEDIAMO INSIEME

A. Per ogni frase indicate quale delle scelte che seguono è incorretta. Spiegate perché è incorretta.

1. Da Bulgari si possono comprare gioielli come...
   a. collane c. anelli
   b. orecchini d. borse
2. Possiamo trovare negozi europei di Bulgari a...
   a. Londra c. Roma
   b. Tokyo d. Montecarlo
3. Il pubblico anglosassone apprezza lo stile italiano...
   a. nella moda c. nella cucina
   b. negli oggetti preziosi d. nei gioielli

B. Rispondete alle seguenti domande.

1. Cosa si vende da Bulgari? Cosa possiamo trovare da Tiffany? Potete menzionare qualche cosa per cui Tiffany è famoso? In quale modo Bulgari «sfida» Tiffany? Cosa vuol dire «sfidare»?
2. È necessario andare a Roma o a New York per trovare un negozio Bulgari? Dove si trovano alcuni altri negozi Bulgari? I negozi Bulgari si trovano soltanto in Europa e in America? Perché possiamo dire che quello di Bulgari è un nome «internazionale»?
3. Chi sono Paolo e Nicola Bulgari? Seguono la tradizione di famiglia? Come? Secondo voi, sono «freddi» i brillanti? Perché?

A VOI LA PAROLA

1. Secondo voi c'è un «gusto anglosassone» nella moda? Cosa lo distingue dagli altri? Spiegate. Quali sono alcuni nomi famosi della moda anglosassone?

2. Perché pensate che in pochi anni Bulgari abbia aperto tanti negozi in tante parti del mondo?

3. Qual è il vostro gusto in materia di gioielli? Li portate? Quali? Perché? Qual è il gioiello dei vostri sogni? Descrivetelo.

4. La canzone di un vecchio film americano, cantanta da una famosa attrice diceva in parte: «I brillanti sono i migliori amici di una ragazza...». È ancora vero, o no? Commentate.

Il mondo del «Made in Italy»

NOTA CULTURALE

L'Italia esporta più di tre miliardi di dollari di gioielleria all'anno; più di un miliardo soltanto negli Stati Uniti. Ogni anno tra 200 e 220 tonnellate di oro puro vengono trasformate dalle mani dei gioiellieri italiani in gioielli e oggetti artistici. Il 70% della produzione totale viene esportato.

I prodotti che sono «made in Italy» non si limitano soltanto a gioielli, abbigliamento e balocchi[1] per i «ricchi e i famosi». La produzione italiana si estende anche al giornaliero, al pratico e all'inaspettato.

L'inaspettato...

Una macchina «impacca-tè» da Bologna

Il tè non è sicuramente la bevanda nazionale degli italiani, ma questi occupano uno dei primi posti per l'impacchettamento[2] del tè. Anzi, l'Italia è il più grande produttore del mondo di macchine per impacchettare il tè, altri prodotti chiusi in bustine e prodotti farmaceutici.

Un'industria in particolare, il gruppo IMA di Ozzano Emilia, in provincia di Bologna, è il colosso in questo campo; nel 1987 ha coperto, da sola, la metà del mercato mondiale. Ora l'IMA sta aprendo nuovi impianti[3] all'estero, soprattutto negli Stati Uniti.

Le macchine dell'IMA svolgono[4] tre operazioni: piegano e sigillano termicamente[5] la bustina, attaccano il filo e la piccola etichetta all'altro capo[6]. Sembrerà semplice, ma le macchine dell'IMA sono tecnologicamente così perfette che nessuna altra compagnia, in nessun altro paese del mondo è riuscita a competere con la ditta bolognese.

Come altre storie di successo industriale in Italia, anche l'IMA è cominciata grazie all'iniziativa e l'inventiva di una famiglia, la famiglia Vacchi di Bologna. Nel 1961 i Vacchi fecero una macchina per metter in bustine la polverina usata per fare l'acqua effervescente[7] (una bevanda che era molto popolare in Italia a quel tempo). L'idea riscontrò[8] successo ed entro pochi anni la ditta si ingrandì. Ora, con fabbriche nei principali paesi europei, nel Sud America e negli Stati Uniti, l'IMA ha un incasso annuo di più di 100 miliardi di lire.

IN ALTRE PAROLE

Ripetete le seguenti frasi esprimendo in parole vostre le parti indicate.

1. L'IMA fabbrica macchine «impacca-tè».
2. L'IMA sta aprendo nuovi impianti all'estero.
3. L'IMA è cominciata grazie all'iniziativa e all'inventiva della famiglia Vacchi.
4. Il gruppo IMA è il colosso di questa industria.
5. L'idea di Vacchi riscontrò successo e la ditta si ingrandì.

A VOI LA PAROLA

1. Qual è la bevanda «nazionale» degli italiani? E degli americani? In quale nazione si beve molto tè? In quali occasioni? Qual è la vostra bevanda preferita? Spiegate perché la preferite, e quando preferite berla.
2. Descrivete ai vostri compagni una vostra invenzione che vi renderà famoso(a) e milionario(a). A che cosa serve? Come funziona? Come vi è venuta l'idea?

---

[1] baubles
[2] packaging
[3] plants
[4] carry out
[5] thermically seal
[6] end
[7] sparkling water
[8] met with

Il «look» italiano nell'architettura

Abbiamo già visto come gli affreschi del Capitol sono dovuti alla mano di un italiano. La nuova capitale americana, agli inizi del 19° secolo attirò anche altri artisti italiani che eseguirono gli affreschi, i bassorilievi della nuova città sul Potomac, e anche le statue, i busti e i quadri della nuova aristocrazia americana. Giuseppe Franzoni, chiamato da Jefferson, eseguì le colonne all'entrata della Corte Suprema e il gruppo conosciuto come «The Chariot of History» nel Capitol; la fontana e le statue sul lato orientale del Capitol sono opera di Luigi Persico, e Giuseppe Ceracchi scolpì una serie di busti, in stile romano, dei Padri Fondatori[1]. Più recentemente, Attilio Piccirilli fece il monumento al «Maine» nel Central Park di New York e Simon Rodia fu l'architetto della Watts Tower di Los Angeles. Pietro Belluschi, architetto e decano del Massachusetts Institute of Technology disegnò il Julliard School of Music di New York.

[1] Founding Fathers

La tradizione continua: gli italiani costruiscono un nuovo centro vicino a San Francisco

A Pleasant Hill, a circa 30 km da San Francisco, Bortolaso USA, Inc., una filiale[2] del gruppo Bortolaso, ha vinto un contratto del valore di 200 milioni di dollari per costruire un nuovo centro urbano.

Il progetto include la costruzione di un intero centro città che si estenderà su circa 16 ettari (= *40 acres*) di superficie e includerà un albergo di 250 stanze, due centri di acquisti[3], un parco industriale e un complesso residenziale; in più, parchi pedonali[4], un laghetto con fontane e un parcheggio sotterraneo[5].

A VOI LA PAROLA

1. Come vi sembra lo schizzo per questo progetto di Pleasant Hill? Cosa vi attira di più? Cosa trovate meno attraente? Vi piacerebbe vivere in un complesso come quello? Spiegate le vostre ragioni.

2. Elencate e spiegate tre inconvenienti e tre vantaggi del vivere o lavorare nel futuro complesso di Pleasant Hill.

3. Se voi foste stati l'architetto, cosa avreste fatto di differente? Perché? Spiegate.

[2] affiliate
[3] shopping centers
[4] pedestrian malls
[5] underground

SEZIONE: A tavola non s'invecchia— La cucina italiana

Abbiamo già incontrato questa espressione che, in un certo senso, esprime il rapporto speciale fra l'italiano e la cucina. L'italiano ama la buona cucina ed è disposto a fare chilometri per provare il ristorante o la trattoria che gli è stata consigliata dall'amico o dal collega. E la varietà certo non manca. La cucina italiana ha tante varietà quante sono le città e i paesi sparsi per la penisola. Dopotutto, la cucina italiana ha avuto più di duemila anni per svilupparsi e per perfezionarsi! È folklore popolare che Marco Polo abbia portato gli spaghetti dalla Cina, ma sembra che i legionari di Giulio Cesare già conoscessero i maccheroni. Ovviamente senza la salsa di pomodoro[1], dato che questo fu introdotto in Europa dall'America.

A proposito del pomodoro, sapete perchè in italiano si chiama così? Il pomodoro originale riportato dall'America era pittosto piccolo e di colore giallo e così fu chiamato pomo (= mela) d'oro.

INTAVOLIAMO IL DISCORSO

1. Quale tipo di cucina fate in casa vostra? Quali sono alcuni dei vostri piatti caratteristici? Vi piace cucinare? Perché?
2. Sapreste indovinare quali dei seguenti erano sconosciuti in Europa prima della scoperta dell'America? Menzionate almeno due usi per ognuno di essi.

cacao	tè	riso
grano	granturco (*corn*)	pepe
patata	tacchino	zucchero

[1] tomato sauce

La cucina madre

Ovviamente ogni popolo e ogni nazione ha una sua cucina caratteristica. La cucina francese è stata considerata per molto tempo la più raffinata e la più alta espressione dell'arte culinaria, particolarmente nel mondo anglosassone e negli Stati Uniti dove, fino a poco tempo fa, ristorante di lusso era sinonimo di ristorante francese. La cucina italiana, d'altro canto, tendeva ad essere identificata principalmente con pizza, spaghetti, lasagne e forse scaloppine alla milanese[2]. Poche persone potranno immaginare che la cucina italiana è invece alla base di tutte le cucine del mondo latino: è in altre parole la «cucina madre» dell'Europa occidentale.

Eppure è vero. Anche nella bibbia della cucina francese, il *Larousse Gastronomique* troviamo scritto che «la cucina italiana può essere considerata, da tutti i paesi latini d'Europa, una vera cucina madre». La penisola italiana è dove si sviluppò la prima cucina europea, come vera arte culinaria. La maggior parte dei gastronomi sono concordi[3] nel riconoscere questo primato, e che fu la cucina italiana a generare[4] quella francese. Quando Caterina de' Medici sposò Enrico II di Francia nel 1533, portò con sè da Firenze un esercito di cuochi, pasticcieri e gelatieri[5] fiorentini. Lo stesso fece, circa settanta anni dopo, la sua compatriota Maria de' Medici quando sposò Enrico IV di Francia. Questi esperti italiani insegnarono ai cuochi francesi i segreti delle paste[6] delicate, delle creme e dei gelati. I gelatieri napoletani sono, in verità, gli antenati di quelli francesi. Dopotutto, la cucina italiana aveva già avuto più di 1500 anni per svilupparsi e perfezionarsi! L'antenato del libro di gastronomia[7] moderno è probabilmente il *De re coquinaria*[8] di Apicio, composto nel primo secolo dopo Cristo.

[2] breaded veal cutlets
[3] agree
[4] give birth to
[5] pastry-chefs and ice cream makers
[6] pastries
[7] cookbook
[8] concerning culinary matters

Agli inizi del sedicesimo secolo, l'interesse per la gastronomia era diventato intenso e diffuso. A Firenze venne fondata la «Compagnia del Paiolo»[1], la prima accademia culinaria moderna, limitata a soli dodici membri, tutti artisti nell'arte culinaria. Alle riunioni ogni membro doveva presentare un piatto di sua invenzione. Uno dei membri più famosi di questa accademia fu il pittore Andrea del Sarto che un giorno presentò un piatto estremamente originale: un tempio[2] eretto su una base di gelatina multicolore; le colonne del tempio erano salsicce[3] e i capitelli[4] erano fette di formaggio parmigiano. Nel tempio c'era un leggio[5] che reggeva un libro le cui pagine erano fatte di pasta, e le lettere e note musicali erano segnate con grani di pepe[6]. Accanto al leggio, come in un coro c'erano tordi[7] arrostiti!

VEDIAMO INSIEME

A. Vero o falso? Indicate quali delle seguenti asserzioni sono vere e quali sono false. Correggete quelle false.

1. La cucina italiana è limitata a pochi piatti caratteristici.
2. L'arte culinaria europea si sviluppò per primo in Italia.
3. Il *Larousse Gastronomique* è l'antenato del libro di cucina.
4. La «Compagnia del Paiolo» consisteva di cuochi di professione.
5. Caterina de' Medici portò la cucina italiana in Francia.
6. Andrea del Sarto era un cuoco fiorentino alla corte di Francia.

B. Esprimete in parole vostre l'informazione contenuta in ogni frase.

1. Quella italiana è la cucina madre dei paesi latini.
2. Si racconta che un giorno Andrea del Sarto creò un piatto molto originale.
3. Durante il Rinascimento l'interesse nella gastronomia era molto diffuso.
4. I gastronomi riconoscono l'importanza della cucina italiana.
5. Caterina de' Medici portò in Francia con sè un esercito di cuochi, pasticcieri e gelatieri.

[1] The Club of the Cauldron
[2] temple
[3] sausages
[4] capitals
[5] music stand
[6] grains of pepper
[7] thrushes

A VOI LA PAROLA

1. Secondo voi perchè Caterina e poi Maria de' Medici portarono cuochi italiani in Francia? Quale pensate che fu la reazione dei cuochi di corte francesi? Come avreste reagito voi?
2. Per voi cosa rappresenta la cucina italiana? Conoscete alcuni piatti caratteristici? Quali? Perché pensate che la pizza sia divenuta così popolare in quasi tutto il mondo? Quali sono altri piatti, italiani o no, che godono della stessa popolarità? Perché? Vi piacciono? Spiegate.
3. L'Italia ha dato la «pizzeria» all'America. Sapreste dire cosa hanno dato in cambio, gli Stati Uniti all'Italia? Come? Perché?
4. Volete organizzare un equivalente locale della «Compagnia del Paiolo». Come chiamereste la vostra organizzazione? Perché? Quali e quanti membri sarebbero ammessi? Quali regole la governerebbero? Presentate un piatto originale di vostra invenzione.
5. Secondo voi cosa conta di più in un piatto? Il gusto o la presentazione? La sostanza o l'aspetto esteriore? Spiegate.

MESSA IN SCENA

1. Immaginate il primo incontro, nelle cucine del Louvre, fra un cuoco di Enrico II e uno dei cuochi italiani arrivati con Caterina de' Medici. Con un compagno/una compagna presentate una breve scena di fronte al resto della classe.
2. Variante. Con un'altro studente (o studentessa) interpretate davanti alla classe la scena fra Maria de' Medici e Enrico IV di Francia, quando lei gli annuncia che ha portato con sé cuochi italiani.

TAVOLA ROTONDA

Tradizionalmente, nella cultura occidentale le donne sono state le «regine della cucina» ma i grandi cuochi sono stati quasi esclusivamente uomini. Discutete.

Gli italiani e la pasta

Gli italiani sono stati quasi sempre identificati con la pasta, e gli spaghetti sono praticamente diventati il simbolo dell'Italia e della cucina italiana. E non con tutti i torti. La pasta per gli italiani è quello che è il riso per i cinesi e i giapponesi, un piatto importantissimo, se non addirittura il piatto base della cucina italiana.

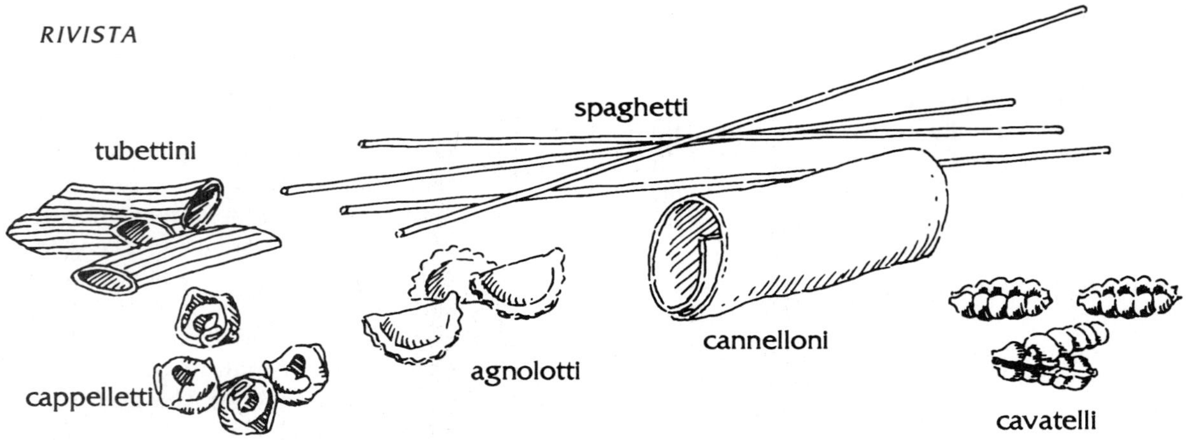

La pasta dalla A alla Z

Le origini della pasta sono perse nel mito e nella favola. Spesso Marco Polo è considerato colui che l'introdusse dalla Cina; nel suo libro racconta di averla mangiata in Cina e a Sumatra. Ma le origini sono sicuramente più antiche: sul bassorilievo di una tomba etrusca del IV secolo a.C. si vedono chiaramente arnesi[1] usati per fare la pasta; nel XII secolo un geografo arabo disse che aveva visto i siciliani fare con la farina un cibo a forma di filo. Nel secolo seguente un soldato genovese includeva nel suo testamento[2] una cesta «piena di macaroni». Sicuramente, entro il XV secolo la pasta era divenuta la base del pranzo italiano. Mentre la pasta era generalmente fatta in casa, i primi pastifici[3] si aprirono a Napoli durante il Rinascimento. Ancora oggi, questa città rimane la «capitale» della pasta, ed è uno dei principali centri per la manifattura commerciale dei maccheroni e degli spaghetti. Per una varietà di cause, tra cui il processo di lavorazione, l'aria e l'acqua, le paste commerciali più buone sono fatte nella zona di Napoli e in Abruzzo.

Ogni regione italiana ha un suo tipo e forma di pasta preferito e vanta[4] un suo repertorio di ricette a base di pasta fresca o secca[5]. Quante varietà di pasta esistono? È difficile dirlo, ma si va dai 300 ai 600 tipi diversi di pasta in commercio! I nomi di tutti questi tipi sono un esempio della varietà della lingua italiana e anche del suo spirito, molti sono nomi locali, in dialetto e intraducibili; generalmente i nomi riflettono la forma, l'origine o anche il ripieno[6] dei vari tipi, spesso manifestano anche l'immaginazione e lo spirito italiano. Abbiamo così le «farfalle» (*butterflies*), le «conchiglie» (*conch shells*) e gli «agnolotti»[7], come troviamo anche i «vermicelli» (*little worms*), i «ricciolini» (*little curls*), le «lumache» (*snails*) e i «mostaccioli» (*little moustaches*). La varietà di paste italiane va letteralmente dalla A alla Zeta: dagli «anellini» agli «ziti», dai «bucatini» ai «tortellini», dalle «fettuccine» alle «stelline» e così via.

I modi di cucinare la pasta? Beh, ovviamente sono più numerosi ancora delle varietà di pasta dato che quasi ogni tipo di pasta si può cucinare in vari modi ma ogni modo di cucinare non si presta a tutti i tipi di paste! Basti pensare ai vari modi in cui cucinare i comuni spaghetti: al sugo di pomodoro, di carne, di pesce, al burro, all'aglio, con tonno, col pesto, con vongole, con ostriche, con prosciutto, alla «carbonara» e via di seguito.

Le paste corte, grosse come i rigatoni e le penne, richiedono quasi sempre la presenza del formaggio nel condimento; questo aderisce facilmente alla superficie ed entra nella cavità interna della pasta rendendola più appetitosa[8]. Se si usa molto olio nel condimento, sarà meglio usare una pasta con la superficie liscia[9], altrimenti la pasta avrà un gusto troppo untuoso[10].

Uno dei primi requisiti per un buon piatto di pasta è la cottura[11] che deve essere fatta a puntino[12]. La pasta non deve essere nè troppo cruda nè troppo cotta: deve essere cotta, come si dice in Italia «un po' al dente»[13].

---

1 tools
2 will
3 pasta factories
4 boasts
5 dried
6 filling
7 *Lit.* "little fat lambs." These are somewhat similar to ravioli in shape, but are stuffed with meat.
8 tasty
9 smooth
10 oily taste
11 cooking time
12 to a turn, properly
13 *Lit.* "to the tooth," meaning still firm in texture.

IN ALTRE PAROLE

A. I nomi delle varietà di pasta spesso riflettono la forma. Tentate di accoppiare i nomi della prima colonna con i termini della seconda.

A	B
1. cappelletti	a. thimbles
2. cannelloni	b. small strings
3. ditali	c. thin hair
4. tubettini	d. peppercorns
5. manicotti	e. little rings
6. spaghettini	f. little hats
7. stivaletti	g. muffs
8. capellini	h. little boots
9. anellini	i. small pipes
10. acini di pepe	j. big pipes

B. Come la pasta è alla base della cucina italiana, la lingua italiana ha molte espressioni e modi di dire basati sulla parola «pasta». Provatevi ad accoppiare le espressioni del primo gruppo alle definizioni del secondo gruppo.

A	B
1. essere di pasta frolla	a. essere buono, semplice
2. avere le mani in pasta	b. non riuscire a reggere qualcosa in mano
3. essere una pasta d'uomo	c. essere dentro un'impresa, un esperto
4. avere le mani di pasta frolla	d. essere debole, delicato
5. uomo di buona pasta	e. persona grossolana, sciocca
6. uomo di grossa pasta	f. persona di buona natura

A VOI LA PAROLA

1. Secondo voi la pasta fa bene alla salute? Quali sono alcuni benefici? Pensate che faccia male? Perché?
2. Voi mangiate la pasta? Spesso o raramente? Come la preparate? Quali sono i tipi di pasta che preferite? Avete una ricetta preferita per cucinare la pasta? Vi piace di più la pasta lunga o la pasta corta? Spiegate le vostre preferenze.
3. Mangiate la pasta come primo piatto, contorno o come piatto unico? Spiegate.
4. La pasta può essere preparata con moltissimi ingredienti. Elencatene almeno cinque o sei che andrebbero bene con le paste lunghe e altrettanti per le paste corte.

   Per esempio: «Stasera mi preparo un piatto di spaghetti al tonno. Domani invito la mia ragazza per un piatto di cannelloni ai tre formaggi.»

Lo sapevate che...?

Chi si è trovato per la prima volta davanti ad un piatto di spaghetti ed ha tentato di avvolgerli[1] intorno alla forchetta si sarà reso conto che non è poi un'impresa così semplice. La stessa cosa pensò, alcuni anni fa, un geniale signore belga, con la speranza di aiutare i milioni di amatori frustrati di spaghetti: inventò e brevettò[2] ... la forchetta motorizzata! Si trattava di una forchetta il cui manico[3] era un cilindro che conteneva un piccolissimo motore a pile[4]. Tutto quello che bisognava fare era di mettere la forchetta negli spaghetti tenendola verticalmente, questa girava avvolgendo così gli spaghetti automaticamente.

NEL BRANO PRECEDENTE ...

1. Di quale nazione era questo inventore?
2. Che cosa pensò di inventare? Perché?
3. Come funzionava la sua invenzione?

A VOI LA PAROLA

A. 1. Pensate che questa invenzione abbia riscontrato molto successo? Perché?
   2. Secondo voi è molto difficile usare una forchetta per mangiare la pasta lunga? Potreste elencare alcuni modi di mangiare la pasta lunga senza sporcarsi?
   3. Pensate che sia più facile mangiare gli spaghetti con la forchetta o mangiare con i bastoncini cinesi? Spiegate.
   4. Fate un elenco di cinque o sei cibi che sono difficili da mangiare con le posate che usiamo. Spiegate quali problemi presentano e quale sarebbe una soluzione logica.

      Per esempio: Mangiare un'aragosta con coltello e forchetta.

B. Un'idea geniale!

   1. Inventate un arnese che possa rendere più facile mangiare gli spaghetti e spiegatene il funzionamento ai vostri compagni.
   2. Pensate che le posate che noi usiamo (coltello, forchetta, cucchiaio) siano sufficienti ai nostri bisogni, o è ora di inventare qualche nuovo arnese? Quale? Per quali cibi?

---

[1] wrap them
[2] patented
[3] handle
[4] battery-driven

L'etichetta della tavola

Secondo voi, quali sono le regole principali della buona educazione per la tavola? Con alcuni compagni fate una lista di regole per il comportamento a tavola. Confrontate le vostre regole con quelle tratte da un galateo italiano, riportato in seguito.

Chi si siede a tavola osserverà queste regole elementari della buona educazione:

1. Non soffierà[1] sulla minestra, sul brodo o sul cucchiaio per raffreddarla.
2. Non metterà i gomiti[2] sulla tavola.
3. Non berrà a bocca piena.
4. Non berrà senza aver pulito le labbra se sono grasse[3] di cibo.
5. Il pane non sarà tagliato col coltello né addentato[4], ma spezzato boccone[5] per boccone.
6. Mangiando si eviterà di fare rumore con le mascelle[6], né si parlerà a bocca piena.
7. Non si porterà mai il coltello alla bocca né si userà per prendere il cibo.
8. Il coltello non sarà mai usato per tagliare il pesce, la frittata[7] o qualsiasi pietanza morbida che può essere spezzata con la forchetta.
9. Non bisognerà mai mettere le dita nella saliera[8].
10. Si eviterà di riempire il piatto. Meglio servirsi due volte di una pietanza che accumularsela davanti[9].

A VOI LA PAROLA

1. Mettete le precedenti regole in ordine di maggiore importanza. Spiegate le vostre ragioni.
2. Dovete spiegare al vostro fratellino o alla vostra sorellina le regole precedenti. Potreste dare almeno una ragione per ognuna delle regole menzionate?
3. Ci sono altre regole che andrebbero aggiunte? Quali? Perché? Ce n'è qualcuna che vi sembra esagerata e che vorreste eliminare? Quale? Perché?

[1] will not blow
[2] elbows
[3] greasy
[4] bitten off
[5] morsel
[6] jaws
[7] omelette
[8] salt cellar
[9] to pile it in your dish

La cucina italiana a portata[10] di telefono!

In quasi tutte le grandi città italiane c'è un numero telefonico che si può chiamare per avere la ricetta del giorno o anche consigli per risolvere problemi culinari. Un servizio simile è stato ora esteso anche a questo lato dell'Atlantico.

Chi non ha mai provato l'esperienza di aver gustato un ottimo piatto in un ristorante italiano e di volerlo poi preparare in casa per amici o parenti? Se riuscite a convincere il cuoco a darvi la ricetta, o se riuscite a trovarne una simile in un buon ricettario[11], avete quasi vinto la battaglia. Ma se il ristorante era in Italia?

Per coloro che amano la buona cucina, coloro che hanno visitato e hanno mangiato in Italia è naturale, una volta tornati a casa, voler ricreare l'esperienza italiana. Avranno forse sognato di poter alzare il microfono, telefonare in Italia, sentire una voce dire «Pronto!» ed avere la ricchezza di idee della cucina italiana immediatamente e facilmente disponibile[12].

Ebbene, il sogno è ora diventato realtà. Ora si può telefonare da qualunque punto del Nord America ed avere a disposizione autentiche ricette italiane. Il servizio è un semplice miracolo della tecnologia moderna. «Pronto! Call Italy for Dinner» è un sistema computerizzato che permette di chiamare quando si vuole. Nessun attacco[13] speciale è necessario e il costo di una telefonata di due minuti in Italia è modico[14]. Le ricette sono gratis, l'unica cosa che si paga è la telefonata.

[10] within reach
[11] cookbook
[12] available
[13] hook-up
[14] modest

Ci sono ricette per una varietà di piatti, inclusa la pasta, carne, pesce e quei dolci che è semplicemente impossibile trovare in una pasticceria[1] americana.

Fare la telefonata è semplice. Si compone il numero che include il prefisso[2] 39 per l'Italia. Il computer in Italia vi dà una selezione di piatti. Premendo i tasti[3] appropriati, chi telefona istruisce il computer a dare la ricetta che si preferisce. E l'intera telefonata è in inglese!

Questo geniale servizio dà accesso immediato e conveniente a parte del meglio che l'Italia ha da offrire. Per il cuoco dilettante[4] il numero «Pronto!» diventa una linea d'emergenza importante. Per molti altri è semplicemente un modo di tenersi in contatto con un luogo che hanno imparato ad amare, con uno squisito dividendo speciale per la famiglia, gli amici e gli ospiti.

[1] pastry shop
[2] access code
[3] buttons
[4] amateur chef

VEDIAMO INSIEME

Rispondete alle seguenti domande.

1. Se ci è piaciuto un piatto particolare possiamo averne la ricetta? Come? È facile averla? Se abbiamo la ricetta, perché la battaglia è «quasi» vinta? Cosa rimane da fare?
2. Chi vuole ripetere l'esperienza italiana a casa sua? Perché? È difficile farlo? Spiegate il perché. Cosa hanno sognato di poter fare gli amanti della buona cucina? Perché era difficile farlo?
3. Come si è avverato il sogno? Quale numero bisogna comporre? Qual è il prefisso per chiamare l'Italia? Chi ci risponde? Costa molto la telefonata? Quali ricette possiamo ottenere? C'è una scelta? È grande?
4. Chi può usare questo servizio? Perché questo è un modo di tenersi in contatto con l'Italia? Spiegate. Qual è il dividendo speciale per gli amici di chi telefona? Perché è «squisito»? Perché lo chiamano un «dividendo»?

A VOI LA PAROLA

1. Cosa pensate di questo nuovo servizio? Lo usereste voi? Perché? Pensate che sia utile o no? Spiegate le vostre ragioni. Credete che molte persone se ne serviranno? Chi? Perché? Ci vedete qualche svantaggio voi?

2. Ci sono numeri speciali nella vostra città che uno può chiamare per avere informazioni specifiche riguardo a qualche cosa? Quali sono? Chi risponde? Che genere di informazioni si possono ottenere? Ve ne servite voi? Quando? Perché?

3. Vi è mai capitato di telefonare a qualche ufficio o a qualche ditta ed avere un computer che vi risponde? Che ve ne pare? Qual è la vostra reazione? Trovate che questi nuovi servizi telefonici computerizzati siano un bene o un male? Spiegate.

4. Avete una segreteria telefonica (*answering machine*) in casa vostra? Perché? Quando telefonate ad un amico/un'amica e vi risponde la telefoneria cosa fate? Qual è il messaggio registrato più interessante che abbiate mai sentito? il più divertente? il più fastidioso? Che messaggio usereste voi per la vostra segreteria telefonica?

SEZIONE: Feste e festeggiamenti

L'Italia è una nazione moderna, ma è anche un paese antico con una lunghissima storia e molte tradizioni, e le feste che gli italiani celebrano riflettono la grande varietà della cultura italiana. In Italia vi sono feste nazionali, feste regionali e feste locali celebrate soltanto in una zona o un paese particolare, ci sono feste religiose e commemorazioni storiche; feste che continuano tradizioni popolari antichissime e feste che commemorano avvenimenti recenti.

Alcune feste come Natale, Pasqua e l'Epifania hanno origini religiose e l'Italia le celebra con il resto del mondo cristiano; altre, come quella del 1° maggio, festa dei lavoratori, ha origini sociali ed è festeggiata da quasi tutto il mondo occidentale. Altre ancora sono uniche all'Italia e appartengono alla sua storia e alla sua civiltà: il 21 aprile, per esempio, si celebra il «Natale di Roma», cioè la ricorrenza della fondazione della città di Roma che secondo la storia/leggenda avvenne nel 753 a.C.; il 2 giugno si celebra la «Festa della Repubblica», questa commemora la creazione della Repubblica italiana dopo la caduta del fascismo; allo stesso tempo vengono onorate tutte le forze armate italiane con una parata che sfila all'ombra del Colosseo e degli antichi Fori romani. Il 4 novembre si ricordano i morti in guerra e il Presidente della Repubblica pone una corona sulla tomba del Milite Ignoto[1] alla base dell'«Altare della Patria».

Le feste regionali sono spesso una mescolanza di storia, tradizioni popolari, tradizioni religiose e anche tradizioni pagane. Alcune, come il «Palio» di Siena hanno goduto di grande popolarità e larga diffusione e sono diventate vere attrazioni turistiche; altre, come «La Giostra del Saraceno» di Arezzo hanno carattere più teatrale.

[1] Unknown Soldier

A VOI LA PAROLA

1. Quali sono alcune delle feste nazionali americane? Potreste spiegare il significato e le origini di ognuna ad uno studente italiano in visita negli Stati Uniti?
2. Ci sono feste celebrate negli Stati Uniti che fanno parte della cultura o delle tradizioni di un gruppo etnico specifico? Quali sono? Potreste descrivere alcune delle attività associate con queste feste?
3. Negli Stati Uniti, ci sono feste che sono tipiche di una particolare regione, stato o città? Cosa celebrano? Quando? Come?
4. «Paese che vai...usanze che trovi.» Spiegate ad un italiano/un'italiana che si trova per un anno di studi negli Stati Uniti la storia, la tradizione e le usanze legate alle seguenti feste o commemorazioni:
   a. la cavalcata[2] di Paul Revere
   b. l'illuminazione dell'albero di Natale alla Casa Bianca
   c. le partite di football del 1° gennaio
   d. il pranzo di Thanksgiving
   e. l'esodo del «Labor Day»
   f. la parata del «Saint Patrick's Day» a New York

[2] ride

Natale a Napoli

Secondo la tradizione, a Natale del 1223 San Francesco fu l'iniziatore del primo presepio quando, in una chiesa, mise un bambino nato da poco su un po' di paglia[1] fra un asino e un bue e con i fedeli si inginocchiò a pregare. Napoli, però è la città italiana che ha fatto del presepio un'opera artistica, una celebrazione sontuosa[2].

Dapprima i presepi venivano montati quasi esclusivamente nelle chiese e nei conventi. Verso il 17° secolo, le famiglie cominciarono a farlo in casa propria e così cominciò la trasformazione nei presepi meravigliosi che caratterizzano il Settecento e il primo Ottocento italiano. In questo periodo il presepio diventò una vera mania fra l'aristocrazia e i ricchi borghesi. Le famiglie competevano per chi montasse il presepio più elaborato e più lussuoso ed erano in competizione per il possesso delle statuine o figure più originali e più belle, che spesso indossavano vestiti veri fatti di stoffe bellissime e rare, come la seta e il broccato[3]. Gioiellieri creavano oggetti d'argento in miniatura, che arricchivano la scena, e gruppi interi di maestri artigiani[4] lavoravano su questi oggetti in miniatura che danno un tocco così realistico, e allo stesso tempo favoloso, al

[1] straw
[2] sumptuous
[3] silk and brocade
[4] master craftsmen

presepio napoletano: calici[1], bicchieri, candelabri di vetro colorato simili a quelli prodotti dalle fabbriche di vetro di Murano. Vasellame e stoviglie[2] venivano riprodotte in miniatura dalle fabbriche di ceramiche, come anche la frutta e i piatti di dolci. Le pentole e i tegami di rame[3] venivano dai centri abruzzesi famosi per la loro lavorazione: Pescocostanzo e Scanno.

I gioielli in miniatura, collane, bracciali, orecchini provenivano dai centri famosi per la lavorazione dell'oro: Genova e l'Africa del Nord. Un viaggiatore inglese in visita a Napoli nel 1767 stimò i gioielli che aveva veduto nel presepio di un nobile napoletano, ad un valore che sarebbe l'equivalente di 100 milioni di lire di oggi (ca. $90,000).

L'intera rappresentazione della Natività fu ingrandita ed arricchita dai napoletani. Alla scena originale che consisteva della semplice mangiatoia[4], essi aggiunsero la taverna che, secondo alcuni storici, dovrebbe rappresentare quella il cui oste rifiutò di ospitare[5] Maria e Giuseppe. La fantasia della Napoli Barocca trasformò la semplice taverna di Betlemme in una delle 480 taverne che esistevano nella Napoli della fine del Settecento. Nelle scene dei presepi napoletani un'abbondanza di cibi è messa in bella mostra[6] sulle pareti, sui tavoli o sulle bancarelle[7]: carne appena macellata[8], salsicce, salami di tutti i tipi e una enorme varietà di formaggi. Sul tavolo della taverna c'è sempre un monumentale piatto di maccheroni; intorno alla taverna troviamo poi il venditore di baccalà[9], di polipi[10] e delle tradizionali «freselle»[11].

La frutta e le verdure che appaiono nei presepi napoletani sono meravigliose nella loro varietà e nel loro realismo, modellate in argilla o cera[12] da artigiani locali. Giuseppe De Luca era uno degli artisti più ricercati[13] per le sue ceste[14] di frutta piene di limoni, arance, uva bianca e nera, mele, fichi, susine[15], e anche granturco, melograni e nespole[16]—in altre parole tutti i frutti dei giardini e degli orti della zona del Monte Vesuvio.

---

1 chalices
2 china and tableware
3 copper pots and pans
4 manger
5 give shelter
6 on display
7 stands
8 freshly-butchered meat
9 dried cod
10 octopus
11 doughnut-shaped pieces of oven-dried bread
12 clay or wax
13 sought-after
14 baskets
15 plums
16 pomegranates and quinces

VEDIAMO INSIEME

Rispondete alle seguenti domande.

1. Secondo la tradizione, chi fece il primo presepio? Come era fatto?
2. In quale periodo si incominciò a fare il presepio nelle case? Prima, dove si faceva?
3. Come era il presepio nelle case dell'aristocrazia napoletana?
4. Come competevano le famiglie nel fare il presepio?
5. Quali cose venivano da Genova e dall'Africa Settentrionale per i presepi napoletani?
6. Quali artigiani contribuivano la loro opera al presepio?
7. Perché il presepio napoletano include anche la taverna? A quali taverne si ispirarono i napoletani?
8. Cosa si trova nella taverna?
9. Quali sono alcuni dei personaggi che si trovano nel presepio napoletano?
10. Quali prodotti sono raffigurati nel presepio?

A VOI LA PAROLA

1. Come si celebra il Natale dove vivete voi? In casa vostra montate un presepio, ornate l'albero o osservate qualche altra tradizione? Spiegate. Se non festeggiate il Natale, parlate di una festa che abbia simile importanza per voi.

2. Quali altre tradizioni o usanze conoscete, che sono associate alla festa di Natale? E a quella di Capodanno? Come lo celebrate voi? Dove vi piace trovarvi a mezzanotte del 31 dicembre? Perché? Il 1° gennaio rappresenta l'inizio del nuovo anno per tutti? Spiegate.

Il mio Natale: «La neve di Roma» di Rudolf Nureiev

Avevo poco più di ventitré anni e da poco avevo lasciato l'Unione Sovietica, il mio paese, e il balletto del Teatro Kirov di Leningrado, la mia compagnia. Mi trovavo a Venezia. Mancava un giorno a Natale, quando il «Grand Ballet du Marquis de Cuevas» dove ero «ospite» mi licenziò su due piedi[1]. Non starò qui a raccontarvi i motivi del mio licenziamento, ma avevo le mie buone ragioni per contestare questa decisione. Fatto sta[2] che, nonostante le cento offerte che mi piovevano addosso, mi pareva di aver toccato il fondo della solitudine e della disperazione. Così, me ne andavo a zonzo[3] per le calli (= strade) di Venezia, triste e preoccupato, mentre veniva giù dal cielo un orribile pioggerella[4].

Decisi, di colpo, di prendere il primo treno per Roma, una città che non avevo mai visto. A Roma andai subito a dormire in albergo, e, il mattino dopo, mi avventurai a piedi, emozionatissimo[5], con l'intenzione di scoprire con le mie forze la più bella città del mondo. Era Natale, le campane suonavano[6] ed io, con gli occhi sgranati[7], uscendo da non so quale vicolo, mi ritrovai in Piazza San Pietro. Mi sedetti su un gradino, abbagliato[8]. E qui accaddero due cose, francamente impreviste e arcane: prima, la neve. Una neve leggera, a larghe falde[9], che cominciò a cadere sull'obelisco, sulle fontane, sulla gente che sostava a gruppetti in mezzo alla piazza. Poi, una grande auto nera, che mi passò vicino piano piano. Dentro c'era il Papa—grassottello[10], dolce e sorridente. Un Natale ben strano per un giovane profugo[11] tartaro, di religione musulmana, proveniente dalla remota Repubblica sovietica di Bashkiria. Quello stesso giorno, comunque, presi una decisione, che si dimostrò poi molto giusta: accettai la scrittura del Royal Ballet inglese, per danzare accanto a Margot Fonteyn. E, da quel giorno, cominciai a considerare l'Italia come un prezioso regalo di Natale.

[1] without ceremony
[2] the fact is
[3] I wandered aimlessly
[4] fine rain
[5] very moved
[6] the bells were ringing
[7] opened wide
[8] struck, blinded
[9] big flakes
[10] chubby
[11] refugee

VEDIAMO INSIEME

A. Rispondete alle seguenti domande.

1. Da dove viene Nureiev? Cosa faceva a Venezia?
2. Perché decise di lasciare Venezia? Ci pensò molto prima di prendere quella decisione?
3. Perché andò a Roma? Cosa fece appena arrivato?
4. Che giorno era quando arrivò a Roma? Dove andò il giorno dopo? Perché? Che giorno era?
5. Che tempo faceva il giorno di Natale?
6. Dove vide il Papa? Come era? Dove si trovava Nureiev quando vide il Papa?
7. Quale decisione prese Nureiev? Perché?

B. Componimento. Scrivete un breve componimento su uno dei seguenti argomenti:

1. Il più bel regalo di Natale che io abbia mai ricevuto.
2. Un Natale che non dimenticherò mai.
3. La tradizione natalizia che io preferisco (o che ha maggiore significato per me).
4. Il più bel regalo di Natale che io abbia mai fatto.

A VOI LA PAROLA

1. Secondo voi come si sentiva Nureiev quel giorno a Roma? Provate a descrivere il suo stato d'animo. Perché dice che considerò l'Italia un «prezioso regalo di Natale»?
2. A Natale preferite fare regali o riceverli? Spiegate.
3. Pensate che il Natale sia diventato troppo commercializzato? Perché? Secondo voi, in che spirito dovrebbe, invece, essere vissuto? Come lo vivete voi? Voi mandate cartoline di auguri per Natale? A chi? Fate regali? Perché? A chi? Pensate che sia necessario? Spiegate.

ANGOLINO DEL PAROLIERE

IN CUCINA

Per preparare un buon pranzo bisogna prestare molta attenzione alle ricette e seguire attentamente le istruzioni. Ecco un breve elenco di parole e di espressioni che possono rendere la vita in cucina un tantino più facile.

Una cucina come si deve, ben attrezzata non può fare a meno dei seguenti:

apribottiglia	bottle opener
apriscatola	can opener
casseruola	casserole
cavatappi (il)	corkscrew
colapasta (il)	colander
colino	strainer
forno	oven
frullatore (il)	blender
frullino	eggbeater
grattugia	grater
griglia	grill
padella	frying pan, skillet
pentola a pressione	pressure cooker
tortiera	baking pan
trinciante (il)	carving knife

Soprattutto è importante usare la quantità giusta, bisogna quindi conoscere bene le misure:

cespo	head (of lettuce)
cucchiaino	teaspoonful
cucchiaio	tablespoonful
fetta	slice
manciata	handful
mazzo	bunch
pizzico	pinch
spicchio (d'aglio)	clove (of garlic)

Gli ingredienti sono ovviamente importanti:

aragosta	lobster
carne tritata	ground meat
cotoletta (di vitello, agnello)	cutlet (veal, lamb)
cozze (le)	mussels
gamberi (i)	shrimp
maiale	pork
manzo	beef
pancetta	bacon
petto di pollo	chicken breast
salsa di pomodoro	tomato sauce
sugo	gravy
sogliola	sole
trota	trout
vongole (le)	clams

Ed è, ovviamente, importante sapere cosa fare con questi ingredienti:

a fuoco lento	on a low flame
arrostire	to roast
bollire	to boil
colare	to strain
cuocere	to cook
cuocere al vapore	to steam
friggere	to fry
grattuggiare	to grate
pelare	to pare
portare a ebollizione	to bring to a boil
rosolare	to brown
sciogliere	to melt
scolare	to drain
sbucciare	to peel
tagliare a cubetti (pezzetti)	to dice
trinciare	to carve
tritare	to chop

Infine è utile sapere che la carne può essere...

arrostita	roasted
al forno	baked
alla griglia	broiled, grilled
in umido	stewed
nel suo sugo	in its juices
rosolata in padella	sautéed

Il pesce, d'altro canto, può essere...

cotto al vapore	steamed
lesso	boiled
fritto	fried
alla graticola	grilled

È importante anche ricordare che molti pesci hanno le spine (*bones*) e quindi è necessario spinarlo (*debone it*).

A VOI LA PAROLA

A. Completate le seguenti frasi inserendo la parola adatta scelta fra le seguenti (attenti a mettere il verbo nella forma giusta):

rosolare	cespo	gamberi
trinciare	fette	a fuoco lento
bollire	casseruola	sbucciare
padella	pizzico	a cubetti
grattuggiare	sciogliere	cuocere

1. Mettete sul fuoco una ... con un litro e mezzo d'acqua; appena ... aggiungete il pesce e fatelo ... per 15 minuti.
2. Prendete una cipolla e ...; unite la carne tagliata a ... e fate fatela rosolare da tutt'e due le parti.
3. Mettete un po' di burro in una ... e lasciatelo ...; tagliate ... 50 g. di prosciutto, ... 50 g. di parmigiano, prendete ... di pepe e mescolate il tutto con quattro uova battute. Versate e fate cuocere ... per circa 5 minuti.

B. Completate le seguenti frasi indicando il modo in cui cucinare le seguenti cose:

1. Una bistecca è particolarmente buona quando è cotta...
2. Molti preferiscono il maiale ...
3. Il pollo è buono anche ...
4. Un filetto di sogliola è ottimo...
5. Una trancia (*thick slice*) di pesce spada è squisita...
6. Le vongole, o anche le cozze sono buone...

C. Completate le seguenti frasi indicando qual è l'attrezzo di cucina adatto da usare.

1. Ho finito di cucinare gli spaghetti e devo versarli nel...
2. Per aprire una scatola di pomodori pelati ho bisogno...
3. Serve il formaggio per i maccheroni, dov'è ...
4. Voglio prepararmi due uova al prosciutto, mi serve...
5. Dov'è ...? Devo aprire questa bottiglia di vino.
6. Il tacchino è pronto, dov'è il ... così posso trinciarlo.
7. Puoi mettere l'acqua nella... così cuciniamo gli spaghetti?

D. Scrivete la ricetta di un vostro piatto preferito.

VOCABOLARIO

SOSTANTIVI

acciuga anchovy
appoggio support
bracciale (m.) bracelet
cittadino citizen
collana necklace
consumismo consumerism
contorno side dish
crogiuolo melting pot
cucina kitchen, cuisine
dono gift
equipaggio crew
fuga flight, escape
impermeabile (m.) raincoat
inconveniente (m.) disadvantage
letterato man of letters
panna cream
patria mother country
piazza square
piselli peas
poesia poem
salmone (m.) salmon
vetrina store window

AGGETTIVI

angosciato anguished
bilingue bilingual
feroce ferocious
focoso fiery, ardent
impassibile impassive, unmoved
lieve delicate
profondo deep
saggio wise
verosimile likely

VERBI

accadere to happen
arruolarsi to enlist, to sign up
assomigliare to resemble
avvenire to come about, to happen
combattere to fight
cucinare to cook
digerire to digest
distinguersi to distinguish oneself
indossare to wear
lottare to fight
montare to put together
opprimere to oppress
pregare to pray
provenire to come from, to originate
racchiudere to encompass, to enclose
reclutare to recruit
scacciare to throw out
spandersi to spread (out), to become widespread

ESPRESSIONI

a differenza (di) unlike
andare incontro (a) to go out and meet
darsi da fare to keep busy
fare fronte (a) to face
farsi un nome to make a name for oneself
intorno around
su due piedi without ceremony

PER CHIUDERE IL DISCORSO

A. L'intrusa. In ogni gruppo di parole trovate quella che non ha rapporto logico con le altre. Spiegate il perché.

1.	montagne	fiumi	laghi	autostrade
2.	bollire	friggere	indossare	rosolare
3.	Lombardia	Lazio	Milano	Abruzzo
4.	cannoli	rigatoni	penne	spaghetti
5.	camion	autobus	argenteria	vetture
6.	farfalle	agnolotti	vermicelli	aragoste
7.	C. Colombo	S. Francesco	M. Polo	A. Vespucci
8.	cuoco	presidente	pasticciere	gelatiere
9.	Givenchy	Ferragamo	Bulgari	Ferrero
10.	Maserati	Valentino	Fiat	Ferrari

B. Date un sinonimo o la definizione delle seguenti parole.

1. stereotipo
2. eleggere
3. monumento
4. pubblicità
5. centro acquisti
6. dialetto
7. esploratore
8. sottopagato
9. parco pedonale
10. contorno

C. Date il contrario delle seguenti parole.

1. massimo
2. immigrare
3. illegale
4. valore inestimabile
5. emozionato
6. sintetico
7. vincere
8. prezioso
9. squisito
10. focoso

D. Un sogno avverato! Avete appena vinto una grossa somma alla lotteria e potete finalmente esaudire il vostro sogno: aprire un ristorante! Scrivete un breve componimento e spiegate che tipo di ristorante vorreste aprire. Descrivete il locale, come lo chiamereste, in che specie di cucina si specializzerebbe, ecc.

E. Con alcuni compagni/compagne di classe preparate e presentate la seguente situazione davanti alla classe: state per aprire il vostro ristorante chiamato«...», e dovete intervistare il personale.

F. Siete il rappresentante di una ditta italiana che ha appena messo sul mercato un nuovo prodotto. Volete cominciare ad esportarlo all'estero e vi incontrate con un gruppo di uomini di affari stranieri per vendere loro il vostro prodotto. In una breve presentazione, introducete il prodotto e cercate di convincerli ad acquistarlo.

CAPITOLO V

Sezione: L'amore
Sezione: La donna
Sezione: L'uomo

Lui e lei

IN POCHE PAROLE

1. Il «dating» all'italiana. Le parole «dating» e «date» non hanno veri equivalenti nella lingua italiana. I giovani italiani, più gregari dei loro coetanei statunitensi, escono più spesso in gruppo per passeggiate, per andare insieme al cinema, al bar o in discoteca. A partire dall'età dei 15 o 16 anni il gruppo sociale misto, di ragazzi e di ragazze, tende ad essere più frequente. Come da secoli, i giovani s'incontrano, s'innamorano, si fidanzano[1], e si sposano. Il matrimonio rimane ancora popolare, anzi sembra che negli ultimi anni il numero di matrimoni cominci di nuovo ad aumentare. Per una varietà di cause, principalmente economiche, i giovani italiani si sposano più tardi; il matrimonio «precoce» non è una caratteristica italiana ed è molto più raro che in altri paesi, come per esempio gli Stati Uniti. Il fenomeno della convivenza continua ad essere molto raro nella società italiana, specie fra i giovani; i divi[2] e le personalità del mondo dello spettacolo[3] sono, ovviamente, una categoria a parte. Benché in Italia il divorzio sia legale già da molti anni, il numero dei divorzi continua ad essere uno dei più bassi fra i paesi del mondo occidentale.

2. «A trent'anni con mamma e papà»! In Italia sono sempre di più i giovani che rimangono a vivere in famiglia dopo la laurea. I motivi possono essere vari: sociali, come la difficoltà di trovare casa o lavoro, o psicologici, come l'ambivalenza dei genitori di fronte al «nido vuoto»[4] o anche di molti giovani all'idea di «lasciare il nido». Fatto sta, che sempre più numerosi sono i giovani, sia maschi che femmine, che rimangono in casa con i genitori fino al matrimonio.

3. Un concetto spesso difficile per coloro che parlano inglese è la differenza fra il «tu» e il «Lei», che è invece importante nella lingua italiana ad esprimere i vari gradi di intimità fra le persone. L'uso corretto del pronome è anche un'indicazione del grado di istruzione della persona che parla. Una persona che usa il «tu» nelle circostanze sbagliate è considerata ignorante e maleducata. Il «tu» è la forma che si usa in famiglia, fra amici e compagni. Fino a poco fa, darsi del tu[5] era diventato più frequente, particolarmente fra i giovani professionisti, anche appena ci si conosceva. Ultimamente, invece, il «Lei» sta riacquistando popolarità.

   Quando i giovani italiani si salutano, quasi sempre si danno una stretta di mano sia nell'incontrarsi che nel lasciarsi. Baciarsi sulle guance[6] è abbastanza comune fra amici e compagni stretti di ambo i sessi[7], particolarmente quando ci si rivede dopo un certo periodo di tempo. Bisogna anche notare che di solito, quando due italiani si salutano baciandosi, si danno due baci, uno su ogni guancia. Abbracciarsi e baciarsi fra membri di una famiglia è comune, anche fra uomini. Il bacio sulla bocca è invece riservato agli innamorati... «al chiaro di luna».

   Una parola anche a proposito del senso di territorialità[8] degli italiani, di qualunque età o sesso essi siano: quando l'italiano è in piedi a parlare con un'altra persona, tende a stare molto più vicino di quanto non farebbe un americano; inoltre, l'italiano tende spesso a toccare il suo interlocutore[9] nel corso della conversazione, stringendogli il braccio o poggiandovi sopra la mano, quasi a rafforzare quello che sta dicendo.

4. Ed infine qualche parola a riguardo dei termini «signora» e «signorina». Malgrado alcune sperimentazioni, la lingua italiana non ha ancora trovato un equivalente del «Ms.» inglese. Alcuni anni fa un deputato (donna) propose che il titolo «signora» venisse usato per tutte le ragazze a partire dall'età di 18 anni. La proposta non riscontrò[10] grande successo e presto divenne lettera morta. Alcune professioni come quelle di giudice e ministro non hanno una forma femminile; anche in casi dove una doppia forma esiste, come avvocato/avvocatessa, l'uso corrente tende a preferire la forma maschile anche quando si parla di una donna. Si dice quindi «il Presidente della Camera dei Deputati, Nilde Jotti» e all'«avvocatessa Marisa Citti» si preferisce «l'avvocato Marisa Citti».

---

1 become engaged
2 stars
3 show business
4 empty nest
5 to address each other by using «tu»
6 cheeks
7 both sexes
8 personal space
9 other speaker
10 did not meet

INTAVOLIAMO IL DISCORSO

A. 1. Spiegate ad un italiano o ad un'italiana cosa vuole dire «dating». Cosa pensate delle attività in gruppo? Se siete con il vostro ragazzo/la vostra ragazza, preferite uscire da soli o in compagnia di altri? In quali situazioni? Perché?

2. Pensate che i giovani dovrebbero lasciare la casa dei genitori il più presto possibile? Perché? Qual è secondo voi l'età migliore per allontanarsi?

3. Cosa pensate voi dell'uso del titolo «Ms.»? Quale sarebbe un buon equivalente in italiano? Secondo voi perché la proposta di usare soltanto il titolo «signora» sia per signore che per signorine, non è diventata popolare?

4. La lingua inglese contiene molte parole composte con la parola *man* (per esempio: *manpower, manhole, mailman, foreman,* ecc.). Secondo voi dovrebbero essere cambiate? Quali parole dovrebbero sostituirle? Spiegate le vostre ragioni.

B. Confronti culturali.

1. Quando il fidanzato italiano offre l'anello alla fidanzata, anche lei spesso ricambia facendogli un regalo. Pensate che anche le ragazze americane dovrebbero offrire un regalo di fidanzamento al loro futuro sposo? Cosa?

2. Pensate che gli uomini italiani portino la fede[1] più spesso degli americani? Secondo voi i mariti devono portare sempre la fede o no? Perché? E le mogli?

3. Il tasso (*rate*) di divorzio negli Stati Uniti è sicuramente più alto che in Italia. Discutete le possibili cause. Secondo voi questo indica che gli americani non prendono il matrimonio molto sul serio? Spiegate le vostre ragioni.

4. Gli italiani tendono ad essere molto più espansivi[2] degli anglosassoni. Voi personalmente vi considerate espansivi? Come esprimete il vostro affetto verso vostro padre? Vostra madre? I vostri amici? Il vostro ragazzo o la vostra ragazza?

[1] wedding ring
[2] effusive

ANGOLINO DEL RELAX

— Sarai lieto di sapere, paparino, che il mio nuovo amico non suona la chitarra...

paparino, *daddy*

NELLA VIGNETTA PRECEDENTE...

1. Cosa sta facendo il padre? Dove sta? Chi è all'ingresso? Perché è lì? Cosa ha in mano?
2. Pensate che il padre sarà veramente contento di conoscere il nuovo amico della figlia? Perché? Spiegate le vostre ragioni. Perché non gli piaceva il ragazzo di prima? Quali saranno le parole del padre quando vedrà il nuovo ragazzo della figlia?

—Non potevi buttarlo semplicemente fuori, come fanno tutti gli altri padri?

NELLA VIGNETTA PRECEDENTE...

1. Cosa ha fatto il padre della ragazza? Come? In quale periodo si svolge questa scenetta?

2. Perché pensate che il padre abbia agito così? Spiegate. Pensate che la figlia abbia molti pretendenti[3]? Perché? Cosa farebbe un padre moderno nella stessa situazione? Come reagirebbe la figlia?

[3] suitors

A VOI LA PAROLA

Le due vignette precedenti sono abbastanza tipiche dell'umorismo italiano che ha come soggetto i padri e il loro atteggiamento protettivo verso le figlie.

1. C'è un atteggiamento simile nella società americana? Se è differente, spiegate come. È oggetto di umorismo anche nella cultura americana? Conoscete qualche barzelletta o vignetta che ci dimostri l'atteggiamento americano? Potreste raccontarla o descriverla?
2. Secondo voi, questo atteggiamento protettivo dei genitori verso i figli esiste ancora? Come? Da parte di chi, del padre o della madre? È soltanto nei riguardi di una figlia o anche di un figlio? Perché? Come si manifesta? Come reagiscono i figli? Pensate che l'atteggiamento dei genitori o quello dei figli sia giustificato? Perché?

SEZIONE: L'amore

Ognuno cerca e desidera trovare l'amore. Il problema è: dove e come? Vediamo un momento insieme come iniziare la ricerca.

A VOI LA PAROLA

1. È proprio necessario trovare il «grande amore» per vivere felici? Spiegate. Conoscete persone che vivono felici senza crearsi legami romantici? C'è qualche cosa che sostituisce questo legame? Esiste nell'amore il «colpo di fulmine»[1], o è un mito romantico?
2. Cosa cercate voi nel compagno/nella compagna della vostra vita? Elencate, in ordine di importanza personale, le seguenti componenti e spiegatene il perché.
   - a. attrazione fisica
   - b. compassione
   - c. situazione finanziaria
   - d. grado di studio
   - e. professione o lavoro
   - f. senso dell'umorismo
   - g. sensibilità artistica
   - h. sincerità
   - i. maturità
   - j. posizione sociale
   - k. età
   - l. religione
   - m. altro
3. Un vecchio proverbio italiano dice «Moglie e buoi dei paesi tuoi». In altre parole, è meglio scegliersi una moglie che provenga dallo stesso ambiente culturale. Siete d'accordo con questo proverbio? Pensate che sia ancora valido oggi? Spiegate. Cosa significa letteralmente il proverbio? Perché, secondo voi il proverbio parla di «moglie» e non di «marito»? Conoscete altri proverbi o detti simili a questo?

[1] lightning bolt

ATTUALITÀ

Vita moderna. Travolti da insolita[2] passione: il ritorno dei sentimenti forti.

Gli Ottanta? Anni freddi. I Novanta? Anni bollenti. Un sondaggio rivela le nuove passioni degli italiani.

Quale passione hai?

l'amore	22,6%
gli animali	22,1%
il lavoro	16,6%
lo sport	13,4%
la musica	13,0%
i viaggi	11,2%
la lettura	7,3%
i soldi	4,3%
la politica	2,1%
la danza	1,5%
il cinema	1,4%
il collezionismo	0,4%
altro	5,5%
nulla/non sa	7,6%

La somma delle percentuali di questa tabella è superiore a 100 poichè gli intervistati potevano dare tre risposte.

[2] unusual

«Ci chiamano gli iraniani d'Europa. Perché siamo i più passionali di tutti». Scriveva Giacomo Leopardi[1]: «... gli italiani sono un popolo caldo e emotivo, facile agli entusiasmi come alle delusioni». Corrado Augias, giornalista e scrittore è convinto che la passionalità nazionale stia tornando ad agitare gli animi degli italiani. Negli anni Ottanta, la passione era un sentimento in disuso[2] seppellito dal pragmatismo e dal cinismo. Negli anni Novanta, inaugurati al ritmo della lambada, la passione torna di moda.

Ma quali sono le passioni degli italiani? La rivista *Panorama* ha commissionato un sondaggio che ha interpellato[3] mille persone, uomini e donne sopra i 18 anni. Risultato: al primo posto c'è la passione d'amore. Il 52% la sta vivendo o la vorrebbe vivere. Appassionati ma poco disposti alla rinuncia[4]: solo il 23,5% degli intervistati sacrificherebbe il proprio lavoro per abbandonarsi[5] a una grande passione. Sono soprattutto le donne e i giovani tra i 18 e i 34 anni a dichiararsi pronti a rischiare di più. «Tutte le donne che conosco, anche quelle in carriera[6], sono disposte a farsi rovinare la vita dall'amore», commenta la scrittrice Barbara Alberti. «Gli uomini no. Nell'occhio del maschio vedo sempre quel vitello d'oro[7]: la carriera, il denaro facile. Così, molte passioni le donne le vivono in modo unilaterale[8]».

Follie d'amore per i propri simili[9]? Non solo. A sorpresa, il sondaggio rivela che la passione per gli animali tallona[10] quella per gli umani. Annamaria Procacci, deputato, è riuscita a convincere molti colleghi a sottoscrivere una mozione contro il massacro dei delfini, e una proposta contro l'abbandono[11] degli animali domestici e le camere a gas per i canili[12].

Come possiamo vedere dalla tabella, le passioni degli italiani sono, quindi, frammentate. Sono passioni che possono sovrapporsi, affiancarsi, convivere[13]. «Nessuno indirizza più la propria ricerca di felicità in una sola direzione» riflette[14] Anna Del Bo Boffino, scrittrice e femminista. «Come il buon investitore ha imparato a ripartire[15] i suoi risparmi, così la gente cerca di dividere le proprie energie su una tastiera[16] di emozioni».

Guai a farsi sopraffare[17] dalle passioni, sembra essere il motto di molti italiani. Secondo il sondaggio, il 65,3% è convinto che vanno controllate; e meno di uno su tre le lascerebbe seguire il loro corso. Forse per questo, al quinto posto tra le passioni predominanti ce n'è una più inoffensiva: quella per la musica.

1 famous Italian Romantic poet
2 unfashionable
3 interviewed
4 ill-disposed to giving up
5 to let themselves go
6 who have a career
7 Golden Calf
8 one-sided
9 one's equals
10 follows closely
11 abandonment
12 kennels
13 superimpose, live side by side, coexist
14 muses
15 distribute
16 keyboard
17 woe to those who are overcome

IN ALTRE PAROLE

A. Riscrivete le seguenti frasi esprimendo a modo vostro le parole indicate.

1. Gli italiani sono di nuovo travolti da un'insolita passione.
2. Se gli Ottanta erano considerati gli anni freddi, i Novanta saranno gli anni caldi.
3. La passionalità nazionale sta tornando ad agitare gli animi degli italiani.
4. Negli anni Novanta, inaugurati al ritmo della lambada, la passione torna di moda.
5. Il sondaggio ha interpellato uomini e donne tra i 18 e i 34 anni.
6. Gli italiani sembrano più appassionati ma poco disposti alle rinunce.
7. Follie d'amore per i propri simili?
8. Come possiamo vedere, le passioni degli italiani sono frammentate.
9. Il sondaggio rivela che la passione per gli animali tallona quella per gli uomini.

B. Qual è la domanda? Formulate una domanda adatta alle seguenti risposte.

1. Un sondaggio rivela le nuove passioni degli italiani.
2. «Gli italiani sono un popolo caldo e emotivo, facile agli entusiasmi e alle delusioni».
3. Negli anni Novanta la passione torna di moda.
4. La passione per gli animali tallona quella per gli uomini.
5. Le passioni degli italiani sono frammentate.
6. Secondo il sondaggio, il 65% è convinto che le passioni vanno controllate.

C. Rispondete alle seguenti domande basate sull'articolo.

1. Quale passione occupa il primo posto per gli italiani? E il terzo posto? Qual è all'ultimo posto?
2. Cosa pensate che sia il «collezionismo»? Potete darne qualche esempio?

3. Secondo il Leopardi, come sono gli italiani? Sono cambiati ora?
4. Negli anni Ottanta cosa aveva sostituito la passione?
5. Chi ha partecipato al sondaggio?
6. Secondo la Barbara Alberti, cosa sono disposte a fare le donne, anche quelle che hanno una carriera?
7. Secondo l'Alberti, gli uomini sono disposti a sacrificare tutto per l'amore? Perché?
8. Chi è Annamaria Procacci? Cosa ha proposto? Dove?
9. Gli italiani hanno una sola passione? Ne hanno una che supera di molto le altre?
10. Chi è Anna Del Bo Boffino? Cosa pensa riguardo alle passioni degli italiani?

A VOI LA PAROLA

1. Secondo voi cosa significa il titolo dell'articolo «Travolti da insolita passione»? Perché gli autori chiamano questa passione «insolita»? I risultati del sondaggio corrispondono all'impressione che voi avevate degli italiani? Spiegate le vostre ragioni.
2. Quali risultati avrebbe un simile sondaggio condotto fra i vostri compagni di classe? Se voi aveste partecipato al sondaggio, in quale ordine di preferenza avreste elencato le stesse categorie? Spiegate.
3. Siete d'accordo con quello che la scrittrice Barbara Alberti dice riguardo alle donne e agli uomini? Discutete le sue opinioni e giustificate le vostre.

TAVOLA ROTONDA

Argomenti di discussione. Discutete uno dei seguenti argomenti in un dibattito fra due individui o fra due gruppi.

1. Le passioni sono naturali all'uomo e alla donna, e devono essere seguite.
2. Le passioni sono pericolose e bisogna controllarle.
3. La passione nell'uomo e nella donna: chi ne ha di più, chi la controlla meglio?

Quando si è lontani c'è sempre il telefono.

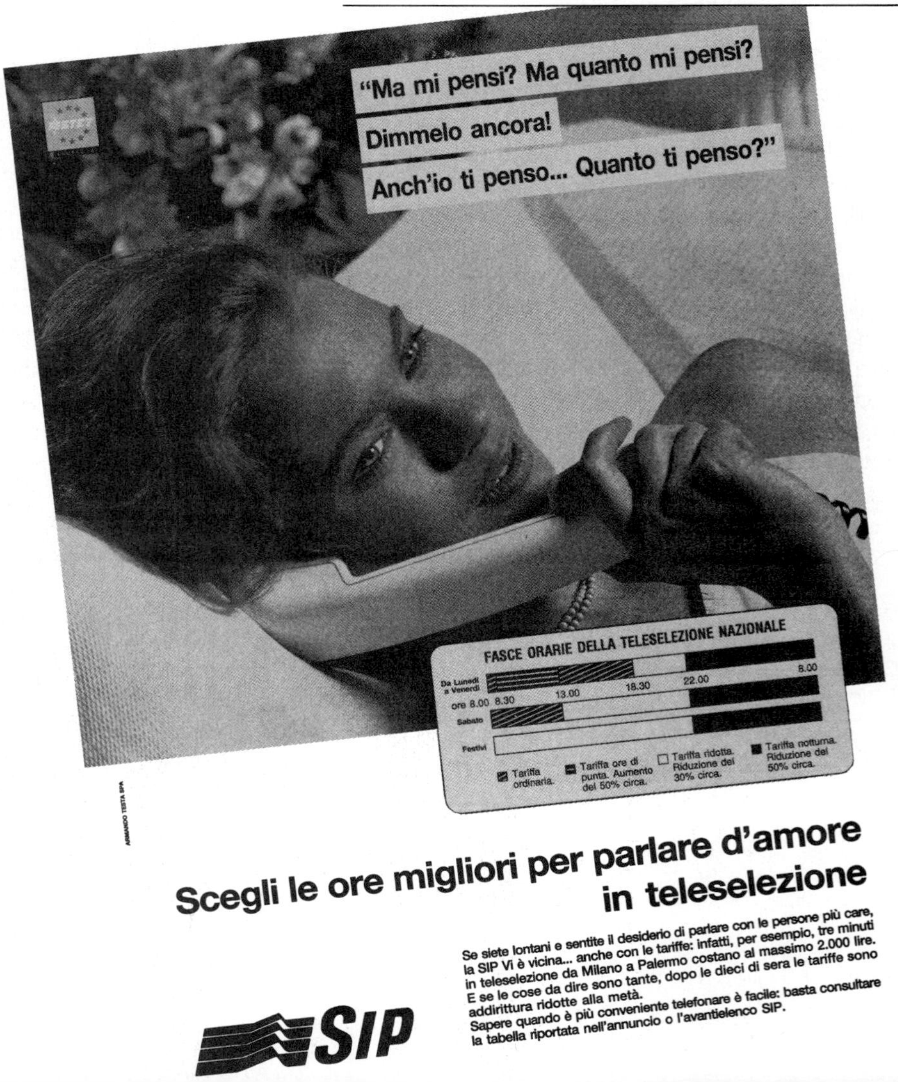

teleselezione, *long distance*

VEDIAMO INSIEME

1. Con chi starà parlando la persona nella pubblicità? Come lo sappiamo? Chi dei due starà dicendo le parole nella pubblicità? Spiegate. Cosa starà dicendo l'altra persona? Come sarà la persona con cui sta parlando? Descrivete come ve la immaginate.
2. In base alla tabella nella pubblicità, quali sono le ore migliori per telefonare in teleselezione? Quali sono le più costose? Quanto costa una telefonata da Milano a Palermo? Quanto costerebbe dopo le dieci di sera?

A VOI LA PAROLA

Voi parlate molto al telefono col vostro ragazzo o con la vostra ragazza? Spesso? Avete dei momenti particolari? Delle ragioni particolari? Generalmente chi è il primo a telefonare?

Alla ricerca del Principe Azzurro o della ragazza dei sogni. Vi sentite soli? Siete soli? Non ci sono scuse! Il compagno o la compagna della vostra vita forse sta leggendo lo stesso giornale.

40enne, di buona presenza, celibe, professionista con seconda casa al mare. Conoscerebbe ragazza, scopo matrimonio. Scrivere Casella Postale 326, Carate Brianza, Milano.

Italo-americana 23enne desidera incontrare gentiluomo italiano (28–35enne) scopo seria relazione. Pregasi inviare foto e numero telefonico indirizzando P.O. Box 12816, Palo Alto, CA.

Signora 38enne, attraente, conoscerebbe gentiluomo 40–50enne scopo amicizia. Scrivere includendo foto e informazioni: T.G., P.O. Box 11703, N.Y.

A VOI LA PAROLA

1. Vi servireste voi di un annuncio pubblicitario su un giornale per incontrare l'uomo o la donna della vostra vita? Perché? Spiegate le vostre ragioni.
2. Indicate cinque modi di incontrare qualcuno. Elencateli in ordine di efficacia e giustificate le vostre preferenze.
3. È facile o difficile incontrare il partner ideale? Spiegate le vostre ragioni.
4. Come vi descrivereste se doveste scrivere un annuncio per la rubrica «Cuori solitari»? Come descrivereste l'anima gemella che sperate di incontrare?

ANGOLINO DEL RELAX

— Non è meglio così, Ortensia, che starsene seduti in qualche cinema a vedere un film idiota?

NELLA VIGNETTA PRECEDENTE...

1. Chi sono le due persone raffigurate? Dove si trovano? In casa di chi? Come lo sapete? Cosa sta facendo l'uomo?
2. Secondo voi, cosa starà pensando la donna? Come descrivereste l'uomo? E la donna?

A VOI LA PAROLA

1. Voi ragazze, come reagireste in una situazione simile? Perché?
2. Voi ragazzi, vi siete mai comportati così, o in una maniera simile? Quando? Perché? Qual è stata la reazione della vostra ragazza?
3. Quale stereotipo maschile pensate sia rappresentato in questa vignetta? Spiegate. Esiste veramente?

La partecipazione di matrimonio[1]

Enrico Strocchi   Laura Baffoni

annunciano il loro matrimonio
Chiesa Parrocchiale di S. Gaudenzo (Piazza Mazzini)
Rimini, 5 Settembre 1987 - Ore 16,30

Rimini - Via Bilancioni, 16

Bologna - Via Giambologna, 14

Bologna - Via Giambologna, 14

Dopo la cerimonia,
Enrico e Laura saranno lieti
di salutare parenti ed amici al
Grand Hotel di Riccione.

[1] wedding announcement

VEDIAMO INSIEME

A. Rispondete alle domande seguenti. Secondo la partecipazione...

1. Quando avrà luogo la cerimonia?
2. Dove avrà luogo la cerimonia?
3. Quanti indirizzi sono inclusi nella partecipazione? Di chi sono?
4. Cosa ci sarà dopo la cerimonia? Dove?

B. Quali differenze notate fra questa e una partecipazione di matrimonio americana? Discutete.

A VOI LA PAROLA

1. Secondo voi come sarà stato il ricevimento e il pranzo di nozze? Potreste immaginarne il menù? Avranno ballato? Cosa? Dove saranno andati in luna di miele?

2. Sette anni dopo. Immaginate che è il giorno del loro settimo anniversario di nozze. Dove si trovano gli sposi? Lavorano entrambi? Hanno figli? Quanti? Come e dove celebreranno il loro anniversario? Descrivete la giornata del loro settimo anniversario di matrimonio.

MESSA IN SCENA

Con un compagno/una compagna immaginate, e presentate al resto della classe, una conversazione fra i due sposi durante la cena del loro (primo, ventesimo, quarantesimo) anniversario di nozze.

Sposarsi: Dove, come (e a quanto)

— Ma io credevo che tuo padre avrebbe pensato a tutto!

NELLA VIGNETTA PRECEDENTE...

1. Chi sono i protagonisti? Come sono vestiti? Perché? Dove si trovano? Chi sta parlando? A chi si rivolge? Che cosa stanno aspettando?
2. A che cosa avrebbe dovuto pensare il padre? Perché? Cosa staranno dicendo (o pensando) gli altri ospiti? Secondo voi perché il padre ha agito così? Cosa fareste voi in una situazione simile?

Capita che proprio i preparativi per il giorno fatidico[1] creino litigi e screzi[2] tra gli sposi e i parenti. C'è chi è disponibile a qualsiasi spesa per un giorno indimenticabile e chi invece cerca il modo di risparmiare. Le tradizioni che non ci sono più e quelle che resistono.

Quando e dove. La scelta del mese e del giorno dipende da una serie di fattori legati alle singole «storie» delle persone. Per quanto riguarda il dove, la regola vorrebbe che la chiesa sia la parrocchia[3] della sposa, ma molti ormai scelgono un luogo

[1] fateful
[2] arguments and misunderstandings
[3] parish

diverso o persino un altro paese. Un occhio al numero degli invitati non sarà inutile. La chiesetta romantica di montagna sarà perfetta per pochi amici amanti delle cime[1], ma pessima se si vogliono invitare decine di persone, magari anche molto anziane.

Gli abiti. Basta dare un'occhiata a vetrine e riviste per capire che oggi è di nuovo di moda il bianco. Più del 90% delle spose sceglie ancora il bianco, lungo e quasi sempre largo. Il prezzo come è ovvio, varia di molto. Se è difficile scendere sotto il milione, salire è semplice. Gli uomini, almeno quelli di un livello culturale medioalto, si accontentano di un bel vestito blu (che si può utilizzare anche dopo), anche se la fidanzata sarà in bianco.

Le partecipazioni. Sono obbligatorie. Chi ama le tradizioni sceglie ancora la formula «Maria Rossi Bianchi e Luigi Bianchi annunciano il matrimonio della figlia Paola con Giorgio Neri...», ma la maggior parte dei fidanzati ormai partecipa il matrimonio da sola.

Il bouquet. Tradizione vuole che lo compri lo sposo e lo offra alla futura moglie, ma, visto che deve rigorosamente combinare[2] con l'abito, capita sempre più di frequente che ne scelga la composizione la sposa stessa.

Simpatica, invece, e degna di essere mantenuta la tradizione di regalarlo all'amica non ancora sposata.

L'automobile. Pare che il massimo sia l'automobile antica, per esempio la Bentley d'epoca che «vien via»[3] con 420 mila lire. C'è chi si accontenta di una Mercedes per 200 mila di meno, ma i più saggi chiedono un favore all'amico o al cugino che ha appena acquistato una macchina elegante.

Il pranzo. È questa senz'altro la nota più «dolente»[4] sia dal punto di vista economico che da quello dei «rapporti umani». È proprio sul numero di invitati che si scatenano[5] a volte i litigi più seri. Può capitare che lui abbia pochi parenti e lei tanti o, viceversa, che lui voglia invitare molti colleghi e lei solo tre amiche. Un tempo la fattura[6] era tutta del papà della sposa, perché i genitori di lui provvedevano a casa e mobili. Oggi, che tutto questo non succede più, si tende a fare metà per uno[7] oppure, se la differenza di invitati è grande, ognuno paga per i propri. I prezzi, come è ovvio, variano a seconda del locale e del menù.

Ormai chi ha una casa abbastanza spaziosa o magari una villetta con giardino sceglie di fare un rinfresco[8] da sé, mentre chi vuole primi piatti, tre secondi, frutta, torta e anche stoviglie e servizio compreso dovrà contare di spendere molto di più.

Regole, come si diceva, non ce ne sono e ognuno sceglie da sé. Anche se non è il portafoglio a rendere indimenticabile quel giorno.

IN ALTRE PAROLE

A. Dopo aver letto l'articolo completate le seguenti frasi con l'informazione giusta.

1. I preparativi per il giorno del matrimonio possono...
   a. creare problemi
   b. portare gioia
   c. portare tristezza
2. La scelta della data del matrimonio dipende...
   a. dal tempo
   b. dai soldi
   c. dagli sposi
3. Celebrare il matrimonio in una chiesetta di montagna non è pratico se...
   a. c'è la neve
   b. ci sono molti invitati
   c. gli sposi sono vecchi
4. L'abito ideale per la sposa è...
   a. bianco e lungo
   b. bianco e corto
   c. lungo e colorato

[1] mountain peaks
[2] has to be coordinated
[3] can be had

[4] the hardest part (*lit.:* the most painful note)
[5] break out
[6] bill
[7] share fifty-fifty
[8] serve refreshments

5. Tradizionalmente... offre il bouquet alla sposa.
   a. il padre
   b. il suocero
   c. lo sposo
6. Secondo la tradizione la sposa... il suo bouquet dopo la cerimonia.
   a. conserva
   b. regala
   c. getta via
7. Per il giorno del matrimonio, gli sposi preferiscono...
   a. usare la propria macchina
   b. noleggiare una macchina di lusso
   c. andare in chiesa a piedi
8. Una volta il pranzo veniva offerto...
   a. dagli ospiti
   b. dal padre della sposa
   c. dai genitori degli sposi

B. Completate le seguenti frasi con l'informazione adatta.
   1. Per l'automobile il colmo della stravaganza è rappresentato da...
   2. Se uno può, i rinfreschi o il pranzo possono essere preparati...
   3. Decidere il numero degli invitati può...
   4. L'abito di matrimonio per l'uomo può anche essere...
   5. L'abito preferito dalla maggior parte delle spose oggi...
   6. Il matrimonio viene celebrato...

C. Riscrivete le seguenti frasi esprimendo a modo vostro le parole indicate.
   1. Pare che il massimo sia l'automobile antica, per esempio la Bentley d'epoca.
   2. Il pranzo può essere la nota più dolente.
   3. Un tempo la fattura era tutta del papà della sposa.
   4. Il bouquet deve rigorosamente combinare con l'abito della sposa.
   5. Sul numero degli invitati a pranzo spesso si scatenano i litigi più violenti.
   6. La maggior parte dei fidanzati, oggi partecipa il matrimonio da sola.
   7. La scelta della data del matrimonio dipende da fattori legati alle singole «storie» delle persone.
   8. Spesso i preparativi per il giorno fatidico possono creare screzi tra gli sposi e i parenti.
   9. Il prezzo dell'abito varia di molto. Se è difficile scendere sotto il milione, salire è semplice.
   10. Anche se non è il portafoglio a rendere indimenticabile quel giorno.

A VOI LA PAROLA

1. Avendo letto l'articolo, indicate quali differenze trovate fra le usanze italiane e quelle americane. C'è qualche usanza americana che è differente dalle tradizioni italiane? Potreste spiegarla ad un compagno italiano? C'è qualche usanza italiana che vi piacerebbe adottare? Quale? Spiegate perché sì o no.
2. Pensate che le tradizioni e usanze associate con il giorno delle nozze siano superate? Perché? Cosa pensate delle spese associate con un matrimonio? Sono soldi ben spesi? Spiegate le vostre ragioni.
3. Pensate che il giorno delle nozze sia più importante e più indimenticabile per lo sposo o per la sposa? Perché?
4. Secondo voi i genitori degli sposi dovrebbero partecipare alle discussioni e decisioni che riguardano la cerimonia? Spiegate le vostre ragioni.

COMPONIMENTO

Il mio matrimono. Descrivete come sarebbe la vostra cerimonia nuziale ideale. Includete le seguenti informazioni:

1. data della cerimonia
2. luogo e tipo
3. tipo di vestito per lo sposo e per la sposa
4. numero di invitati
5. pranzo o rinfresco

MESSA IN SCENA

Con un compagno/una compagna di classe preparate e presentate una delle seguenti situazioni davanti alla classe.

1. Due fidanzati che preparano la lista degli invitati. (Variante: Due fidanzati e madre della fidanzata che preparano la stessa lista.)
2. Due fidanzati che devono decidere dove fare il pranzo e quale sarà il menù.
3. I genitori della sposa dopo che il padre ha visto il preventivo delle spese del matrimonio.

ANGOLINO DEL RELAX

NELLA VIGNETTA PRECEDENTE...

1. Dove si trovano i due sposi? Chi è già nella macchina? Perché? Cosa starà dicendo la sposa a suo marito? Dove sono gli altri invitati?
2. Cosa si diranno gli invitati? Cosa penserà lo sposo? Create una leggenda[1] per questa vignetta.

lieto, *happy*
polizze, *(insurance) policies*
alta resa, *high yield*
rendita vitalizia, *life annuity*
esauriente, *exhaustive*

[1] caption

VEDIAMO INSIEME

Esaminate la pubblicità precedente e rispondete alle seguenti domande.

1. Chi sono le persone raffigurate nell'immagine?
2. È la fotografia di una giornata particolare? Da che cosa lo si capisce?
3. A chi si rivolge questa pubblicità?
4. Cosa offre il Lloyd Adriatico?
5. Cosa rappresentano le polizze di questa compagnia?
6. Dove possiamo trovare un Agente Lloyd Adriatico? Cosa può fare per noi?
7. Chi pensate che stia dicendo: «Caro Amore...»? Perché?
8. Qual è il «lieto inizio per un futuro felice»?

A VOI LA PAROLA

1. Cosa pensate di questa pubblicità? La trovate convincente? Perché? Spiegate la vostra reazione e le vostre ragioni. Quale pensate che sia lo slogan più efficace di questa pubblicità? Il più assurdo? Il più esagerato? Spiegate le vostre reazioni.

2. Cosa pensate voi delle assicurazioni in generale? Ne avete? Di quale genere? Perché? Secondo voi, in una coppia chi dovrebbe assicurarsi la vita, il marito, la moglie o entrambi? Perché? Spiegate le vostre ragioni.

3. Secondo voi, quali assicurazioni sono più necessarie? Quelle sulla vita, contro gli incendi, contro i furti, ecc.? Quali sono utili ma non necessarie? Quali sono inutili? Spiegate le vostre ragioni in ognuno dei casi.

MESSA IN SCENA

1. Siete un agente di assicurazioni e avete letto sul giornale che il signor Fortunato Bianchi e la signorina Disdetta[1] Rossi si sono appena sposati e che fra una settimana partiranno in viaggio di nozze. Andate al loro appartamento e tentate di vendere loro una polizza di assicurazioni (sulla vita, ecc.) prima che partano. Con due altri compagni preparate e presentate la situazione davanti alla classe.

2. Si dice che molti americani abbiano la mania delle assicurazioni e che siano pronti e disposti ad assicurare tutto. Siete un agente di assicurazioni che ha appena concepito una polizza di assicurazione completamente originale. Presentatela, spiegatela e tentate di convincere uno dei vostri compagni di classe a comprarla.

sposi, *married couple*
giuridiche, *legal*
approfondito, *in-depth*
problematiche, *problems*
dialogare, *to establish a dialogue*
quotidianità, *every-day life*

[1] misfortune

VEDIAMO INSIEME

Esaminate attentamente la pubblicità e rispondete alle seguenti domande.

1. Qual è il titolo del libro? Chi è l'autore del libro?
2. Quanto costa il libro? È molto lungo?
3. Dove si può comprare questo libro?
4. A chi può essere utile questo libro?
5. Quali sono alcune delle questioni che il libro tratta?
6. Cosa deve affrontare la coppia? Cosa deve condividere la coppia?

A VOI LA PAROLA

1. Cosa pensate dello slogan «Destinazione Coppia Felice»? A che cosa fa pensare? Secondo voi è uno slogan che coglie l'attenzione del lettore? Perché? Pensate che il titolo del libro sia adatto? Sia esagerato? Perché?

2. Secondo voi, libri di questo genere sono utili o inutili? Perché? Conoscete altri libri, o dei programmi televisivi che trattano gli stessi argomenti o argomenti simili? Quali? Spiegate.

3. Se io fossi l'autore...! Dovete scrivere un libro destinato alla coppia moderna. Quali argomenti includereste? Quale titolo dareste voi a un libro di questo genere? Spiegate le vostre scelte.

TAVOLA ROTONDA

Dibattito: «La crisi della coppia nella società moderna. Cause e soluzioni.»

ANGOLINO DEL RELAX

— Se vuoi, per festeggiare il nostro anniversario, puoi scegliere liberamente un altro canale...

NELLA VIGNETTA PRECEDENTE...

1. Chi sono i due protagonisti? Dove si trovano? Cosa stanno facendo? È una giornata particolare? Quale?
2. Da quanti anni sarà sposata questa coppia? Cosa lo fa pensare? Il loro è un atteggiamento tipico? Perché?

A VOI LA PAROLA

1. Secondo voi, perché i mariti sono sempre presentati come più indifferenti o distratti[1] delle mogli? Potreste elencare cinque cose che i mariti dimenticano di fare nei riguardi delle mogli?

2. Ci sono cose che le mogli dimenticano, o non pensano neanche, di fare per i loro mariti? Menzionatene alcune.

3. Secondo voi, come preferiscono le donne festeggiare l'anniversario di matrimonio? E gli uomini? Spiegate.

[1] absent-minded

SEZIONE: La donna

INTAVOLIAMO IL DISCORSO

1. Pensate che la situazione della donna sia cambiata negli ultimi cinquanta anni? Quali progressi ci sono stati? La donna ha guadagnato qualcosa? Ha perso qualcosa?
2. La rubrica di una rivista moderna si intitola:

   «VI VOGLIO TUTTE BELLE»

   Pensate che il titolo sia un po' sessista? Discriminatorio? Quali argomenti pensate che tratti questa rubrica? Come reagireste ad una rubrica intitolata: «VI VOGLIO TUTTI BELLI»? Perché?

ANGOLINO DEL RELAX

— Che cosa sarebbe questa novità della parità di diritti fra uomini e donne?

NELLA VIGNETTA PRECEDENTE...

Cosa c'è di non tradizionale nella rappresentazione della scena? Cosa sta facendo la donna? Perché? In quale periodo si svolge questa scena? In che cosa consisterebbe la «parità di diritti» di cui sta parlando l'uomo?

A VOI LA PAROLA

Secondo voi, che cosa s'intende con l'espressione «parità di diritti»? C'è parità di diritti fra uomini e donne nella nostra società? Spiegate le vostre ragioni. Potreste indicare cinque aree in cui uomini e donne hanno parità di diritti? Potreste elencare cinque aree in cui uomini e donne non hanno gli stessi diritti? Ci sono casi in cui uomini e donne non dovrebbero avere gli stessi diritti? Quali?

I proverbi, saggezza[1] dei popoli!?

Ecco alcuni proverbi, molti antichissimi, e detti[2] di uomini famosi a proposito delle donne:

Chiamare le donne il «sesso debole» è una diffamazione; è l'ingiustizia peggiore che l'uomo possa fare alla donna. **(Gandhi)**

---

[1] wisdom
[2] sayings

Nulla è così mobile né tanto vaga[1] quanto la volontà della donna. **(Seneca)**

Bella testa... ma cervello niente. **(La Fontaine)**

Le parole sono femmine, e i fatti[2] sono maschi. **(Antico proverbio)**

Dove la donna domina e governa,
ivi sovente[3] la pace non sverna[4]. **(Vecchio detto in rima)**

Senza moglie a lato, l'uom non è beato[5]. **(Abelardo)**

Lacrime delle donne sono il condimento della malizia. **(Publius Syrus)**

La donna per piccola che sia
la vince il diavolo in furberia[6]. **(Antico proverbio toscano)**

Donna buona vale una corona. **(Proverbio di Brescia)**

La donna è mobile, qual piuma al vento
muta l'accento, ed il pensier... **(Aria dall' opera *Rigoletto*)**

VEDIAMO INSIEME

A. Superlativi. Quali dei giudizi o delle opinioni precedenti è...

1. più romantico?
2. più vero?
3. più maschilista?
4. più giusto?
5. più esagerato?
6. più misogino?

Giustificate le vostre risposte.

B. È vero che...

1. come dice Seneca, la volontà della donna è vaga e incerta? Spiegate. Potete dare qualche esempio per dimostrare il contrario?
2. come diceva Abelardo, non c'è nulla di meglio di una buona moglie? Quali vantaggi porta al marito? Spiegate le vostre ragioni.
3. come ha detto Gandhi, è ingiusto considerare le donne il «sesso debole»? Perché? Menzionate alcune ragioni.
4. come dice il proverbio bresciano, una donna buona vale una corona? Cosa si potrebbe dire oggi invece di «corona»? Create un nuovo proverbio completando la seguente frase: «Un uomo buono vale...».

C. Botta e risposta. Usando immaginazione, senso dell'umorismo, e un po' di malizia, completate i seguenti detti.

1. Nulla è così mobile, né tanto vago(a) quanto... dell'uomo.
2. Le... sono femmine, e... sono maschi.
3. Dove l'uomo domina e governa...
4. Senza marito a lato, la donna non è...
5. L'uomo per grande che sia...

A VOI LA PAROLA

1. Cosa pensate voi del sesso opposto? Formulate, riguardo il sesso opposto, una sentenza o un giudizio...
   a. discriminatorio.
   b. sessista.
   c. divertente.
   d. esagerato.
   e. romantico.
   f. stereotipico.
2. In molte lingue, la maggior parte dei proverbi sembra riguardare le donne mentre ce ne sono pochissimi riguardo agli uomini. Secondo voi, perché esiste questo fenomeno?

Dieci milioni in Italia, ottanta in Europa: stanche di essere emarginate, vogliono che il loro impegno[7] per la famiglia sia adeguatamente riconosciuto dallo Stato

Il manifesto delle casalinghe[8]

Lo ha redatto la MO.I.CA. (Movimento italiano casalinghe): estensione della contribuzione volontaria a chi lavora in casa; copertura assicurativa per gli

[1] fickle or unstable
[2] deeds
[3] often there
[4] doesn't winter (doesn't linger)
[5] supremely happy
[6] she bests (even) the devil in cunning

[7] commitment
[8] housewives

infortuni[1]; riversibilità della pensione alla figlia nubile[2] che ha assistito i genitori.

Quali sono gli obiettivi di questa associazione, fondata nell'82, che è riuscita a coinvolgere migliaia di donne riunite in 71 gruppi regionali e a costringere la classe politica a iniziative concrete?

«Il riconoscimento del valore sociale ed economico del lavoro familiare[3] (un'espressione che preferisco a quella di lavoro casalingo): ecco, in sintesi, il nostro "manifesto"» spiega Tina L., bresciana, presidente nazionale del MO.I.CA. Il Movimento chiede che le casalinghe abbiano la possibilità di pagare i contributi in modo da ricevere, raggiunta una certa età, la «pensione di casalinghe». Molte donne in Italia, ancora oggi, spesso sacrificano la loro carriera per accudire[4] i genitori anziani o malati. Quando questi muoiono, la figlia si trova spesso sola, senza lavoro ed è troppo tardi per lei inserirsi nel mercato lavorativo. Il Movimento chiede che queste donne abbiano la possibilità di usufruire[5] della pensione (di parte di essa) dei genitori alla loro morte.

«Guardando il lavoro fatto dall'82 a oggi e i risultati ottenuti, non mi lamento, anzi[6].» continua il presidente del MO.I.CA. «Intanto siamo riuscite a modificare un certo orientamento dell'opinione pubblica. E poi abbiamo costretto i partiti a presentare una serie di disegni di legge».

Dal cuore della Sicilia alla provincia del Centro-Nord le delegate e le simpatizzanti hanno dato voce ai[7] problemi, le richieste e le difficoltà. «La casalinga "vera" è spesso timida, insicura, non esce facilmente allo scoperto[8], e la sua preoccupazione principale consiste nel far funzionare alla perfezione la "macchina" familiare. Si fa carico[9] delle minime necessità di chi le sta vicino, ma per sé stessa non trova mai uno spazio, anche piccolo», dice Marika D. del gruppo di Modena. Secondo un'altra rappresentante del Movimento, il riconoscimento principale che la donna vuole è di tipo economico. Vuole, cioè, avere la sicurezza finanziaria negli anni della maturità.

Secondo Mietta N., le casalinghe devono fare il lavoro più grosso su loro stesse, convincendosi che fare la casalinga è un mestiere come un altro, degno della massima considerazione. «È ora che marito, figli e donne che lavorano fuori casa smettano di considerarci delle povere stupide che non hanno o non sanno trovare il tempo per informarsi, leggere, uscire, capire quanto accade al di là delle pareti domestiche[10]. Io non mi sono mai sentita una casalinga frustrata, ho i miei hobby e cerco di coltivarli, amo stare con la gente e la frequento il più possibile».

[1] insurance coverage for (domestic) accidents
[2] extension of pension benefits to the unmarried daughter
[3] family
[4] care for
[5] enjoy the benefits
[6] quite the contrary
[7] have voiced
[8] does not come out into the open
[9] she assumes the burden

[10] in the outside world (*lit.:* beyond the household walls)

IN ALTRE PAROLE

A. Vero o falso? Indicate se le seguenti asserzioni sono corrette o no. Correggete quelle false.

1. In Italia ci sono poche casalinghe.
2. Il MO.I.CA. è un'organizzazione europea.
3. Il presidente del MO.I.CA è la signora Tina L.
4. Molte donne accudiscono i genitori vecchi perché non riescono a trovare un lavoro.
5. Le casalinghe sono spesso aggressive e sicure di sé.
6. Secondo uno dei membri, le donne vogliono principalmente un riconoscimento morale.
7. La maggior parte delle casalinghe è convinta che il loro lavoro è importantissimo.
8. Le donne che lavorano fuori casa non hanno una buona opinione delle casalinghe.

B. Ripetete le seguenti frasi esprimendo a modo vostro le parole indicate.

1. Le casalinghe in Italia e in Europa, sono stanche di <u>essere emarginate</u>.
2. Questa associazione ha <u>molti obiettivi</u>.
3. Molte donne rimangono in casa <u>per accudire</u> i genitori anziani.
4. Il Movimento vuole che le donne <u>possano usufruire</u> della pensione dei genitori.
5. Le delegate e <u>le simpatizzanti</u> si sono riunite da tutta l'Italia.
6. Le delegate <u>hanno dato voce</u> ai problemi delle <u>casalinghe</u>.
7. La casalinga vera è timida e <u>non esce facilmente allo scoperto</u>.
8. Io non mi sono mai sentita <u>una casalinga frustrata</u>, ho i miei <u>hobby e cerco di coltivarli</u>.

A VOI LA PAROLA

1. Secondo voi le casalinghe sono veramente «emarginate»? Pensate che le richieste del MO.I.CA. siano giuste? Siano esagerate? Siano troppo modeste? Giustificate la vostra opinione.
2. Pensate che «lavoro familiare» sia veramente un'espressione migliore di «lavoro casalingo»? Perché? Potreste trovare un'espressione migliore, più esatta e descrittiva? Secondo voi le casalinghe dovrebbero ricevere una pensione? Perché? Chi dovrebbe pagare la pensione? Le assicurazioni private o lo Stato? Spiegate la vostra opinione.
3. Siete d'accordo con l'opinione che Marika D. ha delle casalinghe? Sono veramente timide e insicure? In che modo? Difendete la vostra opinione. Secondo voi le casalinghe preferirebbero un riconoscimento economico o uno morale? È vero che le donne che lavorano fuori di casa non hanno una buona opinione delle donne che svolgono il lavoro di casa? Spiegate.
4. Ci sono movimenti simili al MO.I.CA. negli Stati Uniti? Qual è il loro programma? Cosa sperano di ottenere? Come è la posizione sociale della casalinga americana? Quale riconoscimento pensate che desideri di più? Morale, finanziario o altro? Perché pensate che alcune casalinghe si sentano frustrate? È colpa loro, della famiglia o della società? Spiegate.

— Scegli: testa, lavi i piatti; croce, porti prima a spasso il cane.

testa o croce, *heads or tails (lit.: head or cross)*

Postfemminismo—Il sorpasso

La donna ormai studia più e meglio dell'uomo, è una lettrice accanita[1], è entrata in professioni da cui era sempre stata esclusa.... La festa dell'8 marzo (Giornata della donna) sancisce[2] quest'anno una vittoria inaspettata: la soglia[3] della parità è raggiunta e superata.

Una strada ancora lunga: colloquio[4] con Nilde Jotti.

L'hanno di recente classificata come la donna più potente d'Italia. Nilde Jotti, «donna in politica» da 45 anni, da 41 deputato comunista e per 8 presidente della Camera, sorride senza compiacimento[5] per una qualifica che è ovvia. Dal suo osservatorio ha visto generazioni di donne avvicinarsi e avvicendarsi[6] nella politica e deve registrare ancora oggi l'esiguità sconfortante[7] di rappresentanza femminile in Parlamento (appena 61 elette contro 892 uomini).

Onorevole Jotti, c'è un motivo per cui la parità quasi raggiunta in ogni campo, manca proprio nel Parlamento?

«Ce ne sono almeno due. Il primo deriva dalla natura stessa dell'attività politica. Questo è un lavoro duro che richiede grande impegno[8] e un comportamento modellato su schemi maschili[9]: dedizione totale, facilità a spostarsi, mettere in disparte[10] la propria vita privata. Una donna, che ha marito e figli, può adattarvisi solo entro certi limiti. Un secondo motivo è invece insito[11] nella stessa storia delle donne italiane. Hanno ottenuto il voto da poco più di 40 anni ed hanno una educazione alla politica troppo recente».

[1] avid reader
[2] sanctions
[3] threshold
[4] interview
[5] complacency
[6] alternating
[7] dispiriting insignificance
[8] zeal, application
[9] male patterns
[10] aside
[11] inherent

Ma se almeno le donne votassero per le donne. I numeri sarebbero facilmente ribaltati[1].

«Questo è un vecchio argomento maschile che non sta in piedi[2]. La verità è che sono i partiti, compreso il mio che pure ha una rappresentanza femminile del 14%, a presentare poche donne nelle liste. Nei partiti continua l'idea che occuparsi delle donne non conti poi troppo».

A parità di opportunità[3], pensa che la donna abbia nel lavoro quelle «valenze»[4] in più che possono aiutarla nel confronto con l'universo maschile?

«Il processo di emancipazione è stato, negli ultimi 40 anni, velocissimo, persino precipitoso. Credo comunque che la strada sia ancora lunga. Le qualità specifiche delle donne vincono soprattutto in settori qualificati, nel lavoro intellettuale, nella ricerca scientifica, ma in generale avverto[5] ancora poca competitività, poca predisposizione al confronto. E purtroppo l'assenza di competitività oggi è un difetto».

IN ALTRE PAROLE

A. Rispondete alle seguenti domande basate sull'articolo.

1. In quali professioni è entrata ora la donna? Cosa si celebra l'8 marzo? Cosa ha raggiunto ora la donna? Cosa fa meglio dell'uomo?
2. Chi è Nilde Jotti? Da quanto tempo è in politica? A quale partito politico appartiene? Ci sono molte donne nel Parlamento italiano?
3. Secondo l'onorevole Jotti, perché non ci sono molte donne in politica? Cosa richiede la vita politica? Chi è più responsabile del fatto che non ci sono tante donne in politica: le donne che non votano per le donne o i partiti politici? Perché?
4. Secondo la Jotti, come è stato il processo di emancipazione della donna? La donna ha raggiunto tutti i suoi traguardi? Cosa manca ancora nel mondo femminile? Perché pensate che la Nilde Jotti consideri questo un difetto nel campo politico?

B. Basandovi sull'informazione dell'articolo, completate le seguenti frasi a modo vostro.

1. Nilde Jotti è considerata...
2. La rappresentanza femminile in Parlamento è...
3. L'attività politica richiede...
4. Una donna che ha marito e figli...
5. I partiti politici hanno una rappresentanza femminile...
6. Il processo di emancipazione della donna è stato...
7. Nel mondo femminile c'è ancora...
8. Le qualità specifiche delle donne vincono...

A VOI LA PAROLA

1. Secondo voi, è vero che la donna ha raggiunto e superato la parità con gli uomini? Come? Spiegate la vostra opinione. Cosa pensate di quello che dice l'onorevole Nilde Jotti? Vi sembra giusto o pensate che le sue ambizioni riguardo alle donne siano limitate, modeste? Perché?

2. Secondo voi, quali sono alcune qualità specifiche delle donne, qualità che gli uomini non hanno? Ci sono professioni o mestieri in cui le donne sono più capaci degli uomini? Quali? Perché? Ci sono lavori per cui gli uomini sono più adatti? Quali? Per quali ragioni?

3. Potreste elencare cinque traguardi raggiunti dalle donne in questi ultimi anni?

4. Pensate che i rapporti fra uomini e donne, sul posto di lavoro, siano cambiati in questi ultimi anni? In meglio o in peggio? Per chi? Spiegate. Voi uomini come vi sentireste a lavorare per un manager donna? Vi sarebbe facile o difficile? Perché?

TAVOLA ROTONDA

Discutete in un piccolo gruppo, di fronte al resto della classe i pro e i contro di uno dei seguenti argomenti.

1. La donna «in professione» non può essere una buona moglie, né una buona madre.

2. Una madre deve avere una professione in modo da essere un buon modello per le proprie figlie.

3. «L'uomo casalingo». Se il lavoro della moglie è più importante e può provvedere ai bisogni della famiglia, l'uomo potrebbe dedicarsi alla casa e ai figli e rinunciare al proprio lavoro.

---

[1] reversed
[2] doesn't hold water (*lit.:* doesn't stand up)
[3] given equal opportunity
[4] assets
[5] I observe

SEZIONE: L'uomo

Nella società moderna, il ruolo dell'uomo è cambiato molto negli ultimi cinquanta anni.

INTAVOLIAMO IL DISCORSO

1. Potreste dire quali sono stati i cambiamenti più evidenti, degli ultimi venti anni, nell'immagine che uno ha dell'uomo? Qual è il suo ruolo nella società moderna?
2. Quali sono i nuovi «eroi» del cinema moderno? In che modo sono differenti da quelli di trenta o quaranta anni fa?
3. In che modo sono i ragazzi di oggi differenti dai loro padri o dai loro nonni? Che ruolo avranno nelle loro famiglie come padri e mariti?
4. Quali sono alcune delle qualità che le ragazze oggi cercano nei ragazzi? Sono uguali a quelle che cercavano le loro mamme?
5. Quale pensate sarà il ruolo degli uomini e delle donne fra trent'anni? Ci sarà ancora un «conflitto» fra i sessi?

Sondaggio: L'uomo ideale secondo le italiane; ovvero, cosa le donne richiedono dai mariti

Recentemente una popolarissima rivista femminile italiana ha condotto un sondaggio sull'uomo ideale. Le intervistate sono state divise in due gruppi: il primo comprendeva donne dai 18 ai 25 anni; il secondo, donne dai 26 ai 40 anni. Questo per mettere a confronto[1] le aspettative delle giovanissime e quelle di donne che, avendo una maggiore esperienza di vita, hanno forse un'idea più realistica del partner ideale. Benché molte delle risposte sono (come c'era da aspettarsi) differenti, un elemento comune è emerso[2] dal sondaggio: per tutte le donne una vita a due armoniosa, presuppone un uomo con qualità e caratteristiche definite «irrinunciabili»[3].

Osservando attentamente le cifre notiamo che, in molti casi, l'ideale dell'uomo si modifica con il passare degli anni. Quelle caratteristiche che sembrano fondamentali in età giovanissima passano poi in secondo ordine o perdono completamente importanza. Per esempio, quasi la metà delle ragazze al di sotto dei 25 anni considera che l'intelligenza è qualcosa che l'uomo deve assolutamente possedere. Le donne più mature, in più grande maggioranza sembrano considerare l'intelligenza nel partner qualcosa di molto meno importante.

Il gusto femminile sembra essere evoluto o almeno cambiato anche per quanto riguarda il gusto dei grandi «seduttori», così popolari negli anni Sessanta. I playboy, gli avventurieri del sesso hanno un bassissimo indice di godimento presso la «nuova donna». Inoltre, anche la moda (o utopia) della coppia aperta sembra essere crollata: La maggior parte delle ragazze e delle donne credono nella fedeltà come valore e come principio[4].

Qualità che l'uomo deve avere	1° gruppo (fino a 25 anni)	2° gruppo (oltre 25 anni)
Sicurezza[5] e iniziativa	22%	4%
Vivere con coerenza e ideali	52%	67%
Con lui non ci si annoia mai (ha humor e fantasia)	39%	16%
Un lavoro che dia sicurezza (garanzia di serenità economica)	22%	59%
Bontà d'animo[6], sensibilità e generosità	19%	40%
Conosce l'arte di amare, è appassionato	52%	11%
Sentimentale e romantico	25%	29%
Deve capire l'importanza della fedeltà	68%	72%
Ama la vita semplice e la natura	37%	40%
Tenerezza[7]	40%	66%
Intelligenza	41%	15%
È eccentrico, «diverso» ha un'ambiguità stuzzicante[8]	8%	1%

1 compare
2 stood out
3 indispensable
4 principle
5 confidence
6 kindness
7 tenderness
8 stimulating

VEDIAMO INSIEME

A. Secondo le cifre del sondaggio...

1. quali sono alcune delle qualità più importanti per le giovani?
2. quali caratteristiche sono meno importanti per le donne più mature?
3. qual è la qualità meno desiderata dalle ragazze?
4. cosa cerca, al di sopra di ogni cosa, la donna matura?
5. dove si notano le differenze più grandi fra i due gruppi di intervistate?
6. in quali categorie si avvicinano maggiormente le preferenze di tutte le donne?

B. Secondo questo sondaggio...

1. cosa succede ai gusti delle donne con il passare degli anni? Perché?
2. è ancora popolare la «coppia aperta»? Lo è mai stata? Cosa cercano la maggior parte delle donne? Quali sono le caratteristiche «irrinunciabili» più richieste?

A VOI LA PAROLA

1. Riorganizzate, in ordine di preferenza personale, le caratteristiche elencate nel sondaggio. Spiegate le vostre preferenze e descrivete il vostro uomo ideale.
2. Pensate che un sondaggio fra le donne americane darebbe gli stessi risultati? Perché? Spiegate. Quali caratteristiche «irrinunciabili» aggiungereste voi?
3. Per ognuna delle qualità elencate, trovate un personaggio famoso (mondo dello spettacolo, politica, ecc.) che meglio la rappresenti. Spiegate la vostra scelta.
4. Secondo voi è vero che le donne più «mature» hanno un'idea più realistica del partner ideale? Spiegate. Quale pensate che sarebbe stato il risultato del sondaggio fra un terzo gruppo: quello delle donne dai 40 ai 60 anni?

ANGOLINO DEL RELAX

– Perché te ne vai, Luisa: ho forse fatto qualcosa che ti ha irritata?

NELLA VIGNETTA PRECEDENTE...

1. Perché pensate che la moglie se ne stia andando? Dove andrà? Il marito sembra molto preoccupato? Spiegate. Come avreste reagito voi al posto della moglie o del marito?
2. Come sarà stato lui durante il fidanzamento? Spiegate.
3. Secondo voi, quanto è tipica questa scena? Perché?

Ma l'«uomo vero» somiglia all'ideale femminile?

Da un'indagine condotta in tutta Italia emerge il profilo dell'uomo di oggi: confrontiamo questa realtà con le aspettative[1] e gli ideali delle donne.

Maschio e femmina hanno, nei confronti del partner ideale l'identica aspettativa: secondo l'indagine infatti, ben il 69% degli uomini italiani sogna una donna che sia soprattutto «dolce e affettuosa». Approfondendo[2] i dati, si scopre una figura maschile che ha preso le distanze dal mito e dal plagio del rambismo[3]: il 44% degli intervistati dichiara senza imbarazzo di essere capace di commuoversi fino a piangere; il 66% si definisce «un po' romantico e un po' idealista», il 69% afferma che la massima aspirazione esistenziale è «avere una famiglia felice» e il 49% «avere un rapporto armonioso» con la propria donna.

L'uomo di oggi, insomma, si è «umanizzato» a tal punto che la sua compagna è diventata più realista:

---

[1] expectations
[2] on closer analysis
[3] subjugation of Ramboism

mentre infatti lei vede nella sicurezza economica qualche cosa di assolutamente necessario per una vita serena a due, soltanto il 46% dei maschi considera un lavoro «sicuro e garantito» la massima aspirazione: il marito ambizioso e carrierista[1] sembra esistere soprattutto nella fantasia (e nelle lamentazioni) delle mogli.

Di fatto, ben il 65% della popolazione maschile afferma di aspirare a un'esistenza «molto» o «abbastanza» tranquilla e di sentirsi purtroppo ben lontano da questo ideale. Ben[2] l'85%, infatti, confessa di condurre una vita «molto stressante». Ma, se l'uomo d'oggi è in crisi, mostra una notevole maturità perché se ne assume direttamente la responsabilità. Se per quasi la metà degli italiani «essere uomini e comportarsi[3] da uomini» richiede maggiori difficoltà rispetto a 10–15 anni fa, la donna e l'emancipazione femminile non c'entrano: soltanto il 29% dei maschi dice infatti di incontrare oggi maggiori difficoltà nel rapporto con l'altro sesso.

Tuttavia solo il 21% degli uomini «gradisce» una compagna con temperamento forte. La moglie «deve dare affidamento» ma senza strafare[4]. E qui, volendo ancora una volta approfondire[5] troviamo che il maschio italiano ricade un po' nell'immaturità e nel sogno: vagheggia[6] un'immagine femminile che si riconcilia faticosamente con i problemi e la routine della vita quotidiana. Per il 47% degli uomini la partner ideale deve essere allegra, per il 34% deve essere bella e ben curata[7]; come se non bastasse, deve anche essere una amante stimolante, in grado di offrire un rapporto con «un po' di conquista e di mistero».

---

1 career-oriented, ruthless achiever
2 as much as
3 act
4 must inspire confidence without being overbearing
5 investigate further
6 he cherishes, dreams of
7 take pride in her appearance

IN ALTRE PAROLE

A. Completate le seguenti frasi a modo vostro.

1. Il 69% degli uomini italiani sogna una donna...
2. Il 66% si definisce...
3. Il 49% desidera un rapporto...
4. La maggior parte degli uomini pensa di condurre una vita...
5. Pochi uomini italiani hanno difficoltà...
6. La compagna ideale deve essere...
7. Le compagne con temperamento forte...
8. Per l'uomo italiano, l'ambizione e la carriera...

B. In base all'informazione contenuta nell'articolo rispondete alle seguenti domande.

1. Com'è la donna sognata da gran parte degli uomini italiani?
2. Gli uomini italiani sono «rambisti»? Perché?
3. Quasi la metà degli uomini italiani cosa non si vergogna di fare?
4. Come si definiscono molti uomini italiani?
5. Qual è la maggiore aspirazione di molti italiani?
6. In quale modo l'uomo di oggi si è «umanizzato»?
7. I mariti italiani sono ambiziosi e pensano solo alla carriera?
8. Che genere di vita sogna l'uomo italiano?
9. Che genere di vita pensa di condurre l'uomo italiano?
10. Che genere di compagna sembra preferire l'uomo italiano?
11. Perché sarebbe ancora un po' «immaturo» l'uomo italiano?

A VOI LA PAROLA

A. Siete d'accordo con le seguenti affermazioni? Spiegate.

1. L'emancipazione femminile non presenta difficoltà per i maschi.
2. Il marito ambizioso e «tutto carriera» esiste solo nella fantasia delle mogli.
3. In realtà, la maggior parte degli uomini sono romantici e un po' idealisti.

B. Dopo aver letto il precedente articolo...

1. Come vi immaginate l'uomo italiano? È differente da come ve lo immaginavate prima? Spiegate.
2. Pensate che gli uomini italiani siano veramente un po' immaturi? Perché?

3. Secondo voi, perché l'autore dell'articolo dice che l'uomo italiano ha «un'immagine femminile che si riconcilia faticosamente con i problemi e la routine della vita quotidiana»?

C. Componimento. Siete stati(e) incaricati(e) dal vostro giornale di scrivere un articolo sul «vero uomo americano». Servendovi del precedente articolo come modello, intervistate i vostri compagni e scrivete un breve articolo che rifletta le loro opinioni, aspirazioni e sogni.

ANGOLINO DEL RELAX

Il nuovo ruolo dell'uomo nella famiglia moderna

– Smettila di chiamarmi mamma!

NELLA VIGNETTA PRECEDENTE...

1. Dove si trova il padre? Cosa sta facendo? Cosa porta? Perché? Pensate che si stia divertendo? Perché?
2. Cosa avrà detto il bambino? Perché? Come reagisce il padre? Dove sarà la madre del bambino? Pensate che questa sia una scena consueta in quella casa? Perché?

VEDIAMO INSIEME

1. Secondo il disegnatore della vignetta, come è cambiato il ruolo dell'uomo in casa? Cosa ne pensate voi? Pensate che questo possa creare problemi di identificazione per i figli?
2. Secondo voi scene del genere sono frequenti nelle famiglie moderne? Vi pare strana l'attività del padre? Ci sono attività casalinghe che sono più propriamente «maschili» o «femminili»? Quali? Spiegate.

— No, caro: i bambini non si lavano come le auto!

3. Indicate, secondo voi, a chi si addicono meglio le seguenti attività familiari: all'uomo o alla donna? Spiegate le vostre ragioni.
   a. lavare i piatti
   b. fare il bucato e stirare[1]
   c. cucinare
   d. tagliare l'erba
   e. fare la spesa
   f. accudire[2] ai bambini
   g. dipingere le pareti delle camere
   h. portare a spasso il cane
   i. occuparsi di un neonato[3]
   j. pagare i conti di casa
   k. aggiustare un rubinetto[4]
   l. passare l'aspirapolvere[5]
4. La famiglia moderna e i bambini. Nei rapporti fra genitori e figli, ci sono responsabilità che si addicono più al padre e altre che sono più propriamente della madre? Fate un elenco di almeno cinque per ognuno dei genitori e discutete le vostre scelte.

[1] wash clothes and iron
[2] take care of
[3] newborn child
[4] faucet
[5] vacuum

LUOGHI COMUNI (O CLICHÉS). Nella nostra società si sono creati molti luoghi comuni che forse oggi cominciano a scomparire. Cosa pensate voi dei seguenti? Spiegate la vostra opinione riguardo ognuno di essi dando esempi pratici e concreti dove è possibile.

1. Gli uomini hanno più controllo di sé e delle proprie emozioni.
2. L'uomo veramente virile non piange perché così perderebbe di dignità.
3. Alla donna non piacciono gli uomini che si interessano alla cucina o alle faccende domestiche.
4. Agli uomini non piace la danza classica.
5. Alle donne non piacciono gli sport violenti come il pugilato e il football.
6. Gli uomini non s'intendono di moda. Domandare consigli ad un uomo riguardo un vestito è una perdita di tempo.
7. Alle donne piace pettegolare[1].
8. Nella famiglia, il padre rappresenta l'autorità e la disciplina, la madre la dolcezza e la comprensione[2].
9. La donna in carriera è una «mangia-uomini».
10. Chi veramente comanda nella casa è la donna.

L'uomo elegante

Che cosa significa essere veramente eleganti? Avere stile? Vestire come vuole la moda (se pur con giudizio[3]) o restare inalterati[4] nel tempo? L'eleganza maschile è un concetto abbastanza difficile da esemplificare[5]. Come lo stile, anche l'autentica eleganza maschile, che è parte integrante dello stile, è fatta di sfumature[6], sensazioni, atteggiamenti, ma anche di esteriorità[7], di modo di porsi agli occhi altrui[8]. Non a caso Oscar Wilde, ritenuto dai suoi contemporanei un vero *dandy,* diceva che solo le persone di poco intelletto non giudicano dalle apparenze. E voi, vi sentite sicuri di voi stessi? Potete affermare, senza esitazioni di appartenere alla categoria dei veri eleganti? Rispondete alle domande. Per ognuna è possibile un solo tipo di risposta. Alla fine, calcolando[9] le diverse lettere totalizzate, potrete scoprire a quale tipo appartenete.

[1] to gossip
[2] understanding
[3] with good sense
[4] unchanged
[5] to illustrate
[6] shades, gradations
[7] outward appearances
[8] of how one chooses to look to others
[9] adding up

TEST. Essere eleganti vuol dire avere successo, essere sicuri di sé e del proprio gusto. Significa crearsi[10] uno stile personale senza essere costretti a copiare gli altri. Rispondendo a queste domande potete entrare nel circolo escusivo degli uomini veramente eleganti.

1. Un vero uomo elegante:
   a. non indossa mai i jeans
   b. porta sempre la cravatta
   c. non usa mai la ventiquattrore rigida[11]

2. Il massimo dell'ineleganza[12] è:
   a. lasciare vedere le bretelle[13] anche se colorate
   b. andare con l'abito scuro a un party in cui è richiesto lo smoking[14]
   c. indossare i mocassini, anche se neri, con lo smoking

3. Quando e dove indossare una vecchia giacca di tweed con le toppe sui gomiti[15]:
   a. non ne possedete neanche una: tutto il vostro guardaroba è nuovissimo
   b. esclusivamente nei weekend in campagna o la mattina al parco per far correre il vostro labrador
   c. durante il giorno, sul lavoro, ma mai dopo le otto di sera se non a casa vostra

4. Il panciotto[16] sotto la giacca va portato:
   a. anche completamente slacciato purché indossato con disinvoltura[17]
   b. il primo e l'ultimo bottone aperto
   c. abbottonato completamente

5. Con un abito azzurro cielo di cotone o un seersucker a righe molto leggero per una calda estate in città portereste scarpe bianche:
   a. solo scarpe bianche ma sempre con calzini bianchi
   b. è un problema che non vi riguarda perché non indossate mai abiti chiari
   c. mai. Le scarpe bianche non sono ammissibili[18] e tanto meno i calzini bianchi

[10] creating for oneself
[11] overnight case
[12] lack of elegance
[13] suspenders
[14] tuxedo
[15] elbow patches
[16] vest
[17] unbuttoned but worn with coolness
[18] are not acceptable

6. Qual è il vostro atteggiamento nei confronti della pochette (fazzoletto da taschino):
   a. è fondamentale nell'eleganza maschile e passate delle ore a sistemarla
   b. è un oggetto di cattivo gusto
   c. la usate qualche volta ma sempre infilata in modo casuale[1]
7. Riguardo alle calze:
   a. devono accordarsi[2] con la cravatta
   b. è un problema che non vi riguarda perché le portate sempre dello stesso colore
   c. devono armonizzare con il colore dei pantaloni
8. Per quanto riguarda il cappotto:
   a. ne basta uno per tutte le ore del giorno o della sera
   b. non avete cappotto, ma soltanto giacconi perché li considerate «così comodi»
   c. pensate che l'uomo elegante debba avere almeno due cappotti, di cui uno scuro per la sera
9. Vi regalano una camicia da notte[3]:
   a. andate subito a cambiarla con un pigiama
   b. la indossate anche se vi sentite imbarazzati
   c. esclamate «finalmente qualcosa di comodo» e la indossate la notte stessa
10. In un paese straniero:
   a. vi affrettate a vestirvi come la gente del luogo (sombrero, gonnellino scozzese[4], ecc.)
   b. continuate a vestirvi come in patria, costi quel che costi
   c. cercate di adattare il vostro guardaroba alle condizioni del luogo in cui vi trovate

SOLUZIONE:

Se avete totalizzato [10c] siete perfetti. Lo stile per voi non è un'espressione astratta, voi siete lo stile stesso. Siete sicuri di voi. Se le risposte [c] sono nella maggioranza, avete un certo stile ma siete ossessionato dalla preoccupazione di farlo notare costantemente. Se prevalgono le risposte [b] siete sulla buona strada; applicandovi potreste crearvi un vostro stile. Avete però una certa tendenza all'anticonformismo e una totale mancanza di senso dell'umorismo. Siete, insomma, un po' schiavo dei preconcetti[5]. Se prevalgono le risposte [a] siete un mezzo disastro. Per voi lo stile è quello degli altri.

VEDIAMO INSIEME

A. Cosa significa essere eleganti? È facile dare un esempio di eleganza maschile? Perché? In che cosa consiste l'eleganza maschile? Chi era Oscar Wilde? Cosa diceva riguardo l'eleganza?

B. Ripetete le seguenti frasi, esprimendo a modo vostro le parole indicate.

1. Un vero uomo elegante <u>non indossa mai</u> i jeans.
2. Non è molto elegante andare <u>a un party senza lo smoking</u>.
3. <u>La pochette è fondamentale</u> all'eleganza maschile.
4. Le calze <u>devono armonizzare</u> con la tinta dei pantaloni.
5. Se vi regalano una camicia da notte <u>la indossate la notte stessa</u>.
6. <u>In un paese straniero vi affrettate</u> a vestirvi come la gente del luogo.

C. Date il contrario delle parole o espressioni indicate:

1. <u>Un uomo elegante</u> porta i jeans.
2. Anche nel vestire bisogna <u>essere sicuri di sé</u>.
3. Si può anche portare il panciotto <u>abbottonato</u>.
4. Il suo guardaroba <u>è nuovissimo</u>.
5. Lui porta la giacca di tweed soltanto <u>il weekend</u>.
6. La pochette è un oggetto <u>di cattivo gusto</u>.

---

[1] casually inserted
[2] match
[3] nightshirt
[4] kilt
[5] preconceived notions

A VOI LA PAROLA

1. Se avete fatto il test, quali risultati avete ottenuto? Siete d'accordo con le soluzioni date nell'articolo? Spiegate le vostre ragioni.
2. Siete d'accordo con le definizioni di «eleganza» e di «stile» presentate nell'articolo? Spiegate. Pensate che sia più difficile dare esempi di eleganza maschile che di eleganza femminile? Cosa significa per voi eleganza? stile? Vi preoccupate di essere eleganti voi? In quali occasioni?
3. Secondo voi qual è il colmo dell'eleganza per un uomo? Per una donna? Qual è il colmo del cattivo gusto (nel vestire) per un uomo? Per un uomo anziano? Per una ragazza? Per una donna? Per una donna anziana?
4. Chi si preoccupa di più di seguire la moda o di essere elegante: gli uomini o le donne? Secondo voi, perché? In quali situazioni? Spiegate.
5. Un vecchio proverbio italiano dice: «l'abito non fa il monaco»[1]. Siete d'accordo con questo detto? Pensate che come uno si veste sia importante? Si può giudicare una persona da come veste? Sono gli italiani o gli americani più propensi[2] a giudicare una persona dall'abito? Le donne o gli uomini? La classe media o l'alta società? Spiegate.

[1] clothes do not make the man (*lit.:* the cassock does not make the monk)

[2] inclined

TAVOLA ROTONDA

Le ragazze devono elencare, in ordine di importanza, cinque caratteristiche «irrinunciabili» in un marito. I ragazzi devono elencare quali sono, secondo loro, le caratteristiche maschili che le donne preferiscono. Mettete a confronto e discutete i risultati del vostro «mini-sondaggio».

Componimento: «La rubrica di Petronio»[3].

Siete responsabili di una rubrica sull'eleganza maschile (o femminile) di una famosa rivista. Compilate un test sul «Massimo dell'ineleganza».

ANGOLINO DEL PAROLIERE

Sapete esprimervi bene? In tutte le occasioni? Trovate sempre le parole appropriate al momento o alla situazione? Eccovi un breve elenco di parole ed espressioni che potrebbero esservi utili in date situazioni.

1. Prima di uscire insieme per la prima volta siamo pieni di sogni e di illusioni.

trovare (incontrare) l'anima gemella	to meet one's match (kindred soul)
farsi delle illusioni	to kid oneself
incontrare il Principe Azzurro	to meet Prince Charming
Lui (lei) è simpatico(a).	He (she) is charming (has a pleasant personality).
Lei è carina.	She is pretty.
Lui è bello.	He is handsome.
È proprio l'uomo (la donna) dei miei sogni.	He (she) is really the man (woman) of my dreams.
È proprio il mio tipo. (È il tipo che fa per me.)	He (she) is really my type.

[3] Petronius, a Roman noble at the time of Nero. Was so well-known for his refinement and elegance that he was called «teacher of elegance» by his contemporaries.

2. Talvolta le apparenze ingannano e la prima impressione non è quella giusta.

Non posso sopportarlo (la).	I can't stand him (her).
Mi prende proprio per un(a)...	He (she) really takes me for a . . .
Si dà troppe arie. È proprio un pallone gonfiato.	He (she) is really full of himself (herself).
È un Don Giovanni.	He's a playboy.

3. Se tutto è andato bene, le espressioni seguenti potrebbero servirvi.

Tutto va a gonfie vele.	It's smooth sailing.
È un tesoro.	He (she) is a darling.
È un amore.	He (she) is a love.
anima mia	my love (*lit.:* my soul)
amore mio	my love
tesoro (gioia)	darling (*lit.:* treasure, joy)
Ti voglio bene.	I love you.
Voglio trascorrere tutti i miei giorni al tuo fianco.	I want to spend my life at your side.
Sono innamorato/a (pazzo/a) di te. Ti amo alla follia.	I am (madly) in love with you.
Ti adoro.	I adore you.
Sposiamoci.	Let's get married.

4. E poi c'è sempre chi è pronto a criticare.

Cammina sulle nuvole.	He (she) is walking on clouds.
Lei gli fa gli occhi di triglia.	She is casting sheep's eyes at him.
Gli fa gli occhi dolci.	She's making eyes at him.
Sembrano due scolaretti.	They are holding hands. (*Lit.:* They look like two schoolchildren.)
Vanno sempre mano in mano.	They are always walking hand in hand.
È stato un colpo di fulmine.	It was love at first sight.
La segue come un cagnolino.	He follows her like a puppy.

5. Infine, ecco delle espressioni per fare gli auguri alla giovane coppia.

Auguri.	Best wishes. Congratulations.
Possiate essere sempre così felici.	May you always be so happy.
Vi auguro tanta felicità.	I wish you much happiness.

A VOI LA PAROLA

A. Una vostra amica esce per la prima volta con un nuovo ragazzo. Qualche settimana più tardi le seguenti persone cominciano a fare commenti. Cosa dice...

1. suo fratello?
2. la sua migliore amica?
3. suo padre?
4. voi?
5. l'ex-ragazza del suo ragazzo?
6. una vecchia vicina?

B. In quale situazione sarebbero appropriati i seguenti commenti?

1. È stato un colpo di fulmine!
2. Sembrano due scolaretti!
3. Sembra che cammini sulle nuvole.
4. Ti amo alla follia.
5. Non posso proprio sopportarlo più!
6. È inutile che tu ti faccia delle illusioni.
7. Voglio trascorrere tutti i miei giorni al tuo fianco.
8. Sei proprio un tesoro.

C. Shakespeare 2000. Preparate e presentate al resto della classe una delle seguenti situazioni.

1. Giulietta al balcone nell'anno 2000. Come si svolgerebbe la famosa scena? Scrivete un breve dialogo fra i novelli Romeo e Giulietta.
2. Giulietta e Romeo vogliono sposarsi. Quale sarebbe la reazione dei rispettivi genitori una volta messi al corrente delle nozze?

VOCABOLARIO

SOSTANTIVI

amicizia	friendship
colf (f.)	housekeeper, maid
completo	(man's) suit
conoscenza	acquaintance
fede (f.) (o vera)	wedding band
felicità	happiness
fidanzamento	(wedding) engagement
fidanzata	fiancée
fidanzato	fiancé
gelosia	jealousy
invidia	envy
luna di miele	honeymoon
matrimonio	wedding
nozze (f. pl.)	wedding
pettegolezzi (m. pl.)	gossip
piani (m. pl.)	plans, projects
ragazzo	boyfriend
ragazza	girlfriend
scapolo	bachelor
sentimento	feeling
spezzato	coordinated jacket and trousers
sposa	bride
sposi	newlyweds
sposina	young bride
sposino	young bridegroom
sposo	bridegroom
solitudine (f.)	loneliness
viaggio di nozze	honeymoon

AGGETTIVI

affettuoso	affectionate
appassionato	passionate
arretrato	backward
attraente	attractive
duraturo	lasting
(in)fedele	(un)faithful
geloso	jealous
innamorato (di)	in love (with)
insopportabile	unbearable, insufferable
invidioso	envious
ovvio	obvious
permaloso	touchy, peevish
piacevole	pleasing, pleasant
puerile	childish
scontroso	difficult (in temper)
timido	shy
vanitoso	vain

VERBI

abbracciare	to hug, to embrace
adattarsi	to manage, to adapt oneself
asserirsi	to assert oneself
baciare	to kiss
civettare	to flirt (said of a woman)
condividere	to share
dare fastidio	to bother
divorziare	to divorce
fidanzarsi (con)	to become engaged (to)
giudicare	to judge
odiare	to hate
osare	to dare
rassegnarsi	to resign oneself
rassettare	to set in order
sposare	to marry
sposarsi	to get married
temere	to fear
uscire (con)	to go out with, to date

ESPRESSIONI

le faccende di casa	housework
fare piacere a qualcuno	to please someone
fare rinunce	to give something up, to do without
farsi carico (di)	to assume the burden (of)
guai a...!	woe to . . . !
mettere su casa	to set up house
se non...	unless
tenere conto (di)	to take into account
tenere presente	to bear in mind

PER CHIUDERE IL DISCORSO

A. L'intrusa. In ogni gruppo di parole trovate quella che non è in relazione con le altre. Spiegate il perché.

1. sposarsi	fidanzarsi	uscire con	passeggiare
2. cappotto	cappello	fazzoletto	guanti
3. carriera	professione	lavoro	hobby
4. fare la spesa	scrivere	stirare	fare il bucato
5. matrimonio	appuntamento	luna di miele	fidanzamento
6. gelosia	amore	odio	indifferenza

B. Opposti. Cercate nel secondo gruppo il contrario delle parole contenute nel primo gruppo.

1. odiare	a. tristezza
2. rassettare	b. riservato
3. puerile	c. brutto
4. arretrato	d. divorzio
5. fedele	e. amare
6. attraente	f. mettere in disordine
7. felicità	g. maturo
8. incontrarsi	h. moderno
9. espansivo	i. infedele
10. matrimonio	j. lasciarsi

C. Derivati. Trovate i nomi che corrispondono ai seguenti verbi.

verbo	nome
1. sposarsi	____________
2. fidanzarsi	____________
3. vestirsi	____________
4. salutarsi	____________
5. baciarsi	____________
6. accompagnare	____________
7. litigarsi	____________
8. invitare	____________

D. Date un sinonimo o la definizione delle seguenti parole.

1. colloquio	6. accudire
2. coetaneo	7. convivenza
3. interlocutore	8. riscontrare
4. interpellare	9. tallonare
5. bouquet	10. casalinga

E. Positivo-negativo. Seguendo il modello, formate l'opposto delle seguenti parole. Usate ognuna in una frase originale.

positivo	negativo
1. certo	incerto
2. sufficiente	____________
3. capace	____________
4. completo	____________
5. accettabile	____________
6. felice	____________
7. fedele	____________
8. giusto	____________
9. sopportabile	____________
10. compatibile	____________

F. La coppia in televisione. In questi ultimi anni i programmi e i giochi televisivi che hanno coppie di spettatori come protagonisti sono aumentati di numero e di popolarità. I seguenti sono titoli di alcuni recenti «talk shows» italiani. Giudicando dal titolo potreste indovinare per ciascuno di essi il probabile contenuto del programma, il genere di argomenti che il programma tratta e i protagonisti (coppia di novelli sposi, sposi in luna di miele, coppia matura, anziana, separata, ecc.)?

1. «Quando si ama»
2. «Gioco delle coppie»
3. «Agenzia matrimoniale»
4. «L'amore è una cosa meravigliosa»
5. «Harem»
6. «C'eravamo tanto amati»
7. «Cari genitori»
8. «Tra moglie e marito»[1]
9. «Sentieri»
10. «Topazio»

[1] The title is derived from an old Italian proverb: *«Tra moglie e marito non mettere il dito»* (Do not interfere between husband and wife).

G. Showbusiness. Volete convincere una stazione televisiva a finanziare e mettere in onda uno spettacolo sulla coppia moderna, concepito da voi. Spiegate di che cosa tratta il programma, chi sarebbero gli ospiti (o i protagonisti), a quale pubblico è diretto, e il nome che dareste al programma.

H. Le ultime parole al telefono. Con un compagno/una compagna di classe completate con almeno sette o otto battute la seguente conversazione telefonica fra due fidanzati il giorno prima delle nozze. Presentate lo scambio davanti alla classe.

Il telefono squilla:	driiiiing...
Lui:	Pronto.
Lei:	Ciao tesoro...

I. Allo specchio degli altri. Come vi descriverebbe ognuna delle seguenti persone?

1. vostra madre
2. vostro padre
3. i vostri vicini
4. il vostro ragazzo
5. la vostra ragazza
6. un vostro professore
7. vostro fratello o vostra sorella

CAPITOLO VI

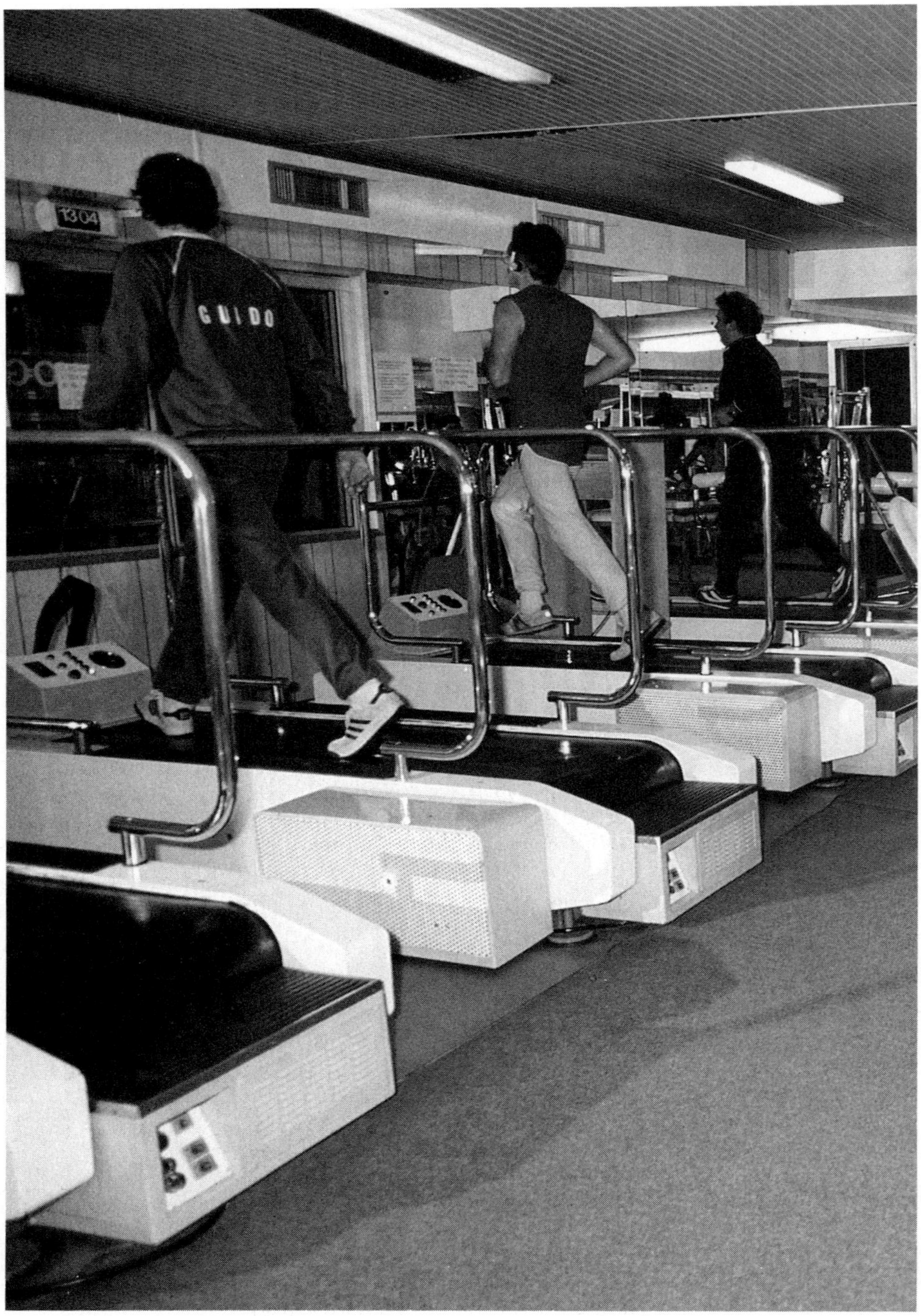

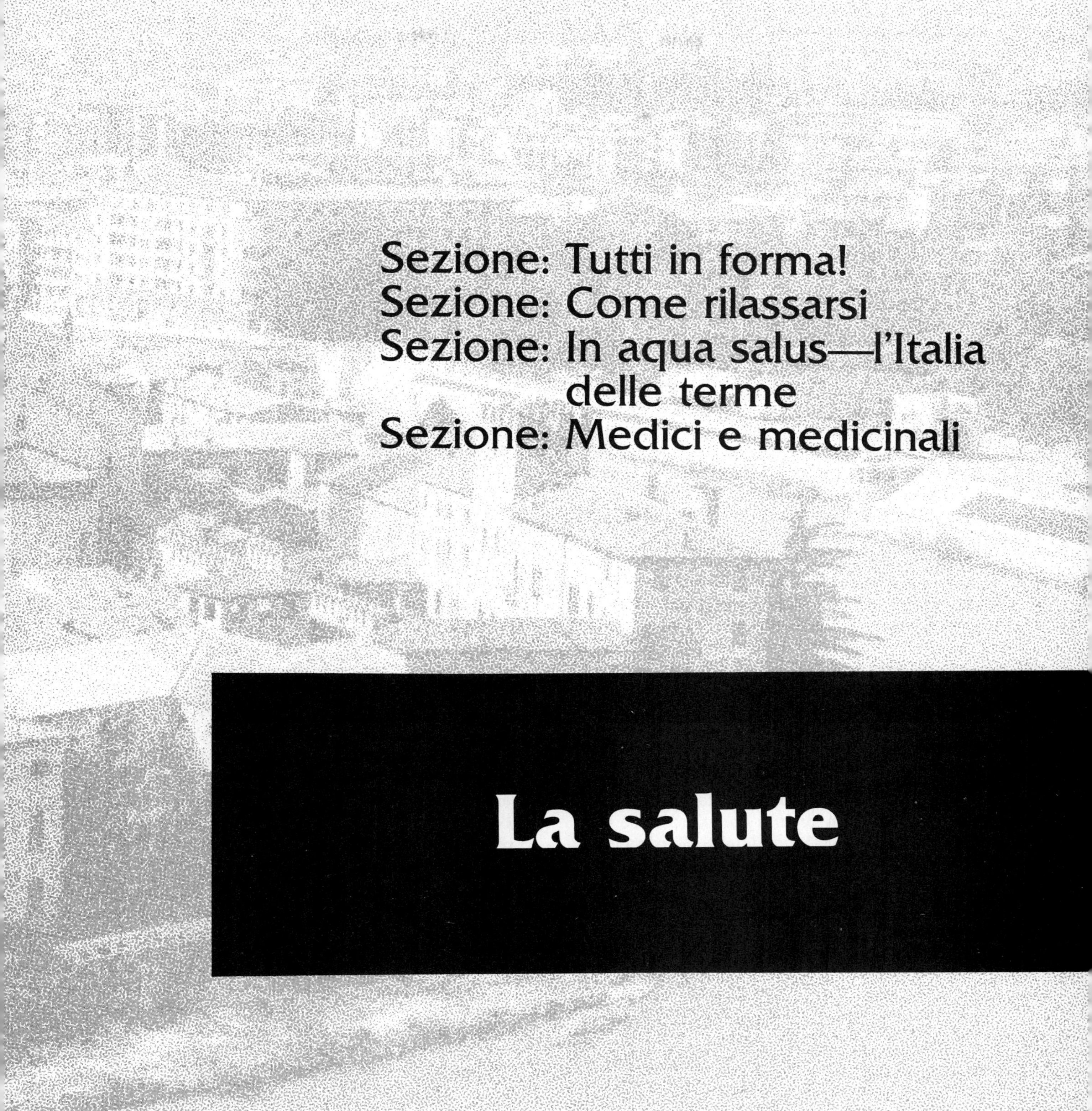

Sezione: Tutti in forma!
Sezione: Come rilassarsi
Sezione: In aqua salus—l'Italia delle terme
Sezione: Medici e medicinali

La salute

IN POCHE PAROLE

1. Il miracolo economico degli anni Sessanta e Settanta in Italia è stato accompagnato da un altro fenomeno di espansione, meno aspettato e sicuramente più pericoloso: quello della vita (o cintola)[1]. La metà degli italiani al di sopra dei 30 anni è in sovrappeso[2]. Gli italiani degli anni Ottanta ingeriscono[3] a tavola più calorie degli americani. D'altro canto, fra i pasti gli italiani tendono finora a spizzicare con[4] *junk food* meno degli americani. Con il benessere economico c'è stato un cambiamento di dieta in Italia: meno proteine vegetali, più proteine animali. Il burro è apparso sempre più spesso sulla tavola degli italiani; prima lo si trovava soltanto nei pranzi molto eleganti o con il pane e la marmellata[5] nella merenda[6] dei bambini. L'uso del burro, che prima era più limitato alla cucina settentrionale, ora si è esteso al resto della penisola. La carne, specialmente quella rossa, ha cominciato sempre più spesso a far parte del pranzo italiano sostituendo il pesce. Per un certo periodo l'Italia è stata una delle più grandi importatrici di manzo[7], dagli Stati Uniti e dall'America del Sud.

   In questi ultimi anni, grazie ad un'intensa campagna condotta da medici e dietologi su tutti i mass media, l'italiano si è reso più consapevole dei problemi di sovrappeso, colesterolo, ipertensione e così via. Sta quindi nuovamente cambiando le sue abitudini alimentari ritornando, per così dire, alle sue radici e riscoprendo la vecchia cucina casalinga fatta di alimenti[8] più naturali e ben bilanciati tra loro e quindi migliori per la salute. Le virtù dell'olio di oliva, particolarmente quello vergine (cioè non raffinato), sono ora riconosciute anche dai medici. È stato appurato[9] che anche l'umile pizza, mangiata in moderazione, è un pranzo completo in sé: ha carboidrati (nella pasta), minerali e vitamine (nel pomodoro), olio, e proteine (nella mozzarella). Una pizza Margherita normale ha 500 calorie ed è composta di elementi sani e necessari alla buona salute!

[1] waistline
[2] overweight
[3] take in
[4] nibble on
[5] marmelade, fruit preserves
[6] mid-afternoon snack
[7] beef
[8] foods
[9] proven, verified

2. Anche se il sistema americano dell'orario unico[10] si è diffuso in quasi tutti i centri industriali e commerciali, la maggior parte degli italiani continua a godere (e ad avere diritto per contratto) un intervallo relativamente lungo per il pasto di mezzogiorno. Il turista che si trova a viaggiare, particolarmente nelle città dell'Italia centrale e meridionale, e soprattutto d'estate, si renderà presto conto che fra mezzogiorno e le due gli sarà praticamente impossibile andare in banca, fare le spese o anche comprare un giornale.

   Di fronte al *breakfast* americano, la prima colazione degli italiani è abbastanza semplice e rapida. Consiste di caffè o caffellatte e un maritozzo, un cornetto o una brioscia[11], oppure fette biscottate[12] con marmellata. Il pasto di mezzogiorno può consistere di un primo piatto di minestra[13] o di pasta e un secondo di carne o pesce con contorno di verdure cotte o crude. Se il pasto principale è stato a mezzogiorno, la cena è più leggera e può consistere di uova, verdure (cotte o crude), salumeria[14] e formaggi. Ad ognuno di questi pasti bisogna, ovviamente, anche aggiungere la frutta fresca. Gli italiani sono grandi mangiatori di frutta fresca e difficilmente si sognerebbero di completare un pranzo o una cena senza questa. Anche quando si mangia fuori casa, sia al ristorante che ad una tavola calda, la frutta di stagione non manca quasi mai. D'altro canto, gli italiani non sono grandi mangiatori di dolci e di gelati. Il gelato in particolare è qualcosa da godere, seduti al bar, un pomeriggio o una serata d'estate. Il dolce è riservato piuttosto alla domenica o alle occasioni speciali. Quello che invece spesso conclude il pasto dell'italiano «tipico» è, insieme al caffè, il «digestivo». Questo è un piccolo bicchierino di un liquore fatto a base di varie erbe medicinali e aromatiche. Ogni regione italiana, e sicuramente ogni antico monastero, ha il suo digestivo caratteristico i cui ingredienti principali sono segreti custoditi gelosamente. Molti dei digestivi commerciali hanno diffusione nazionale e sono conosciuti anche all'estero. Ultimamente sembra che molti turisti americani, al ritorno dall'Italia, abbiano riportato con sé il gusto del digestivo (come

[10] continuous work day
[11] various types of rolls made with eggs, butter and flour, though less sweet than Danish and less buttery than the French croissant.
[12] rusks
[13] Soup. Under this category, Italians include a great variety of vegetable soups, some more liquid, some denser, with or without pasta or rice.
[14] cold cuts

anche dell'aperitivo[1]); per cui alcuni di questi prodotti come il Fernet Branca, il Cynar, l'Amaro Averna, il Fra Angelico, si trovano sempre più spesso sugli scaffali delle bottiglierie[2] americane.

3. Per quanto riguarda la salute, gli italiani danno molta importanza al valore curativo delle terme[3]. L'Italia è forse il paese più ricco di terme di tutto il mondo: acque, bagni e fanghi[4] termali si trovano dalle Alpi alla Sicilia e alla Sardegna; le cure termali hanno un ruolo di importanza primaria nella medicina e nella terapia non soltanto italiana, ma anche europea. Quasi un terzo delle persone che visitano le varie terme italiane sono stranieri. Le terme sono usate a scopo estetico, o per alleviare e curare malattie che vanno dall'artrite alle malattie del fegato, dall'asma a malattie dello stomaco e della digestione.

4. Se il medico vi dà una ricetta[5] andate in farmacia per farla spedire[6]. Completamente differente dal *drugstore* americano, la farmacia italiana è un locale molto più specializzato e spesso più austero di apparenza. Anche ad occhi chiusi la farmacia italiana si riconosce subito dall'odore caratteristico che è una mescolanza di medicine, di aromi di erbe e di prodotti di bellezza per la salute estetica. Oltre a medicine ed erbe medicinali per tisane[7], la farmacia italiana vende anche prodotti speciali di profumeria (come certe creme e saponi), prodotti per l'igiene e spesso anche alimenti per neonati e infanti. Inoltre, molte medicine che negli Stati Uniti hanno bisogno di una ricetta medica, in Italia possono essere distribuite direttamente dal farmacista. Anzi, il farmacista del quartiere è spesso il primo a cui l'italiano ricorre per disturbi non gravi o influenze.

Sarà utile ricordare che, anche quando molte farmacie sono chiuse (come di notte, di domenica o per i giorni festivi) in ogni quartiere c'è sempre una farmacia di turno aperta; trovare le farmacie di turno è facile perché orario di servizio, indirizzo e numero telefonico sono sempre indicati nei giornali locali e spesso anche sulla porta delle farmacie chiuse. Chi si sente veramente male potrà sempre rivolgersi al Pronto Soccorso[8].

[1] before-dinner drink, often bitter
[2] liquor stores
[3] thermal spas
[4] mud baths
[5] prescription
[6] to have it filled
[7] herbal teas
[8] emergency

INTAVOLIAMO IL DISCORSO

1. Gli americani hanno problemi di dieta? Elaborate. Quali sono gli alimenti principali nella dieta del tipico americano? Quali sono alcuni ingredienti caratteristici della cucina americana? È ovvio che, per bene o per male, la *Coca Cola, McDonald's* e *Kentucky Fried Chicken* hanno invaso il resto del mondo. Secondo voi, ci sono altri prodotti alimentari o piatti americani che bisognerebbe far conoscere in altri paesi? Quali? Spiegate le vostre scelte.
2. Fate il confronto fra i pasti degli americani e quelli degli italiani. Quali differenze ci sono? Secondo voi, è preferibile cominciare la giornata con una colazione abbondante o con una colazione leggera, all'italiana? Qual è migliore per la salute? Spiegate. Cosa ne direste voi di un intervallo di una o due ore a metà giornata lavorativa? Come impieghereste il tempo? Cosa fareste se anche negli Stati Uniti i negozi, le banche e altri servizi pubblici e locali chiudessero da mezzogiorno fino all'una o alle due?

fa gola, *makes the mouth water*
ortaggi, *vegetables*
pollame, *poultry*
gioco di equilibrio, *balancing act*
energia che si spende, *energy one burns*
riquadro, *insert*
frutto goloso, *mouth-watering fruit*

3. Ci sono acque termali negli Stati Uniti? Dove? Per che cosa vengono usate? Ci sono acque minerali? Vengono usate durante i pasti? Cosa bevete voi a tavola?
4. Quali differenze trovate fra le farmacie italiane e quelle americane? Cosa si vende nei *drugstores?* Per quali medicine si ha bisogno di una ricetta negli Stati Uniti? Quali si possono comprare senza ricetta medica? Perché c'è bisogno di avere una ricetta per molte medicine? Cosa fate voi in caso di emergenza?

Mangiare all'italiana = salute

VEDIAMO INSIEME

1. Quanti degli alimenti raffigurati potete riconoscere e nominare? Fatene un elenco.
2. Per ognuno dei gruppi alimentari elencati nel riquadro, trovate due o tre alimenti raffigurati nella fotografia del...
   a. gruppo 1
   b. gruppo 6
   c. gruppo 7
   d. gruppo 3
3. Quali sono alcune delle varietà di alimenti di cui l'Italia può essere orgogliosa? Di che cosa ha bisogno il nostro corpo? In che quantità?
4. In base a cosa sono classificati i vari alimenti? In cosa consiste una dieta ben bilanciata? Cosa bisognerebbe mangiare ogni giorno? Perché?

IN ALTRE PAROLE

A. Trovate un sinonimo per ognuna delle parole o espressioni indicate nelle seguenti frasi.

1. La salute è bella perché è varia.
2. Quale paese vanta una maggiore varietà di prodotti alimentari?
3. Carni e pesci di casa nostra.
4. Equilibrio delle giuste combinazioni di alimenti.
5. Il riquadro classifica gli alimenti secondo le loro proprietà nutritive.
6. Un frutto goloso.
7. Un frutto che è anche a buon mercato.
8. Un buon programma alimentare prevede almeno un alimento da ognuno dei gruppi.

B. Spiegate in parole vostre il significato delle seguenti espressioni riprese dalla pubblicità.

1. La salute fa gola a tutti.
2. La salute è un gioco di equilibrio.
3. La salute è un frutto di stagione.
4. La salute è bella perché è varia.

A VOI LA PAROLA

1. Quale degli slogan elencati nell'esercizio precedente vi colpisce di più? Cosa vi colpisce maggiormente nella fotografia? Perché? C'è qualcosa che vi lascia indifferenti o che addirittura provoca in voi una reazione negativa? Spiegate le vostre reazioni.

2. Pensate che il messaggio di questa pubblicità sia convincente? Perché? Quali, secondo voi, sono gli elementi migliori? Quali sono i peggiori? Perché?

3. Un proverbio italiano dice: «Uccide più la gola che la spada». Potreste spiegarne il significato? Tenete presente che «gola» in italiano significa non soltanto *throat* ma anche *gluttony* e *greed.* Pensate che il proverbio abbia ragione? Perché? Potreste darne qualche esempio pratico? Conoscete qualche detto simile in inglese o in un'altra lingua?

4. Ovviamente la pubblicità precedente, oltre a parlare del mangiare sano, reclamizza i prodotti italiani. Ispirandovi alla pubblicità discussa, preparatene una simile cominciando con questo slogan: «Mangiare all'americana. Una tradizione...». Indicate le immagini che usereste, i prodotti, gli slogan e i ragionamenti.

COMPONIMENTO

1. La mia dieta. In base alla classifica degli alimenti contenuta nel riquadro, come è la vostra dieta? Fate un elenco di quello che mangiate nel corso di una giornata inserendolo nei gruppi alimentari appropriati. La vostra dieta è ben bilanciata o no? Cosa manca? Cosa mangiate che non dovreste mangiare. Perché lo mangiate?
2. L'angolino del dietista. Siete incaricati di scrivere un breve articolo per il giornale della vostra scuola sul mangiare bene. Prendendo lo spunto dalla pubblicità precedente, scrivete un breve articolo basandovi su dati di fatto scientifici. Indicate anche quale immagine, disegno o fotografia usereste per illustrarlo in modo da attirare l'attenzione dei vostri lettori.

E sulla tavola? Quali sono le bevande preferite degli italiani?

Un recente sondaggio fra uomini e donne della classe dirigente[1] italiana, cioè gli *opinion makers* (imprenditori, dirigenti, liberi professionisti[2]) ha dato risultati in parte scontati[3] e in parte inaspettati. Sembra che la classe dirigente italiana beva soprattutto vino. Poi birra e superalcolici[4]. Ma anche tanta e tanta acqua: del rubinetto[5] o minerale, naturale o gasata.

Il vino sembra essere al primo posto, ma non per le donne. Altre differenze alquanto notevoli si riscontrano fra le varie regioni dell'Italia.

Nel Nordest la birra è la bevanda preferita in quasi il 50% dei casi. Al Sud e nelle grandi isole che conoscono il caldo vero, si preferisce l'acqua alle bevande alcoliche, particolarmente fra coloro che hanno superato i 60 anni. Il latte? Molto gradito al Centro, è bevuto da tutti in Italia, ma molto poco. I giovani al di sotto dei 30 anni preferiscono acqua minerale, birra e succhi di frutta.

Ecco in ordine di preferenza, le dodici bevande che appaiono sulla tavola degli italiani.

	Uomini	Donne	Giovani al di sotto di 30 anni
1.	vino	acqua minerale non gasata	acqua minerale non gasata
2.	birra/acqua minerale non gasata	vino	birra
3.	superalcolici	acqua minerale gasata	succhi di frutta
4.	acqua minerale gasata	spremute	cola
5.	acqua del rubinetto	succhi di frutta	aranciate
6.	spremute	cola	spremute
7.	cola	latte	acqua del rubinetto
8.	succhi di frutta	acqua del rubinetto	
9.	latte		
10.	acqua tonica		
11.	aranciate		

[1] ruling class
[2] managers, company presidents, self-employed professionals
[3] expected
[4] hard liquors
[5] from the faucet

A VOI LA PAROLA

1. I risultati del precedente sondaggio vi sorprendono? Coincidono con l'immagine che avevate degli italiani? Spiegate. Quale ordine di preferenza vi sorprende maggiormente? Quale era invece più aspettato? Spiegate su che cosa basavate le vostre opinioni o impressioni prima di vedere i risultati di questo sondaggio. L'inchiesta è stata condotta fra le persone di una classe particolare. Pensate che l'italiano medio borghese o operaio avrebbe dato risposte differenti? Precisate quali e date le vostre ragioni.
2. Elencate in ordine di preferenza le vostre bevande preferite. Spiegate e indicate se preferite una bevanda particolare in dati momenti della giornata o in situazioni particolari. Confrontate la vostra lista con quella dei vostri compagni. Discutete le differenze. Ci sono grandi differenze fra le risposte date dalle donne e quelle date dagli uomini? Quali? Perché?
3. Indicate con quali alimenti o piatti si adatterebbe meglio ognuna delle bevande menzionate nel sondaggio.
4. Fra i giovani e gli adulti, chi beve più latte: gli americani o gli italiani? Quale preferite voi, quello intero o quello scremato[1]? Perché? Berreste del latte di asina[2]? Perché? Il latte di quali altri animali si può bere? Che altro si può fare con il latte? Potreste darne almeno altri cinque usi e spiegarli?
5. Bevete birra voi? Quando? Quali paesi sono famosi per la produzione della birra? Che altro si può fare con la birra?
6. Prodotti alimentari utili. Sapevate che la birra è ottima per lavare i capelli? Che il limone si può usare come disinfettante, detergente e decolorante? Che si può fare un ottimo tè diuretico con il pennacchio[3] del granturco? Menzionate altri alimenti utili e l'uso straordinario o inconsueto che si può fare di essi.

---
1 skimmed
2 donkey
3 silk

Dopo un pranzo, una cena o anche uno spuntino, c'è Fernet Branca!

sapori, *tastes*
cena impegnativa, *important dinner*
spuntino, *snack*
padroneggiare, *to master*

VEDIAMO INSIEME

1. Quando è adatto il Fernet? In quali occasioni? Cosa pensate che faccia?
2. Spiegate cosa significa «Saper padroneggiare i piaceri della tavola con un tocco magico».

A VOI LA PAROLA

Qual è il tono di questa pubblicità? A chi pensate che si rivolga? Perché? In che modo pensate che inciti la persona a comprare questo prodotto?

SEZIONE: Tutti in forma!

Oggi ci si preoccupa molto della linea[1] e non soltanto per ragioni di estetica. «Il troppo stroppia»[2] si dice in Italia e questo vale anche per il peso: essere troppo grassi, o anche troppo magri, può nuocere[3] alla salute.

INTAVOLIAMO IL DISCORSO

A. Quali sono le vostre abitudini alimentari? Rispondete alle seguenti domande dando degli esempi precisi.

1. Spizzicate qualcosa fra i pasti?
2. Mangiate anche quando non avete fame?
3. Mangiate quando siete nervosi?
4. Mangiate ogni volta che avete un po' di fame?
5. Quando avete davanti qualcosa che vi piace continuate a mangiarla anche se non avete più fame?
6. Mangiate o bevete molte cose dolci?
7. Mangiate molto rapidamente senza masticare bene?
8. Mangiate ad ore regolari o quando ne avete il tempo?
9. Fate esercizi regolarmente?
10. Mangiate molto *junk food?*

B. A tavola le mamme e i padri italiani spesso ripetono ai loro figli: «Mangia lentamente. Ricorda che la prima digestione avviene in bocca». Spiegate cosa significa. Siete d'accordo? Conoscete qualche raccomandazione simile? Quale?

Il vostro peso ideale

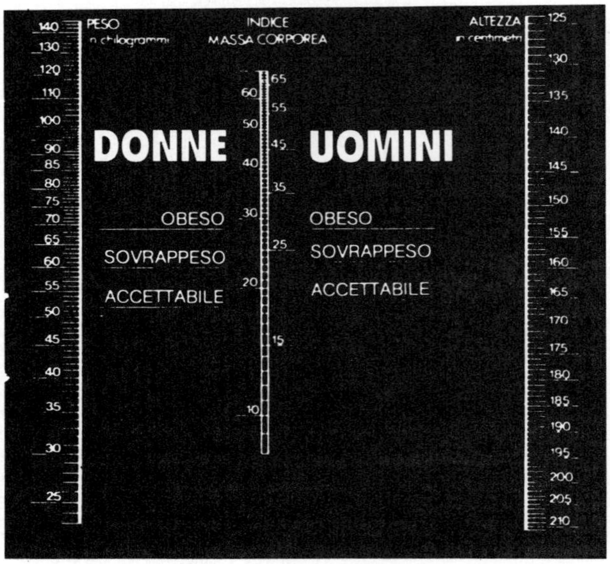

Congiungete con una retta[4] i valori del vostro peso e della vostra altezza[5] e leggete sulla scala centrale la valutazione che ne consegue[6]: obeso, sovrappeso o accettabile. A sinistra per le donne, a destra per gli uomini.

[1] figure
[2] "too much is too much"
[3] be harmful

[4] connect with a straight line
[5] height
[6] follows, results

Dieci regole per non ingrassare

1 *Essere consapevoli che il cibo è necessario per vivere bene e che quindi ci si deve nutrire in maniera corretta, sapendo quello che si mangia.*

2 *Fare una spesa razionale, comprando solo quello che è necessario evitando di lasciarsi ingannare da certe pubblicità. Una buona regola sarebbe quella di andare a fare la spesa dopo aver mangiato.*

3 *Non tenere mai in casa cibi "pericolosi": cioccolata, dolciumi, burro, mortadella, tutti i cibi ricchi di grassi animali.*

4 *Fare pasti regolari, a orari precisi, concentrandosi su ciò che si sta facendo.*

5 *Mangiare lentamente, masticando bene il cibo, sino a che si è sazi e non oltre, anche se il cibo ancora attrae.*

6 *Non usare schemi dietetici appresi da fonti non qualificate o comunque troppo restrittivi e rigidi allo scopo di ottenere un calo ponderale rapido, ma imparare a limitare e moderare la propria alimentazione senza stravolgerla.*

7 *Fare più movimento, praticare uno sport che piace, non ossessivo, incrementando quindi i consumi energetici.*

8 *Accettare la propria struttura fisica, cercando di non cadere nella trappola di confrontarsi con modelli estetici poco realistici. Non possiamo essere tutti dei longilinei atletici o delle sottili indossatrici.*

9 *Controllare abitualmente, se non tutti i giorni, il proprio peso.*

10 *Intervenire tempestivamente quando si nota un aumento superiore a 2 kg.*

ingannare, *to mislead*
sazi, *satiated*
fonti non qualificate, *unqualified sources*
calo ponderale rapido, *rapid weight loss*
consumi energetici, *consumption of energy*
trappola, *trap*
longilinei atletici, *tall and slender athletes*
sottili indossatrici, *slender fashion models*

VEDIAMO INSIEME

A. Vero o falso. Basandovi sulle regole elencate nella precedente tabella indicate se le seguenti asserzioni sono vere o false. Correggete quelle false.

1. Non bisogna preoccuparsi se si aumenta di 4–5 kg.
2. Lo sport è inutile perché dà più appetito.
3. Cioccolata, burro e dolci sono ricchi di grassi vegetali.
4. Un calo di peso rapido è necessario per chi è obeso.
5. Bisogna controllare regolarmente il peso.
6. È necessario crearsi un ideale fisico da raggiungere.
7. Quando si è sazi bisogna rifiutare anche i cibi che piacciono.
8. Chiunque può avere un fisico da atleta o da indossatrice. È solo questione di volontà e di disciplina.

B. Rispondete alle seguenti domande basate sull'informazione contenuta nella tabella.

1. Quali sono i modelli estetici poco realistici?
2. Come devono essere i pasti?
3. Quali sono alcuni cibi pericolosi?
4. Le diete per una rapida perdita di peso sono utili? Perché?
5. Quali sport bisogna praticare?
6. Che tipo di spesa bisognerebbe fare?

C. Completate le seguenti frasi con l'informazione giusta. Cercate, dove possibile, di usare espressioni originali.

1. Il cibo è necessario…
2. Bisognerebbe fare la spesa…
3. Mentre si mangia, dovremmo…
4. Con lo sport…
5. Spesso, se non ogni giorno, dovremmo…
6. Dobbiamo essere soddisfatti di…

A VOI LA PAROLA

A. Nel vostro caso particolare...

1. Quali delle precedenti regole dovreste osservare? Perché? Quali di queste regole vi sarebbe più facile osservare? Quali sarebbero le più difficili? Perché?
2. Come descrivereste la vostra struttura fisica? Su di una scala che va dall'atleta o indossatrice longilinea (10) al disastro fisico assoluto (1), a quale grado vi trovereste voi? Spiegate.
3. Malgrado tutto, ognuno di noi ha qualche modello fisico ideale al quale vorrebbe somigliare. Chi o quale è il vostro? Spiegate il perché.

B. I *mass media* e noi

1. Le riviste, la pubblicità e la televisione sono piene di modelli ideali fisici e di comportamento. Quali sono quelli più popolari oggi? Cosa ne pensate voi? Come reagite quando li vedete? Siete gelosi(e), irritati(e), indifferenti? Vorreste somigliare a loro o no? Perché?
2. Anche negli Stati Uniti si parla molto della pubblicità ingannevole di molti prodotti alimentari, particolarmente in televisione. Potreste dare alcuni esempi di questo tipo di pubblicità? Discutete il prodotto, come viene presentato, dove e a chi è diretta la pubblicità. Secondo voi è pericoloso, o almeno dannoso, questo genere di pubblicità? Per chi? Dovrebbe essere controllata nell'interesse del consumatore? Da chi? Spiegate le vostre ragioni.

C. Messa in scena

1. Cosa penseranno veramente? Molti attori e personaggi famosi appaiono in televisione per reclamizzare un particolare prodotto, cibo o bevanda. Scegliete una pubblicità che avete visto recentemente e presentatela davanti alla classe facendo la parte del personaggio. Fategli però dire quello che realmente pensa del prodotto.
2. Con un compagno/una compagna preparate e presentate davanti al resto della classe una breve scenetta a tavola fra una moglie che ha deciso di preparare pranzi dietetici e un marito a cui piace il buon mangiare.

— *Ci sei riuscita, finalmente?*

NELLA VIGNETTA PRECEDENTE...

Dove si trova la coppia? Cosa sta facendo il marito? Perché la moglie è così contenta? Cosa è riuscita a fare? Quanto pensate che pesi adesso?

Per seguire una buona dieta non è necessario privarsi di tutto ciò che è buono

Prima di leggere, osservate la pubblicità che segue e rispondete alle domande.

1. Quali degli articoli indicati sulla copertina vi incoraggerebbero a comprare questa rivista? Spiegate le vostre ragioni. Giudicando dalla copertina e dai titoli, chi sono i lettori di questa rivista? Uomini o donne? Spiegate. Perché la comprano? Secondo voi perché la rivista porta un titolo inglese?

2. Provatevi ad indovinare o spiegare l'argomento di ognuno dei titoli sulla copertina.

3. Conoscete riviste di questo genere negli Stati Uniti? Quali? A quale pubblico si indirizzano? Ne comprate qualcuna voi? Quale preferite? Perché?

La dieta per l'estate. Che cosa mangiare e soprattutto che cosa bere nella stagione in cui il termometro sale, per perdere due o tre chili e non farsi indebolire dal caldo.

Lunedì

Prima colazione: Pane integrale[1] con marmellata (50 gr) o 200 gr di frutta fresca—Latte intero (120 gr)

Pranzo: Minestra di riso (gr 20) e zucchine—Prosciutto crudo magro[2] (50 gr)—Fagiolini in insalata (100 gr)[3]—Pane (18 gr)—Fragole (120 gr)

Merenda: Marmellata (di albicocche, fichi, mele, pesche, 30 gr)—Fette biscottate (17 gr)—Latte scremato

Cena: Ananas[4] (140 gr) o uno yogurt—Pesce in bianco[5] (130 gr)—Cicoria (60 gr)—Pane bianco (40 gr)

Martedì

Prima colazione: Latte scremato (110 gr)—Marmellata (50 gr)—Fette biscottate (30 gr)

Pranzo: Pizza Margherita (110 gr)—2 fette di ananas

Merenda: Fiocchi di mais[6] (25 gr)—latte parzialmente scremato (100 gr) o yogurt magro[7] (130 gr)

Cena: Sogliola[8] al burro—Barbabietole rosse in insalata[9]—Pane (35 gr)—Ciliege (150 gr)

Giovedì

Prima colazione: Tè, una tazza grande—Pane integrale (55 gr)—Marmellata di ciliege (20 gr)

Pranzo: Spaghetti al burro e sugo—Carne di vitello (135 gr)—Purea di patate[10] con latte scremato (95 gr di patate, 135 gr di latte)—Pesche (135 gr)

Merenda: Latte scremato (265 gr)

Cena: Yogurt intero (125 gr)—Macedonia di frutta[11] (200 gr)

[1] whole wheat
[2] lean
[3] string bean salad
[4] pineapple
[5] served plain, without sauces
[6] corn flakes
[7] nonfat
[8] sole
[9] red beets with oil and vinegar
[10] mashed potatoes
[11] fresh fruit cocktail

Tenete presente che un'alimentazione basata sulle verdure, sia cotte che crude non ha bisogno di bilancia. Una porzione normale ha pochissime calorie; bisogna invece fare attenzione al condimento: un cucchiaino da caffè di olio sono 15 grammi, cioè la dose per ogni pasto.

VEDIAMO INSIEME

A. Vero o falso? Correggete le asserzioni false.

1. Questa dieta consiste di soli tre pasti al giorno.
2. Mangiare molte verdure può fare male alla salute.
3. Questa dieta è particolarmente ideale per l'estate.
4. Il pane è assolutamente eliminato dalla dieta.
5. Seguendo questa dieta si può bere sia il latte scremato che quello intero.
6. Osservando questa dieta si può anche perdere un po' di peso.

B. Rispondete alle seguenti domande.

1. Quale di questi menù vi alletta di più? Perché? Quali alimenti vi piacciono di più? Quale trovereste più difficile mangiare?
2. Vi piacciono le verdure? Le preferite cotte o crude? Quali? Avete qualche modo preferito di prepararle? Condividete una ricetta con i vostri compagni.
3. Basandovi sugli alimenti elencati nella dieta precedente, completate il menù del mercoledì e del venerdì.

A VOI LA PAROLA

A. Se i sogni fossero realtà. Potete mangiare tutto quello che volete senza aumentare neanche un grammo di peso. Preparate il vostro menù ideale per due giorni della settimana. Fate un confronto fra il vostro e quello dei vostri compagni.

B. Secondo voi...

1. Pensate di godere buona salute? Di essere in buona forma? Spiegate.
2. Quali alimenti vorreste eliminare dalla vostra dieta? Quali vorreste poter aggiungere? Perché?

3. Cosa significa per voi «godere buona salute»? Cosa rappresenta per voi «essere in buona forma»? Spiegate e confrontate il vostro ideale con quello dei vostri compagni.

C. La dieta per chi vuole aumentare di peso. Un vostro compagno o una vostra compagna vuole acquistare qualche chilo nei punti giusti. Preparate una dieta che aiuti ad aumentare senza mangiare cose che farebbero male alla salute.

D. La dieta su misura. A seconda del proprio fisico e delle attività che uno svolge, ci vuole una dieta adatta per stare bene in salute e non aumentare di peso. Suggerite la dieta adatta per le seguenti persone.

1. un giocatore che si prepara per i Mondiali di Calcio
2. un'indossatrice o un indossatore
3. uno studente o una studentessa
4. una persona di affari

MESSA IN SCENA

Con un gruppo di compagni di classe preparate e presentate una delle seguenti situazioni davanti alla classe.

1. Siete il direttore del centro di esercizi e dieta «L'ultima speranza» e vi incontrate con il nuovo gruppo di membri. Tenete un breve discorso di benvenuto, di incoraggiamento e di ispirazione. Alcuni compagni faranno la parte dei nuovi membri e spiegheranno le loro ragioni per essersi iscritti a questo centro.
2. Il presentatore/la presentatrice dello spettacolo televisivo «Qui, gatta ci cova»[1] intervista l'inventore di un nuovo prodotto che permette di far perdere fino a 20 chili in due settimane senza osservare nessuna dieta. Il resto della classe, o un gruppo di studenti, può poi partecipare come pubblico facendo domande all'inventore.

[1] "I smell a rat" (*lit.:* a cat is brooding)

Dimagrire: le ultime novità sulla scoperta di Danielle C.

Il metodo per dimagrire
scoperto da una madre di famiglia
di Ginevra funziona davvero?

Fino ad oggi sono 63.654 le persone che l'hanno sperimentato. Ecco gli ultimi risultati e un'intervista esclusiva a chi ha fatto la scoperta: la signora Danielle C.

Tutte le donne che non sono mai riuscite a dimagrire—o che poi sono tornate ad ingrassare—adesso possono tornare alla speranza. Al momento sono segnalate[2] perdite di peso che arrivano ai 38 chili, di cui 6 entro la prima settimana, senza dieta, senza medicine, senza esercizi.

Difficile da credere. Eppure il «miracolo» si verifica su un piano internazionale. Migliaia di donne oggi confermano: «Abbiamo provato decine di metodi e diete per dimagrire. Ma questa formula è l'unica che garantisce una perdita di peso radicale e duratura». Come potrete verificare in un baleno[3], il trucco per dimagrire di Danielle C. non ha nulla a che vedere[4] con una dieta. Neppure con un metodo. Potete praticarlo anche se siete obbligate a pranzare al ristorante.

Ecco alcune selezioni da un'intervista alla signora Danielle C.:

DOMANDA: Signora C., mi dica cosa è successo?

RISPOSTA: Credo di essere stata un esempio tipico per molte donne di oggi. Mi piace molto mangiar bene e ingrasso facilmente. Il mio problema: volevo essere snella. Primo perché ci tengo ad avere una buona salute. Poi, anche perchè si è più carine, più seducenti quando si è magre.

Credo di aver provato tutte le diete con gli stessi risultati: dimagrivo un po', poi quando smettevo riprendevo subito i chili perduti. Finché un giovedì mattina su un libro di omeopatia[5] ho letto una piccola frase di un medico. Questo dottore sosteneva[6] che se si seguiva un suo consiglio (un consiglio molto semplice) non soltanto si poteva mangiare a volontà senza ingrassare, ma nello stesso

[2] have been noticed
[3] in a flash
[4] has nothing to do
[5] homeopathy
[6] maintained

tempo si perdevano i chili di troppo (questo consiglio vi è rivelato a pagina 69 del mio libro).

DOMANDA: E Lei ha dunque seguito quel consiglio?

RISPOSTA: Non subito. Non ci credevo. Solo più tardi, visto che nessun metodo funzionava mi sono detta: Perché non provare il «trucco» di questo medico? I primi giorni non ho notato niente. È stato solo al mattino del quinto giorno che me ne sono resa conto. Avevo dei pantaloni che da molto tempo non potevo più mettere tanto mi stringevano[1]. Quel giorno sono riuscita a infilarli facilmente. Non dimenticherò mai quel momento. Ero pazza di gioia. Ho continuato a seguire i consigli di quel medico... e ho continuato a dimagrire. Nove chili in tutto. La mia vita è completamente cambiata. Le mie amiche non potevano credere ai loro occhi. Posso portare degli abiti che non osavo più indossare. Mio marito mi trova più seducente. I miei bambini sono fieri della loro nuova mamma. È davvero una vita diversa.

DOMANDA: Mi può dire qualche cosa di più sulla Sua scoperta?

RISPOSTA: Ho spiegato tutto nel mio libro che ho intitolato *Il mio «trucco» per dimagrire senza dieta.* È chiaro che contiene la rivelazione del mio trucco, e su quello posso fornire alcune indicazioni:

a. Non ci sono medicine, né droghe da prendere, né esercizi da fare;
b. Lo potete praticare subito senza una particolare conoscenza.
c. Il metodo è piacevole, naturale ed eccellente per la salute;
d. Permette di perdere 2–3 chili ogni settimana. Anche se mangiate pasta, dolci, zuccheri. Tutto quello che volete. Non ci sono assolutamente restrizioni. Anche il vino e l'alcool non sono proibiti.

[1] they were so tight

IN ALTRE PAROLE

A. Secondo quest'articolo...

1. Chi ha scoperto questa dieta?
2. Dove vive questa persona? In quale paese?
3. Il metodo è stato sperimentato da altri?
4. Che cosa possono sperare alcune donne?
5. Quanto peso possono perdere?
6. Cosa confermano molte donne?

B. Secondo l'intervista...

1. Quale problema aveva prima la signora Danielle C.?
2. Perché voleva perdere peso?
3. Dove ha scoperto il metodo giusto per dimagrire?
4. Cosa permetteva di fare il consiglio di questo medico?
5. Qual era il consiglio del medico?
6. Come ha scoperto che aveva veramente perso peso? Qual è stata la sua reazione?
7. Come è cambiata la sua vita?
8. Come possiamo avere più informazioni riguardo alla «scoperta» della signora C.?

C. Completate le seguenti frasi.

1. Secondo la signora Danielle C., seguendo i suoi consigli si può mangiare tutto e...
2. Da quando ha perso peso, la vita della signora C. è cambiata perché...
3. Secondo Danielle C., il segreto per dimagrire non è una dieta ma...
4. La spiegazione del suo metodo si trova...
5. Alcuni aspetti piacevoli di questo metodo sono...

A VOI LA PAROLA

A. L'informazione contenuta in questo articolo è convincente? Perché? Quali sono gli aspetti che trovate più incredibili? Quali sono quelli più plausibili? Secondo voi, perché ha scritto questo libro la signora C.? Perché lo ha intitolato *Il mio «trucco» per dimagrire senza dieta?* Spiegate. Secondo voi qual è il «trucco» della signora C.?

B. Pensate che, leggendo l'articolo, molte persone si lascerebbero convincere a comprare il libro? Perché? Cosa pensate che trovino di convincente nell'articolo?

C. Questa non la bevo![2]...però. Le riviste di oggi sono piene di metodi, diete, segreti per far

[2] I don't believe it! (*lit.:* I am not going to drink this!)

dimagrire rapidamente. Dichiarazioni del tipo: «Dimagrite 4 chili in una settimana con...», oppure, «In 2 mesi ho perso 27 chili grazie a...», si leggono praticamente su tutte le copertine dei settimanali e mensili più popolari. Di tutte le pretese[1] che avrete visto qual è...

1. la più assurda
2. la più pericolosa
3. la più divertente
4. la più onesta

Giustificate le vostre risposte.

D. Quali sono i metodi per dimagrire più di moda oggi? Ne conoscete i particolari? Avete mai seguito una dieta voi? Perché? Avete ottenuto gli effetti desiderati? Spiegate.

E. Preparate un elenco delle varie ragioni per cui la «dieta degli zucchini[2]» può aiutare a perdere peso rapidamente e senza pericolo per la salute. Potete benissimo sostituire un altro alimento agli zucchini. Cercate di convincere i vostri compagni di classe delle virtù e vantaggi della vostra dieta.

[1] claims
[2] Italian squash

La dieta sola non è sufficiente: per mantenersi in forma il corpo ha anche bisogno di movimento.

cuore da leone, *strong heart*
per smaltire, *to get rid of*
superfluo, *excessive*
artrosi, *chronic arthritis*
disturbi cardiocircolatori, *cardiovascular disorders*
infarto, *heart attack*
realizzata, *made*

VEDIAMO INSIEME

A. Esaminate la pubblicità e completate le seguenti frasi in parole vostre.

1. Con la dieta adatta, la ciclette Ginny aiuta a...
2. La Ginny anche combatte...
3. La Ginny è prodotta da...
4. Si può avere la Ginny in...
5. Informazioni sulla Ginny si possono trovare ...

B. Spiegate o esprimete in altre parole i seguenti slogan.

1. Una salute di ferro.
2. Un cuore da leone.
3. Un'agilità da acrobati.
4. Una linea da far invidia.
5. Una forma da campioni.

A VOI LA PAROLA

1. Fate un po' di ginnastica in casa o forse in palestra[1] voi? Di quale genere? Perché? Avete uno scopo particolare? Quando preferite fare esercizi? Li fate regolarmente? Spiegate il perché. Secondo voi, qual è il momento migliore della giornata per fare qualche esercizio: la mattina appena alzati o la sera prima di andare a letto?
2. Un vostro amico/una vostra amica ha una ciclette in casa ma non l'usa mai perché la trova noiosa. Suggerite cinque attività per distrarsi mentre pedala.
3. Mezz'ora di ciclette fa bene alla salute e occupa il tempo. Fate un elenco di almeno cinque attività nocive[2] che possono essere sostituite da una buona pedalata.

[1] gym
[2] harmful

Sport in vacanza: può far bene, ma...

L'improvvisa[3] attività fisica può essere dannosa. Oltre a scegliere il luogo più adatto al proprio organismo, bisogna allenarsi[4] gradualmente per trarre beneficio dalle ferie.

Quando arriva il sospirato periodo delle ferie, l'impiegato e la donna di casa, l'artigiano e la commessa si trasformano di colpo in dinamici sportivi. Il periodo di riposo annuale non viene più inteso[5] come una parentesi di ozio ristoratore[6]: chi si reca in montagna si lascia tentare dalle lunghe gite o addirittura dalle rischiose arrampicate[7]; chi va al mare ne approfitta per fare nuotate, remate, volate sullo sci d'acqua[8]. E poi ci sono la bicicletta, il tennis, le bocce, magari anche i cavalli, il minigolf, il deltaplano[9] ... Soprattutto i giovani interpretano le ferie come un periodo d'intenso esercizio fisico, destinato se non altro a buttar giù qualche chilo di troppo. Ma è bene dal punto di vista della salute?

Indubbiamente potrebbe essere utile, se non fosse per la brevità del soggiorno ai monti o al mare, sui laghi o in campagna, per cui spesso l'intensità dell'esercizio sportivo concentrato rischia di compromettere[10] il beneficio che se ne può ottenere. Cuore e polmoni[11], fegato e reni[12] non «godono» quando sono costretti a funzionare più del normale e in condizioni climatiche differenti da quelle a cui sono abituati. Il nostro corpo usa energia anche per semplicemente adattarsi ad un nuovo clima. Quando si va in ferie, bisognerebbe spendere alcuni giorni soltanto per la «fatica» dell'ambientamento.

Per chi, poi, vuole fare anche dello sport, viene la necessità dell'allenamento specifico. Questo non è destinato a sviluppare il volume né la forza dei muscoli; stimola, invece, le funzioni dei nostri organi e ne aumenta il rendimento[13]. Per affrontare, quindi, lo «sport delle ferie» bisognerebbe essere già allenati.

[3] sudden
[4] train
[5] is no longer considered
[6] refreshing, restoring leisure
[7] dangerous hikes
[8] the suffix *-ata* denotes long periods of activity
[9] hang glider
[10] jeopardize
[11] lungs
[12] kidneys
[13] efficiency

IN ALTRE PAROLE

A. Completetate le seguenti frasi con l'espressione adatta.

1. L'attività fisica improvvisa ...
   a. fa sempre bene b. fa sempre male c. può anche far male
2. Quando arrivano le ferie ... vorrebbero fare dello sport.
   a. le donne di casa b. i giovani c. tutti
3. Il periodo delle ferie estive è considerato una parentesi...
   a. di riposo b. di ozio assoluto c. di attività
4. Per i giovani la vacanza estiva è un periodo per...
   a. fare sport b. fare sport e perdere peso c. divertirsi
5. L'attività sportiva potrebbe essere utile...
   a. al mare e sui laghi b. in campagna c. se le ferie fossero più lunghe
6. L'organismo della persona deve abituarsi...
   a. al clima e al luogo b. allo sport c. al clima

B. Date un sinonimo e il contrario delle seguenti espressioni.

1. periodo di ozio ________________ ________________
2. è nocivo alla salute ________________ ________________
3. un soggiorno breve ________________ ________________
4. sportivo dinamico ________________ ________________
5. donna di casa ________________ ________________

C. Basandovi sull'articolo completate a modo vostro le seguenti frasi.

1. Uomini e donne si trasformano in sportivi quando...
2. Il periodo di riposo annuale è inteso...
3. Chi va in montagna...
4. Per quelli che vanno al mare...
5. L'esercizio fisico intenso può...
6. Il clima può...
7. I primi giorni di una vacanza dovrebbero...
8. L'allenamento allo sport serve...

A VOI LA PAROLA

A. Cosa rappresenta per voi la vacanza estiva? Andate fuori per le ferie? Dove preferite andare? Perché? Per voi il periodo estivo è un periodo di riposo o di attività fisica? Spiegate. Voi siete attivi in qualche sport tutto l'anno o soltanto in alcuni periodi? Perché?

B. Il medico siete voi. Preparate un programma di allenamento fisico (e/o mentale) in preparazione dei seguenti sport.

1. fare la vela (*to sail*)
2. arrampicarsi su una montagna
3. andare a cavallo
4. veleggiare in deltaplano
5. nuotare
6. giocare a bocce

C. Fate un elenco di almeno tre attività sportive adatte ad ognuno dei seguenti luoghi. Spiegate i vantaggi di ognuno dei luoghi.

1. la montagna
2. la campagna
3. laghi e fiumi
4. il mare

D. Fate un elenco di altri sport che richiedono un periodo di allenamento. Spiegate perché per ogni sport elencato.

Durante il resto dell'anno c'è sempre la palestra in casa!

VEDIAMO INSIEME

A. Secondo la pubblicità...

1. A cosa serve il Gymstar Carnielli? Dove lo si può usare?
2. Quanti esercizi si possono fare col Gymstar?
3. Questo attrezzo è soltanto per adulti?
4. Quali sono alcune caratteristiche di questo attrezzo?
5. Si ha bisogno di una camera speciale per usare il Gymstar?
6. Come si chiama la ditta che lo produce? Dove si trova?

B. Ripetete le seguenti frasi esprimendo in modo differente le parole indicate.

1. Gymstar Carnielli è un attrezzo polivalente.
2. Con Gymstar si può costruire un corpo sviluppato.
3. L'allenamento con Gymstar è diversificato.
4. L'attrezzo è estremamente versatile.
5. Gymstar occupa uno spazio assai ridotto.
6. Questo attrezzo è anche maneggevole.

A VOI LA PAROLA

1. Avete attrezzi in casa vostra per esercizi particolari? Quali? Li usate spesso? Perché? Quali sono i rispettivi vantaggi e svantaggi di allenarsi in casa e in palestra? Spiegate dando esempi concreti.
2. Quali argomenti trovate più convincenti in questa pubblicità? Vi inciterebbero a comprare questo attrezzo? Spiegate.

attrezzo polivalente, *versatile machine*
valorizza ... l'apparato muscolare, *enhances ... muscle capacity*
maneggevole, *easy to handle*
impugnature, *grips*
panca pieghevole, *folding bench*
sorretto, *held up*

SEZIONE: Come rilassarsi

La tensione, lo stress fanno male alla salute mentale e fisica dell'individuo. Si manifestano in vari modi, ma bisogna prestare molta attenzione alle loro manifestazioni. Sono un campanello di allarme che ci avverte di agire. Ma lo stress ha anche un ruolo positivo: tenuto sotto controllo è la molla[1] che ci fa andare avanti.

INTAVOLIAMO IL DISCORSO

A. Sicuramente già conoscete o potete indovinare il significato delle parole che seguono. Date la definizione di ognuna o usatela in una frase originale e completa.

stress/tensione	tensione psichica	problema
calma	evento stressante	fobia
psichiatra	terapia	paura

B. Siete troppo tesi? Ecco alcuni modi in cui si può manifestare la tensione. Avete qualcuno di questi sintomi? Ne conoscete altri?

1. Vi lasciate prendere facilmente dai nervi.
2. Vi rodete[2] le unghie.
3. Avete difficoltà ad addormentarvi.
4. Avete mal di stomaco frequenti.

[1] spring
[2] bite

Convivere con lo stress.

Dentro di noi un complesso sistema di difesa ci mette in guardia dai pericoli, ponendoci di fronte alla scelta di combatterli o fuggire.

L'urlo lancinante[3] del clacson della macchina dietro la nostra che ci spinge a partire perché il semaforo sta per diventare verde; la discussione col collega sul posto di lavoro; l'incontro con la persona importante; l'esame da superare; il pagamento da fare; il portafoglio che ci hanno rubato sull'autobus. Sono tutti motivi di stress, cioè tensione, di stato di allerta, di disagio psichico. Sono microstress che si accumulano[4] ogni giorno e che eventualmente indeboliscono le nostre difese contro malattie e virus.

«Molti disturbi fisici sono aggravati dallo stress. Esso può rappresentare da solo il maggiore responsabile di malattie nel mondo industrializzato», scrive in un suo libro il direttore del Centro di Cardiologia del St. Lukes Hospital di Phoenix. Ciò è particolarmente vero nel caso di malattie del cuore e della circolazione. Lo stress è una condizione tipica dei nostri giorni.

Lo stress è quello che ci mette in uno stato di allerta, in una situazione difensiva; è quello che ha aiutato i nostri antenati primitivi, l'uomo delle caverne, a sopravvivere in un ambiente ostile, ed a evolversi. In stato di stress, un meccanismo complesso del nostro corpo mobilita[5] le risorse fisiche

[3] piercing blast
[4] pile up
[5] mobilizes

e mentali dell'organismo. Lo stress può far aumentare le prestazioni[1] fisiche e mentali di una persona, ma non è così per tutti. Basta pensare ad una sessione di esami: c'è lo studente che sotto stress ricorda tutto e rende[2] più di quello che renderebbe normalmente. Ce n'è un altro che invece non ricorda più niente, è totalmente bloccato. Durante lo stress aumenta il livello di zuccheri nel sangue, e ciò blocca l'appetito. Ma anche in questo caso ci sono persone che durante lo stress hanno più fame.

Si può curare lo stress? Occorre che la persona si fermi a riflettere, metta ordine nella sua vita, cerchi di individuare[3] le cause tentando di eliminarle. Ci si può far aiutare dalla psicoterapia, ma non è a disposizione di tutti sia per il costo, sia perché se tutti la facessero non ci sarebbero abbastanza dottori qualificati.

I consigli principali per combattere lo stress, e che valgono per tutti, vecchi e giovani, uomini e donne, sono: vivete la vostra vita con senso di responsabilità, ma non come una continua battaglia. La vita non è tutta una questione di vittoria o di sconfitta[4]. Imparate a conoscervi e quindi a controllarvi, non vi sovraccaricate[5] di lavoro e preoccupazioni, non serve. Appena alzati, la mattina, cercate di pensare alle cose belle o per lo meno interessanti che vi attendono. Imparate ad accettarvi con i vostri limiti e pensate anche a quanti vi vogliono bene proprio perché siete così.

[1] performance
[2] gives
[3] identify
[4] defeat
[5] overburden

IN ALTRE PAROLE

A. Secondo l'articolo...

1. Quali sono alcune possibili cause di tensione?
2. Cosa è lo stress?
3. Che effetto può avere lo stress?
4. Di che cosa potrebbe essere responsabile lo stress? Perché?
5. Quali malattie possono essere particolarmente causate o aggravate dallo stress?
6. A che cosa serviva la tensione nella preistoria umana?
7. La tensione può essere utile anche oggi? Per tutti?
8. A che cosa può servire la psicoterapia?
9. È alla portata di tutti? Perché?
10. Ci sono modi per combattere lo stress? Menzionatene alcuni.

B. In base all'informazione contenuta nell'articolo, completate le seguenti frasi.

1. L'incontro con la persona importante può...
2. Lo stress può aggravare...
3. Probabilmente molte malattie del mondo industrializzato...
4. La tensione è una condizione tipica...
5. Nel passato lo stress ha aiutato...
6. In alcuni casi lo stress aumenta...
7. Alcune persone sotto stress...
8. Per curarsi ogni persona deve individuare...
9. I consigli per combattere lo stress sono...
10. Bisogna imparare ad accettare...

C. Ripetete le seguenti frasi esprimendo in modo differente le parole indicate.

1. Lo stress <u>ci mette in uno stato di allerta.</u>
2. Lo stress può far aumentare <u>le prestazioni fisiche</u> di una persona.
3. In stato di stress il nostro corpo <u>mobilita le risorse fisiche e mentali.</u>
4. I consigli principali per combattere lo stress <u>valgono per tutti.</u>
5. La vita non è una questione <u>di battaglie e sconfitte.</u>
6. La psicoterapia non è <u>a disposizione di tutti.</u>
7. Imparate ad accettarvi <u>con i vostri limiti.</u>
8. Ci sono molti <u>microstress che si accumulano</u> ogni giorno.

D. Trovate un sinonimo delle seguenti parole o espressioni ed usatelo in una frase originale.

1. accumularsi
2. l'urlo lancinante del clacson
3. mobilitare
4. rendere
5. sconfitta
6. individuare

A VOI LA PAROLA

Rispondete alle seguenti domande.

1. Con quale delle situazioni di stress menzionate potete identificarvi? Che altro vi causa stress? Ci sono alcune cose in particolare? Spiegate.
2. Come reagite voi nelle seguenti situazioni? Descrivete la vostra reazione e cosa fate per controllarla.
   a. dovete dare gli esami di fine corso
   b. avete un'intervista per un posto di lavoro
   c. vi trovate a guidare nel traffico cittadino all'ora di punta
   d. dovete fare un pagamento sulla nuova macchina e non avete il denaro
   e. inizia il nuovo anno accademico
   f. discussioni col partner o con il ragazzo/la ragazza
   g. trasferimento ad un'altra città
3. Cosa pensate delle soluzioni suggerite dall'autore dell'articolo? Quale vi sembra la più pratica ed efficace? Perché? Ne potreste suggerire altre ai vostri compagni?
4. Elencate, in ordine di disturbo, altre cinque situazioni stressanti non menzionate fino ad ora. Confrontate la vostra lista con quella dei vostri compagni e discutete le differenze.
5. In momenti di stress, date sfogo alla vostra tensione o cercate di controllarla? In che modo vi sfogate? Quale soluzione vi sembra migliore? Perché?
6. Cosa pensate della psicoterapia? È utile o inutile? In tutti i casi? Conoscete qualcuno che se n'è servito? Con quali risultati?
7. Molti ricercatori ritengono che lo stress aiuti a stimolare le prestazioni fisiche e mentali di alcuni individui. Potreste elencare cinque persone famose che probabilmente sapevano controllare e usare lo stress a proprio vantaggio? Spiegate come e in quali situazioni.

MESSA IN SCENA

Con un compagno o una compagna preparate e presentate davanti alla classe una delle seguenti situazioni:

1. Il primo incontro fra uno psicoterapista e il suo psicoterapista.
2. Una sessione di terapia fra Napoleone e il suo psichiatra. (Possibili varianti: Maria Antonietta di Francia, Giulio Cesare, Lady Godiva, il dottor Jekyll, la moglie di Sigmund Freud)

La musica: una soluzione allo stress?

La musica può essere un metodo facile, economico e piacevole di mettere in fuga[1] la tensione. Ascoltare un brano[2] di buona musica, da soli in casa, in macchina, od anche con un *walkman* è uno dei modi migliori di eliminare le tensioni e di raggiungere uno stato di relax. La terapia musicale è stata impiegata in una varietà di situazioni e sempre con risultati positivi. È stata usata nelle fabbriche e sui posti di lavoro per aumentare la produzione; nelle fattorie ha aumentato la produzione di latte nelle mucche[3] e di uova nelle galline; in alcuni paesi affermano che alcuni tipi di musica fanno crescere i fiori meglio e più rapidamente. Oggi troviamo musica un po' dappertutto: nei negozi, negli ascensori, anche al telefono quando dobbiamo aspettare in linea. Gli psichiatri usano la terapia musicale per effettuare[4] cambiamenti favorevoli nei loro pazienti.

Che la musica possa rilassare e stimolare allo stesso tempo dipende in gran parte dall'individuo. I suoni riescono ad evocare sensazioni particolari e stati emotivi che variano da individuo a individuo. Un violino può rattristarci[5], ma può anche rilassarci o eccitarci. Gli effetti della musica sull'individuo sono utili al teatro e al cinematografo per produrre o rafforzare certe reazioni negli spettatori. Sembra addirittura che i nostri rapporti emotivi con la musica comincino dallo stato prenatale e vengano ulteriormente[6] rafforzati durante i primi mesi di vita.

---
[1] to chase away
[2] piece
[3] cows
[4] effect
[5] sadden us
[6] farther

IN ALTRE PAROLE

Basandovi sul brano precedente, completate le seguenti frasi.

1. La musica che ascoltiamo può...
2. La musica ha un effetto anche su...
3. Cominciamo ad essere suscettibili alla musica...
4. Al cinema e a teatro...
5. Gli psichiatri...
6. Oggi troviamo la musica anche...

A VOI LA PAROLA

A. Spiegate dando esempi precisi.

1. Quale effetto ha su di voi la musica dei seguenti strumenti?
    a. violino
    b. pianoforte
    c. batteria[1]
    d. flauto
    e. organo
2. Come vi sentite quando ascoltate...
    a. una sinfonia di Beethoven
    b. un brano di musica moderna
    c. un'opera di Wagner
    d. un gruppo rock
    e. un brano di jazz
    f. musica *soul*
3. La musica come accompagnamento. Cosa vi piace fare mentre ascoltate i tipi di musica menzionati? Che genere di musica vi piace ascoltare mentre...
    a. studiate
    b. guidate l'automobile
    c. tagliate l'erba in giardino
    d. vi rilassate in giardino
    e. siete sull'autobus/la metropolitana
    f. lavorate
    g. vi rilassate al mare o in piscina

    Spiegate le vostre risposte.

B. Terapia visuale. Chiudete gli occhi; rilassatevi; fate alcuni respiri profondi; immaginate di essere lontani, in un luogo tranquillo, e completamente rilassati. Dove siete? Descrivete il luogo. Con chi siete? Cosa state facendo? Quali suoni sentite? Quali odori?

C. La musica della natura. Chiudete gli occhi e descrivete che effetto ha su di voi ognuno dei seguenti suoni:

a. il rumore delle onde sulla spiaggia (sulle rocce)
b. il canto degli uccelli
c. lo zampillo[2] di una fontana
d. una cascata[3]
e. il vento fra gli alberi
f. camminare in autunno, fra foglie secche
g. la pioggia su un tetto

D. Ci sono altri suoni della natura che hanno un effetto particolare su di voi? Menzionatene alcuni e descrivete l'effetto.

E. Talvolta lo stato d'animo determina la scelta della musica che vogliamo ascoltare. Quali canzoni o brani musicali vi piace ascoltare quando siete...

1. tristi
2. allegri
3. felici
4. depressi
5. nervosi
6. calmi
7. romantici

Spiegate le vostre risposte.

TAVOLA ROTONDA

Fra due individui o due gruppi discutete uno dei seguenti argomenti davanti alla classe. Dopo una breve presentazione e discussione, aprite il dibattimento al resto della classe.

1. Il ruolo della psicoterapia nella soluzione di problemi personali è esagerato. Ognuno può risolvere da sé i propri problemi.
2. Molti dicono che oggi la psicoterapia ha assunto molte funzioni della religione.
3. Di fronte alle generazioni precedenti, l'uomo di oggi ha perso l'abilità di risolvere i propri problemi.
4. L'individuo oggi ha più problemi e meno controllo della propria vita di quanto non ne avessero i suoi genitori e i suoi nonni.

[1] percussion instruments

[2] jet
[3] waterfall

SEZIONE: In aqua salus[1]— l'Italia delle terme

[1] "in water there is health" (Latin saying carved at the entrance of the Salsomaggiore Spa)

INTAVOLIAMO IL DISCORSO

1. Sapete cosa è un'acqua minerale? Che differenza c'è fra questa e l'acqua di sorgente[1]? Avete mai bevuto acque minerali? Vi sono piaciute? Conoscete il nome di qualche acqua minerale venduta negli Stati Uniti? Da quale nazione è importata? Ci sono acque minerali negli Stati Uniti? Dove?
2. Lo spa termale di Saratoga Springs, nello stato di New York, era molto famoso agli inizi di questo secolo. Ora sta riacquistando popolarità, come anche la sua acqua minerale che viene esportata in altri stati. Secondo voi, chi frequenta questi centri termali? Per quali ragioni? Cosa offrono questi centri? Le persone ne traggono qualche beneficio? Come vi immaginate un centro termale? Tentate di descriverlo.

Le acque della salute

Dai tempi degli antichi romani a oggi, le cure[2] termali non sono mai passate di moda: è la natura stessa che ci aiuta a guarire molte malattie.

[1] spring water
[2] therapy

In alto: la scritta in latino a Salsomaggiore ricorda che «la salute è nell'acqua». Sopra: l'acqua minerale zampilla da una fontana.

L'Italia è uno dei paesi più ricchi di acque salutari[1] che esistano al mondo e vanta una lunga tradizione di ospitalità termale e di scienza idrologica. Le aziende termali in Italia sono 450 e sono frequentate ogni anno da milioni di persone; ci sono più di 150 sorgenti minerali termali in tutta Italia e si trovano praticamente in ogni regione. Più di 130 mila persone hanno un lavoro fisso e garantito in questa industria. Alle terme ci si cura attraverso bevande, fanghi, inalazioni e irrigazioni[2].

Cosa sono le acque termali minerali? Sono acque sotterranee[3] che in base alla loro composizione chimica o alla loro temperatura (o una combinazione di entrambe) sono dotate di proprietà terapeutiche[4]. Prima di sgorgare[5] dalla sorgente, le acque attraversano varie zone sotterranee e quindi si arricchiscono di minerali. Penetrando in profondità acquistano calore; bisogna ricordare infatti che la temperatura aumenta con la profondità: a tremila metri l'acqua tocca i 100 gradi (cioè bolle). Infatti, in alcune località l'acqua sgorga dalla sorgente bollendo. Attraversando gli strati[6] sotterranei e risalendo verso la sorgente, le acque si purificano, si arricchiscono di minerali e di gas (appunto alcune sono naturalmente gasate) e quando sgorgano ognuna ha caratteristiche specifiche, uniche[7].

Quali sono alcune di queste caratteristiche? Alcune acque sono solfate, altre sulfuree[8], certe sono oligominerali[9], altre salsosolfate[10] ed alcune addirittura radioattive! Quali effetti hanno le cure di fanghi e acque minerali termali? Si addicono[11] a una varietà di terapie e la medicina moderna ne scopre di nuove ogni anno. Dopotutto la storia delle cure termali ha più di 2000 anni; Ippocrate, Erodoto e anche Aristotele parlavano delle acque curative, e lo storico Plinio, nel primo secolo dopo Cristo scriveva: «Per oltre 600 anni i Romani non ebbero come medici che i loro bagni». Le terme italiane sono rigorosamente controllate dal Ministero della Sanità[12] e lo Stato facilita ai cittadini la possibilità di curarsi alle terme, coprendo gran parte delle spese.

Oggi le terme non sono più soltanto un luogo dove si curano le malattie croniche. Le terme sono anche usate nella prevenzione di malattie. Alle terme cominciano ad andare anche le persone sane[13] e non solo quelle malate. Sono frequentate da bambini per prevenire[14] le conseguenze di tonsilliti e bronchiti. Alle terme va anche la ragazza che vuole migliorare il suo aspetto estetico; il giovane yuppy che vuole tenersi in forma, il manager che cerca di cancellare[15] gli effetti dello stress. Alle terme, oggi, si impara a mangiare in maniera corretta. Il servizio dietetico è ormai una componente essenziale delle terme moderne. Per chi vuole perdere peso sono stati organizzati programmi alimentari completi che uniscono alla dieta personalizzata una rieducazione delle abitudini di vita che hanno inizialmente causato l'aumento di peso. Quindi, alle terme, oltre a curarsi dalle malattie che uno ha, si impara anche a mangiare, a curare il proprio corpo, a fare ginnastica, a respirare. Oggi in alcune terme, come quelle di Saturnia in Toscana, si impara anche a fare una terapia antistress.

Alle terme, dunque, per stare bene, per prevenire le malattie. Tutto ciò si traduce in un enorme risparmio per il paese intero. Se si sta bene, diminuiscono le assenze dal lavoro, le degenze ospedaliere[16], le spese per medicine e visite mediche.

IN ALTRE PAROLE

A. Completate le seguenti frasi.

1. In Italia, le cure termali sono...
   a. una nuova moda b. di moda da dieci secoli
   c. di moda da più di venti secoli
2. Il lavoro offerto dall'industria termale è...
   a. stagionale b. fisso
   c. poco duraturo
3. Le acque termali vengono...
   a. dal mare b. dai fiumi
   c. da sotto terra
4. Le acque termali sono ...
   a. sempre minerali b. fresche
   c. sempre calde
5. Alcune acque minerali contengono anche...
   a. microbi b. gas naturali c. fango
6. Alle terme possono andare...
   a. i malati b. le persone sane
   c. tutti

---

[1] beneficial (to health)
[2] spraying or bathing
[3] underground
[4] have therapeutic properties
[5] spouting
[6] layers
[7] unique
[8] contain sulfates, others are sulfurous
[9] have traces of various minerals
[10] others have sulfur salts
[11] they are appropriate
[12] Department (Ministry) of Health
[13] healthy
[14] prevent
[15] erase
[16] hospital stays

7. Le spese termali sono...
   a. molto care b. gratis
   c. parzialmente pagate dallo Stato
8. Le cure termali consistono di...
   a. bevande e inalazioni b. irrigazioni e fanghi
   c. tutte e quattro le terapie

B. Completate le seguenti frasi con l'espressione più appropriata.

1. Dall'antichità le cure termali...
2. Le acque termali minerali sgorgano...
3. Per diventare minerali le acque passano...
4. Molte acque minerali sono anche...
5. L'industria termale italiana è...
6. Alle terme si possono curare...
7. Anche ... frequentano le terme.
8. Oggi le terme offrono anche...

C. Nelle seguenti frasi, spiegate l'espressione indicata. Dove vi è possibile, fatene la parafrasi.

1. Le cure termali non sono mai passate di moda.
2. L'Italia è un paese ricchissimo di acque salutari.
3. Alle terme uno si può curare attraverso bevande, fanghi e inalazioni.
4. Le acque termali hanno moltissime proprietà terapeutiche.
5. Ogni acqua minerale ha le sue caratteristiche specifiche.
6. Alcune acque sono solfate, altre sulfuree ed altre sono oligominerali.
7. Lo Stato italiano copre molte delle spese termali dei cittadini.
8. Le terme sono usate anche nella prevenzione di malattie.
9. Il servizio dietetico oggi è una componente essenziale delle terme moderne.
10. Tutto ciò si traduce in un enorme risparmio per l'intera nazione.

D. Rispondete, in parole vostre, alle seguenti domande basate sulla lettura.

1. Le cure termali sono un'istituzione recente? Cosa diceva Plinio? Spiegate cosa intendeva dire.
2. Cosa pensa la medicina moderna delle cure termali?
3. Da dove provengono le acque minerali? Come diventano così? Quali sono alcune delle caratteristiche che possono acquistare?
4. Chi frequenta le terme oggi? Date qualche esempio e spiegate perché le frequentano.
5. Cosa altro includono le terme moderne? Per chi?
6. Che cosa si può imparare nei programmi che le terme offrono oggi?

A VOI LA PAROLA

A. Un po' d'immaginazione.

1. Secondo voi, quali lavori svolgono le persone impiegate nell'industria termale? Cercate di immaginare e descriverne qualcuno.
2. Cercate di immaginare la giornata di una persona che è andata a fare le cure termali. Cosa farà nel corso della giornata? Cosa potrebbe fare per distrarsi? Che tipi di persone potrebbe conoscere?
3. Come pensate che si senta una persona che fa la cura dei fanghi? Come vi sentireste voi ad essere coperto di fango caldo? Quali pensieri vi passerebbero per la mente? Fareste una cura dei fanghi? Spiegate.

B. Cure alternative.

1. Ci sono alternative ai medicinali per curare alcune malattie o prevenire altre? Ne conoscete qualcuna? Potreste descriverla? A cosa serve? In che cosa consiste?
2. Cosa pensate delle diete completamente vegetariane? dello yoga? della meditazione trascendentale? dell'agopuntura? Spiegate. Avete qualche cura o terapia preferita? Potreste descriverla ai vostri compagni?
3. Secondo voi la medicina moderna, particolarmente quella americana, è troppo diffidente[1] nei riguardi di cure e terapie che non si basano esclusivamente sui prodotti chimici o sulla tecnologia? Spiegate.
4. Avete sentito o letto di persone che curano senza servirsi di tecniche scientifiche moderne? Potreste descrivere qualche caso del genere?

[1] distrusting

L'ITALIA DELLE TERME

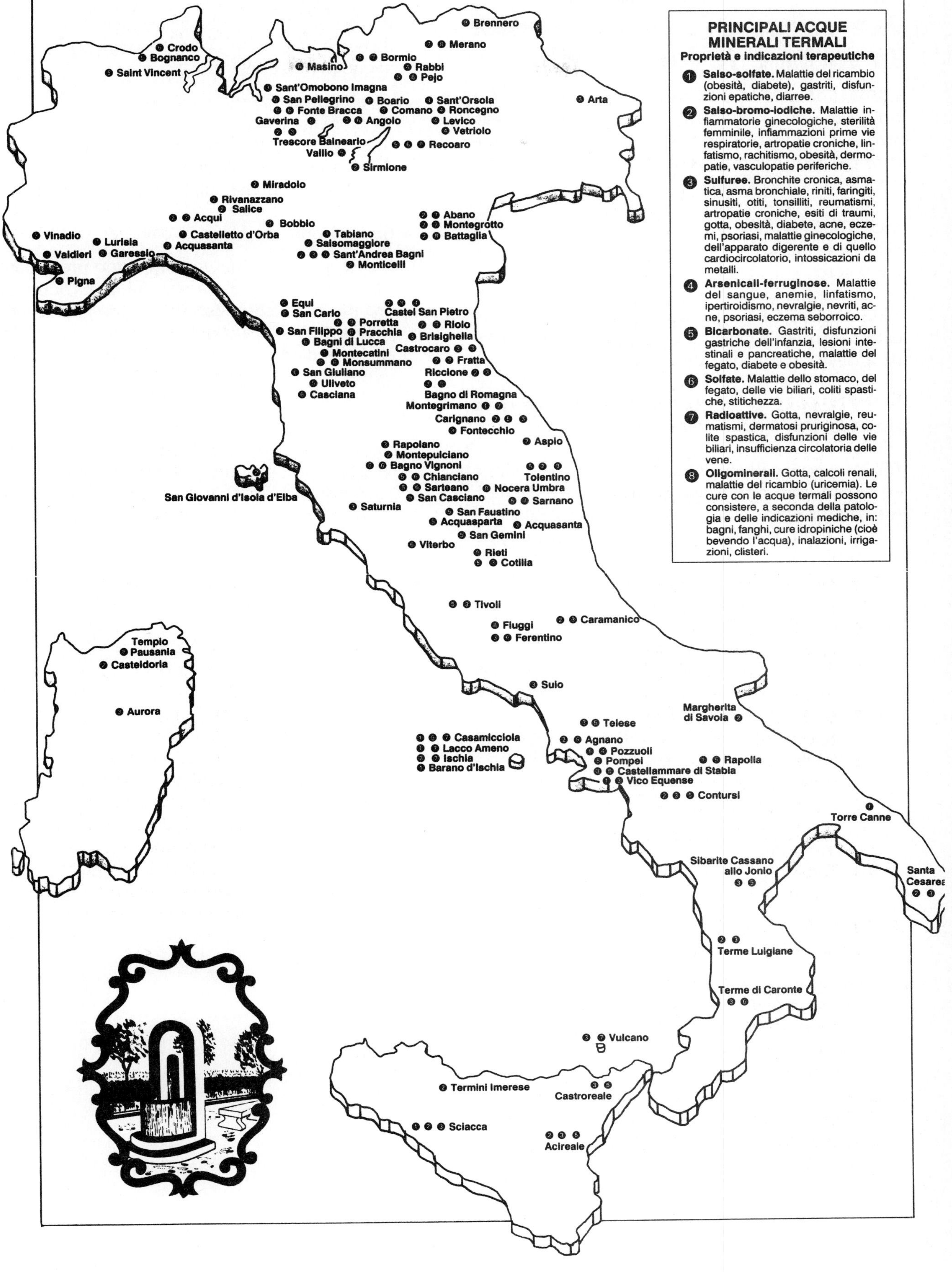

PRINCIPALI ACQUE MINERALI TERMALI

Proprietà e indicazioni terapeutiche

1. **Salso-solfate.** Malattie del ricambio (obesità, diabete), gastriti, disfunzioni epatiche, diarree.
2. **Salso-bromo-iodiche.** Malattie infiammatorie ginecologiche, sterilità femminile, infiammazioni prime vie respiratorie, artropatie croniche, linfatismo, rachitismo, obesità, dermopatie, vasculopatie periferiche.
3. **Sulfuree.** Bronchite cronica, asmatica, asma bronchiale, riniti, faringiti, sinusiti, otiti, tonsilliti, reumatismi, artropatie croniche, esiti di traumi, gotta, obesità, diabete, acne, eczemi, psoriasi, malattie ginecologiche, dell'apparato digerente e di quello cardiocircolatorio, intossicazioni da metalli.
4. **Arsenicali-ferruginose.** Malattie del sangue, anemie, linfatismo, ipertiroidismo, nevralgie, nevriti, acne, psoriasi, eczema seborroico.
5. **Bicarbonate.** Gastriti, disfunzioni gastriche dell'infanzia, lesioni intestinali e pancreatiche, malattie del fegato, diabete e obesità.
6. **Solfate.** Malattie dello stomaco, del fegato, delle vie biliari, coliti spastiche, stitichezza.
7. **Radioattive.** Gotta, nevralgie, reumatismi, dermatosi pruriginosa, colite spastica, disfunzioni delle vie biliari, insufficienza circolatoria delle vene.
8. **Oligominerali.** Gotta, calcoli renali, malattie del ricambio (uricemia). Le cure con le acque termali possono consistere, a seconda della patologia e delle indicazioni mediche, in: bagni, fanghi, cure idropiniche (cioè bevendo l'acqua), inalazioni, irrigazioni, clisteri.

Alcuni dei più grandi e famosi stabilimenti termali in Italia e le loro terapie

CASTELLAMMARE DI STABIA—(vicino Napoli). Già popolare presso i Romani. Adatto a malattie dello stomaco, del fegato, diabete e obesità. Anche indicato per malattie respiratorie[1], malattie della pelle e disturbi di circolazione.

MONTECATINI—(in Toscana). Consigliato per la cura dell'obesità, per le malattie dello stomaco e del fegato.

SALSOMAGGIORE—(in provincia di Parma). Indicato per malattie ginecologiche, malattie respiratorie e della circolazione del sangue.

SAN PELLEGRINO—(in Lombardia). Malattie dello stomaco, del fegato e dell'intestino.

TIVOLI—(vicino Roma). Queste sono acque sulfuree ed hanno un caratteristico odore di uova fradice[2]. Arrivando a Roma in treno si può notare subito che si sta passando per Tivoli, semplicemente respirando una profonda boccata d'aria! A causa del loro contenuto sulfureo, sono particolarmente adatte per bronchiti, asma, reumatismi, diabete, malattie ginecologiche, malattie digestive e circolatorie.

POZZUOLI—(vicino Napoli). Già usate al tempo dei Greci e dei Romani. Sono acque contenenti ferro e anche tracce di arsenio[3]. Molto indicate per malattie del sangue, anemia, disfunzioni del sistema nervoso, acne a psoriasi.

A VOI LA PAROLA

A. In base alle terapie disponibili nelle terme elencate, dite dove potrebbero andare le seguenti persone:

1. un uomo che pesa 150 kg
2. un manager che soffre di ulcera
3. un vecchio che soffre di reumatismi
4. un sofferente di asma
5. un bambino che soffre di malattie della pelle
6. qualcuno che soffre di diabete

B. Messa in scena. Con un compagno presentate alla classe un breve scambio fra un paziente (o una paziente) che descrive i sintomi di alcuni suoi disturbi e il suo dottore (o dottoressa) che fa la diagnosi e suggerisce una cura alle terme di__________ .

---

1 respiratory disorders
2 rotten
3 arsenic

★★★★
Grand Hotel Terme
TRIESTE & VICTORIA

35031 ABANO TERME (Padova - Italia)
Via Pietro d'Abano, 1
Tel. (049) 66.91.01 r.a. – Telex 430250 VITHOT I

Il Grand Hotel TRIESTE & VICTORIA - completamente ristrutturato - è uno dei leading hotels di prim'ordine di Abano Terme, dove lo stile e la tradizione si armonizzano perfettamente con i comfort del tempo attuale.
È a due passi da Venezia: 60 km. L'ambiente elegante e l'atmosfera internazionale, uniti ad un servizio accurato, rendono indimenticabile il soggiorno al TRIESTE & VICTORIA, sia esso per cura, relax o affari.
Tutte le cure termali vengono effettuate direttamente in albergo nel modernissimo reparto cure sotto la guida del medico termalista assistito da personale paramedico specializzato. L'albergo dispone anche di cabine di cura private ai piani comunicanti con le camere.
3 piscine termali (di cui una coperta comunicante con una scoperta) - Grande parco - Parcheggio - Tennis - Associato al Golf Club Euganeo (18 buche).

tempo attuale, *modern times*
piani comunicanti con le camere, *on the same level as the rooms*
comunicante, *connected*

VEDIAMO INSIEME

1. Dove si trova l'Hotel Trieste & Victoria? È un albergo moderno? Vicino a quale famosa città si trova Abano Terme? Per che cosa è famosa questa città?
2. Chi si fermerebbe al Trieste & Victoria? Per quali ragioni? Quali altri servizi offre questo albergo? C'è personale specializzato? In che cosa?
3. Dove si trovano le cabine di cura dell'albergo? Quali altri vantaggi offre l'albergo? Perchè un soggiorno al Trieste & Victoria sarebbe «indimenticabile»?
4. Quante piscine termali ci sono nell'albergo? Possono essere usate anche se fa cattivo tempo? Perché?
5. Il Golf Club Euganeo fa parte dell'albergo? Spiegate. Quali altre attività offre questo albergo?

A VOI LA PAROLA

Secondo la pubblicità, l'albergo Trieste & Victoria offre «stile e tradizione» armonizzati con «i comfort del tempo attuale». Potreste spiegare cosa significa questo? Potete dare almeno due esempi di ognuna di queste qualità? Spiegate. Se voi doveste scegliere, preferireste restare in un albergo che ha «stile e tradizione» o uno che offre il «comfort moderno»? Perché?

cura idropinica, *cure by drinking fluids*
scorie azotate, *nitrogen wastes*
calcolosi renale, *kidney stones*
convenzioni con Enti Mutualistici, *covered by national insurance plans*

VEDIAMO INSIEME

1. Dove si trovano le Terme di Comano? Quali sono alcune delle malattie che possono curare? Quanti bagni ci sono in queste terme?
2. Che genere di alberghi ci sono nella zona? Sono accessibili soltanto a chi può spendere molto? Le terme sono soltanto alla portata delle persone ricche? Spiegate.
3. Dove si possono ottenere informazioni riguardo a queste terme? Date un indirizzo e numero di telefono. Per ottenere informazioni bisogna per forza telefonare o si può fare altro? Precisate.

TAVOLA ROTONDA

Con uno o più compagni di classe, presentate uno dei seguenti argomenti. Dopo uno scambio iniziale, aprite la discussione al resto della classe.

1. La medicina moderna dipende troppo dalla chimica e dalla tecnologia per trovare cure e rimedi.
2. Cure naturali o terapie scientifiche. Qual è il metodo migliore?

SEZIONE: Medici e medicinali

I medici sono sempre stati uno dei soggetti preferiti degli umoristi. Conoscete voi qualche battuta o barzelletta divertente riguardo ai medici?

Guardate questa vignetta e rispondete alle domande che seguono.

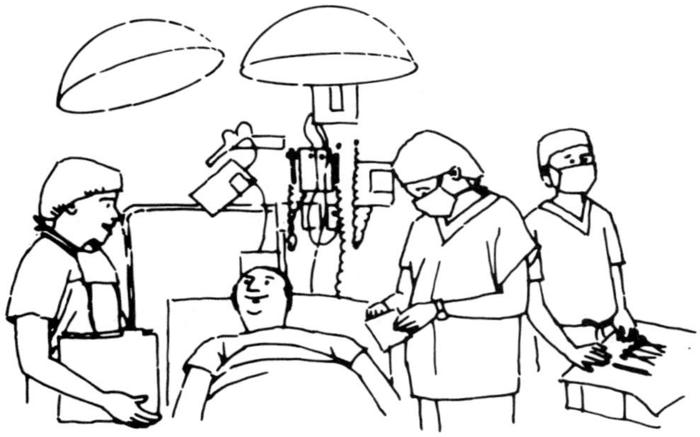

Sarà felice di sapere che, essendo questa la mia prima operazione, sarà gratis!

A VOI LA PAROLA

1. Pensate che la vignetta sia divertente? Perché?
2. Secondo voi il paziente sarà contento o no? Perché? Come reagireste voi in una situazione del genere?
3. Se un dottore vi dicesse che non vuole essere pagato per la visita, come reagireste? Vi fidereste di lui e delle sue cure? Spiegate.

Dal dentista

Di tutte le professioni, quella del dentista è forse la più ingrata e la meno apprezzata. È anche quella in cui, se ci pensiamo bene, ci deve essere un patto tacito[1] fra paziente e dottore. Noi pazienti speriamo che lui abbia la mano ferma[2], particolarmente quando ci mette il trapano[3] in bocca; lui è fiducioso che noi non serreremo[4] i denti sulle sue dita durante l'esame o l'operazione.

[1] silent pact
[2] steady
[3] drill
[4] we won't clench

— Ora cercate di rilassarvi un po'...

NELLA VIGNETTA PRECEDENTE...

Pensate che il dentista abbia finito l'esame o che abbia ancora da cominciare? Spiegate.

A VOI LA PAROLA

Il dentista ed io

1. Come vi sentite voi prima di andare dal dentista? Mentre aspettate il vostro turno? Come vi sentite quando il dentista dice: «Apra la bocca»? Spiegate.
2. Andate dal dentista regolarmente o soltanto quando ne avete bisogno? Perché?
3. Come è il vostro dentista? Descrivetelo(la). Cosa fa mentre esamina la vostra bocca? Vi siete mai chiesti perché molti dentisti si mettono a fare domande quando voi non potete rispondere? Cosa ne pensate voi? Come reagite in tale situazione? Il vostro dentista fa qualche cosa di particolare per farvi rilassare? Spiegate.

4. Il vostro migliore amico/amica è appena diventato(a) dentista. Lascereste il vostro dentista personale per andare da lui/lei? Spiegate la vostra decisione e cosa direste all'uno o all'altro.

MESSA IN SCENA

Il vostro ragazzo/la vostra ragazza ha appena ricevuto la laurea di dentista. Durante la cena per festeggiare l'evento vi viene un improvviso e atroce mal di denti. Con un(a) collega presentate davanti alla classe la scenetta che si svolge fra i due.

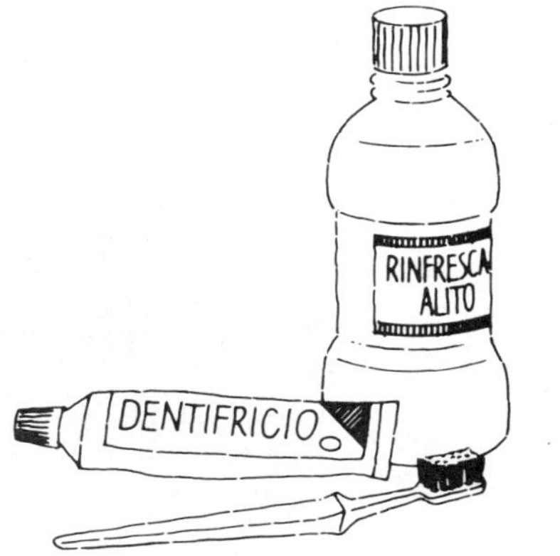

A VOI LA PAROLA

A. Completate le seguenti frasi in modo originale.

1. È necessario andare dal dentista...
2. Mi piace andare dal dentista perché...
3. Io non ho bisogno di andare dal dentista...
4. Io preferisco un(a) dentista perché...
5. Quando esco dall'ufficio del dentista...
6. Quando sorrido mostro i denti perché...

B. L'igiene della bocca.

1. Quale dentifricio usate? Da quanto tempo? Perché usate quella marca particolare? Pensate che tutti i dentifrici siano uguali o no? Spiegate. Cosa vi convincerebbe a cambiare dentifricio? Per voi cosa è più importante: il costo, la qualità o il gusto?
2. Siamo tutti inventori. Avete appena inventato un nuovo dentifricio. Preparate un breve spot pubblicitario e presentatelo al resto della classe introducendo il nome e vantando le virtù speciali del vostro prodotto.

Lo sapevate che...?

Un po' di prezzemolo[1] masticato pulisce la bocca a rinfresca l'alito[2]. Potete menzionare altri alimenti che sono utili all'igiene della bocca?

L'ipocondria... è una fantasia?

La medicina ha fatto grandi progressi. Oggi ci sono pillole per tutto e tutti sembrano essere pronti a ricorrere alle pillole per qualunque problema abbiano. Eppure il numero di giorni lavorativi persi continua ad aumentare ogni anno. Gli Stati Uniti sembrano essere il paese dove si paga di più per le medicine. Gli italiani spendono meno ma sembra che comprino più medicine degli americani. Questo apparente paradosso è forse dovuto al fatto che in Italia lo Stato rimborsa l'82% delle spese per i medicinali. Sembra che gli italiani comprino le medicine, ma che le tengano in casa per sicurezza senza usarle; quando queste scadono[3] le gettano via.

— Facciamo così, signora Bianchi: voi fate la diagnosi e poi io stabilirò la cura più opportuna.

NELLA VIGNETTA PRECEDENTE...

1. Perché pensate che il dottore abbia suggerito questa soluzione? Quale sarà il problema? Quali saranno i sintomi della signora?
2. Potreste descrivere qualche situazione in cui il medico deve mostrare molta pazienza? Quali altre qualità deve avere un medico nei rapporti con i suoi pazienti?

---
[1] parsley
[2] breath
[3] expire

A VOI LA PAROLA

A. Secondo voi, perché le persone prendono pillole? Ne fanno un uso eccessivo? Quando le prendete voi? Quali? Prendete vitamine? Regolarmente? Perché?

B. Precauzioni esagerate. Rispondete alle seguenti domande per determinare il vostro livello di ipocondria.

1. Bevete soltanto acqua imbottigliata?
2. Quando mangiate fuori chiedete sempre una cannuccia?
3. Se qualcuno starnutisce vicino a voi, vi precipitate a prendere un'aspirina?
4. Tenete un termometro sul tavolino da notte?
5. Quando un amico è malato cominciate a provare gli stessi sintomi?
6. Avete smesso di andare al gabinetto linguistico[1] per paura dei microbi che possono nascondersi nel microfono e nella cuffia?
7. Quando siete sui mezzi di trasporto pubblici portate sempre i guanti, anche d'estate?
8. Dedicate tutto il vostro tempo libero ad inventare dei filtri per il naso?

Se avete risposto affermativamente a tutte le domande, appena uscite dalla classe andate a prenotare un biglietto di sola andata per il Polo Nord.

C. Create categorie appropriate per i seguenti numeri di risposte affermative al precedente test: 6–7, 4–5, 2–3, 0–1.

D. Altre preoccupazioni. Fate un elenco di altre cinque caratteristiche o timori dell'ipocondriaco.

[1] language laboratory

compresse, *tablets*
masticabile, *chewable*
non cariogene, *do not cause cavities*

VEDIAMO INSIEME

A che cosa serve la vitamina C? Quali sono alcuni prodotti in cui possiamo trovare questa vitamina? Cosa è «Agruvit»? Come si prendono le compresse di Agruvit?

A VOI LA PAROLA

1. Potreste spiegare in qual modo la vitamina C aiuta l'organismo? Quali altre vitamine sono utili o necessarie all'organismo? Potreste spiegare i benefici di qualcuna di esse? In quali alimenti si possono trovare queste vitamine?
2. Voi preferite usare compresse di vitamine o mangiare alimenti che contengono la vitamina stessa? Perché? Ci sono situazioni particolari in cui sarebbe meglio prendere le compresse? Spiegate.

ANGOLINO DEL RELAX

Leggendo qua e là. Dopo aver consultato diversi grandi specialisti, una diva del cinema è disperata perché le sue crisi di nervi continuano. Ma, finalmente, un giovane medico riesce non solo a guarirla, ma anche in una sola seduta. I suoi colleghi ne sono assai stupiti[1]. Uno di essi chiede: «Ma come hai fatto?» Risponde il medico: «Le ho semplicemente detto che le sue crisi erano un segno di vecchiaia!»

A VOI LA PAROLA

1. Secondo voi il medico ha fatto bene a risolvere così facilmente e rapidamente la situazione? Perché? Non avrebbe guadagnato di più continuando le visite? Pensate che avrà molto successo nella sua carriera? Spiegate. Cosa avrà detto la diva alle sue amiche riguardo la sua «miracolosa guarigione»? Pensate che raccomanderà questo medico alle sue amiche? Perché?
2. Pensate che oggi molti medici si interessino di più ai loro guadagni che al benessere del paziente? Spiegate.

LEGGENDO QUA E LÀ

Secondo due dottori francesi, il più celebre dei vini, lo champagne, ha concrete proprietà medicinali finora sottovalutate, grazie ai suoi numerosissimi componenti. In una coppa[2] ce ne sarebbero addirittura 4 mila sotto forma ionica[3]: sali minerali, oligoelementi, vitamine, zuccheri complessi. Niente di meglio, scrivono i due nel libro intitolato *Le verità terapeutiche dello champagne,* per combattere le anemie, attivare il flusso biliare[4], aiutare il sonno, allontanare la depressione. E per convincere i più riottosi[5] (ma ce ne saranno?) gli autori ricordano che lo scrittore Bernard Fontenelle, morto a 100 anni nel 1757, ogni giorno brindava a[6] champagne.

[1] astonished

VEDIAMO INSIEME

A. Rispondete alle seguenti domande.

1. Quali proprietà avrebbe lo champagne?
2. Chi avrebbe scoperto queste proprietà?
3. Quali sono alcuni componenti di questo vino?
4. Come hanno rivelato questa loro scoperta i due medici?
5. A che cosa può servire lo champagne?
6. Chi era Fontenelle?

A VOI LA PAROLA

1. Cosa pensate voi di questo annuncio? Vi sembra plausibile? Sarebbe più credibile se l'annuncio fosse stato fatto da due medici non francesi? Perché? Pensate che sia una trovata[7] dei produttori di champagne? Pensate che molte persone crederanno a questo annuncio? Perché? Se l'informazione è falsa, pensate che il pubblico dovrebbe essere protetto da questo genere di annuncio? Come? Spiegate le vostre ragioni.
2. Ci sono altri prodotti che hanno gli stessi effetti attribuiti allo champagne? Quali? Vi è mai capitato di leggere o sentire simili annunci riguardo altri prodotti «miracolosi»? Conoscete altri prodotti alimentari che dovrebbero avere effetti collaterali positivi sull'organismo umano? Potreste menzionarne qualcuno, con i relativi benefici salutari.
3. State scrivendo il libro che finalmente vi farà milionari. Completate il titolo e scrivete una breve introduzione a: «Le virtù terapeutiche di...».

[2] goblet
[3] ionic
[4] activate the functions of the spleen
[5] the more skeptical
[6] toasted with
[7] publicity stunt

COSA NE DICE IL MEDICO

Cintura o bretelle[1]? Torna di attualità[2] una vecchia questione non ancora interamente risolta. Si tratta di una questione non trascurabile[3], dato che il cento per cento (o quasi) degli uomini porta i calzoni e che, in un modo o nell'altro i calzoni vanno ... sostenuti. Il problema è *come* sostenerli? Cintura o bretelle? Non è tanto un problema di estetica quanto, apparentemente, un problema di igiene. Non pochi medici affermano che l'uso della cintura è causa di seri disturbi addominali[4]. Infatti, la cintura, per quanto sottile, mette una certa pressione sullo stomaco, sul fegato, sul pancreas e sulla milza[5]. Infatti, dopo un pasto abbondante non pochi uomini sono costretti ad allentarla[6].

A VOI LA PAROLA

1. Ci sono uomini che non portano i pantaloni? Dove? Cosa portano? Con i pantaloni voi preferite la cintura o le bretelle? Spiegate la vostra preferenza. Cosa pensate delle bretelle? Le portereste? Perché? Dopo aver letto questo articolo cerchereste qualche alternativa alla cintura? Quale?
2. A causa del gusto o delle convenzioni estetiche le persone (uomini e donne) attraverso i secoli, hanno sacrificato comodità e forse anche salute. Potreste menzionare almeno cinque articoli di abbigliamento inutili o addirittura nocivi che le persone hanno portato, o continuano a portare per convenzione?
3. Come pensate che sarà l'abbigliamento degli uomini e delle donne fra cinquanta anni? Quali articoli che si portano oggi esisteranno soltanto nei musei?
4. In molte lingue l'espressione «portare i pantaloni» significa (o significava) avere l'autorità in casa. Pensate che questa espressione sia ancora di attualità? Perché? Quale espressione potrebbe sostituirla?

1 suspenders
2 is once again of interest
3 negligible
4 abdominal problems
5 spleen
6 loosen it

L'inverno è alle porte[7]

influenza, *flu*
antifebbrile, *for fever*
antidolorifica, *painkilling*
malessere, *discomfort*
verifiche, *checks, tests*
mettiti al riparo, *protect yourself (lit.:* find shelter)
compresse, *tablets*

7 is knocking at the door

VEDIAMO INSIEME

1. In questa pubblicità chi è raffigurato nella scena? Dove si trovano le due persone? In quale stagione siamo? Da che cosa potete dedurlo?
2. Secondo la pubblicità a che cosa serve l'aspirina? Cosa può fare per l'organismo? È un prodotto nuovo? È un prodotto superato? Spiegate. C'è un solo tipo di aspirina? Che scelta offre?

A VOI LA PAROLA

1. Conoscete questo prodotto? Lo usate? Perché? Se lo usate, in quali occasioni lo prendete? L'aspirina effervescente è disponibile anche negli Stati Uniti? Quale tipo preferite prendere voi? Perché?

2. Quando sentite arrivare un raffreddore, cosa fate? Ci sono precauzioni che prendete per evitare i raffreddori? Quali? Funzionano? Se prendete un raffreddore cosa fate? Avete dei rimedi preferiti? Spiegate.

ANGOLINO DEL PAROLIERE

Abbiate cura di voi stessi!

I saluti più comuni riflettono l'importanza che diamo alla salute. A pensarci bene, in italiano i due termini «saluto» (*greeting*) e «salute» (*health*) hanno la stessa radice. In italiano ci sono molti modi di esprimere questo interesse.

1. Ci sono vari modi di esprimere interesse nello stato di salute degli altri, e varie risposte possibili.

Come stai (sta)?	How are you?
Come va?	How are you (how goes it)?
Come ti senti (si sente)?	How do you feel?
Va bene (male).	I feel well (badly). (Things are going well/ badly.)
Va benone (benissimo).	I feel very well.
(Va/Mi sento) così così.	I feel so-so.
Non c'è male.	Not too bad.
Non c'è da lamentarsi.	Nothing to complain about.
Mi sento proprio in forma.	I really feel great.
Hai una brutta cera.	You look ill. (*lit.:* You have a bad wax.)
Sembri stanco.	You look tired.
Ho la febbre.	I have a fever.
Mi fa male la testa. (Ho mal di testa.)	My head hurts.
Mi fa male la gola. (Ho mal di gola.)	My throat hurts.
Mi fanno male i denti. (Ho mal di denti.)	I have a toothache.
Ho dolori (male) a...	My . . . ache(s).

2. Tutti sono pronti a dare consigli ... utili.

Va' dal (Chiama il) dottore!	Go to (Call) the doctor!
Va' in farmacia!	Go to the pharmacy!
Dovresti chiamare il (telefonare al) dottore.	You should call the doctor.
Riposa qualche giorno.	Rest for a few days.
Prendi un paio di aspirine.	Take a couple of aspirins.
Spero che non sia niente di grave.	I hope that it's nothing serious.
Curati (curatevi)!	Take care of yourself (yourselves)!

3. Lo stress ovviamente influisce sulla nostra salute e stato d'animo. Le seguenti espressioni possono essere utili in questi casi.

Questo mi preoccupa.	This worries me.
Questo mi fa venire i nervi. (Questo mi attacca i nervi.)	This is getting on my nerves. (This is hard on my nerves.)
Mi fa impazzire.	It drives me crazy.
Non ne posso più!	I can't take it anymore!

Ma non farci attenzione!	Don't pay any attention to it!
Calmati!	Calm down!
Controllati!	Get a hold of yourself!
Non ti arrabbiare.	Don't get angry.
Non ti preoccupare.	Don't worry.

4. Per concludere, bisogna tener presente che quello che si mangia e che si beve è importante alla salute.

Buon appetito!	Enjoy your meal. (*lit.:* May you have a good appetite.)
Salute (Cin cin)!	Cheers! (the first expression is also used when someone sneezes)
Alla salute di... !	To the health of . . . ! (when proposing a toast)
Sei dimagrito(a)/ ingrassato(a).	You've lost/gained weight.
È ridotto(a) a pelle ed ossa!	(S)he is all skin and bones!
Mangi come un uccellino.	You eat like a bird.
Mangia fra i pasti.	S(he) eats between meals.
Mi piace spizzicare!	I love to nibble!
Non ho voglia di mangiare.	I don't feel like eating.

A VOI LA PAROLA

A. Abitudini. Descrivete un amico/un'amica che...

1. non fa sport ed usa l'automobile anche per andare all'angolo della strada.
2. si alza alle cinque ogni mattina per correre almeno cinque kilometri, poi va in palestra, durante la giornata mangia soltanto verdura e nient'altro e la sera fa un'ora di esercizi sugli attrezzi che ha in casa.
3. dorme poco, fuma come un turco[1], non fa sport e beve.

B. Cambiamenti.

Un signore attraversa di corsa la strada e va incontro ad un altro signore, lo stringe in un lungo abbraccio, poi, scostandosi lo osserva attentamente:—Come sei cambiato, perbacco! Ti sei fatto crescere la barba, porti gli occhiali, e sei ingrassato di almeno dieci chili... Mio caro Alfredo, come sei cambiato!

—Ma io non mi chiamo Alfredo!—protesta l'altro.
—Non mi dire: hai cambiato anche nome!

1. Incontrate un amico/un'amica che non vedevate da molti mesi. Lo (la) trovate molto cambiato(a) e glielo dite. Lui (lei) vi spiega le ragioni di questo cambiamento.
2. Guardatevi intorno e fate la descrizione di uno dei vostri compagni di classe... fra venti anni.

[1] like a chimney (*lit.:* like a Turk)

VOCABOLARIO

SOSTANTIVI

aceto	vinegar
alimentari	foods
alimentazione (f.)	nourishment, diet
alimento	food
boccone (m.)	mouthful (of food)
carie (f.)	cavity
condimento	condiment, dressing (for a salad)
cura	treatment
digiuno	fast
dolci	sweets
frescura	coolness, freshness
grasso	fat
gusto	flavor, taste
linea	figure
onorario	(doctor's, lawyer's) fee
pompelmo	grapefruit
sforzo	effort
sollievo	relief, comfort
sorso	sip, mouthful (of liquid)
spremuta	(freshly-squeezed) juice
succo	juice

AGGETTIVI

alimentare	food-related
benefico	beneficial
bilanciato	balanced
condito	seasoned, dressed (of salad)
dannoso	harmful
equilibrato	balanced
goloso	greedy (for foods)
magro	lean, nonfat (foods)
nocivo	harmful
salutare	healthy
scremato	skimmed
sollevato	relieved
teso	tense

VERBI

abbronzarsi	to tan, to get tanned
approfittare	to take advantage
calmare	to soothe, to relieve
cedere	to give in
condire	to season, to dress (a salad)
curare	to cure, to heal, to take care of
dimagrire (isc)	to lose weight
inghiottire (isc)	to swallow
ingrassare	to gain weight
masticare	to chew
mordere	to bite (of an animal or human)
pungere	to bite (of an insect), to sting
respirare	to breathe
ridurre	to reduce, to diminish
riguardarsi	to take care of oneself
riprendersi	to recover, to get over
scalare	to climb (a mountain)
sgranocchiare	to munch on
spizzicare	to nibble (on)

ESPRESSIONI

essere a dieta	to be on a diet
essere una buona forchetta	to have a hearty appetite
mettersi a dieta	to go on a diet
per forza	by force
per forza!	obviously! (in an exclamation or as a comment)
per lo meno	at least
provare sollievo	to feel relief

PER CHIUDERE IL DISCORSO

A. L'intrusa. In ogni gruppo di parole trovate quella che non ha rapporto logico con le altre. Spiegate il perché.

1. prosciutto	pollo	sogliola	manzo
2. latte scremato	gelato	yogurt magro	pane integrale
3. birra	digestivo	champagne	aranciata
4. uovo	brioscia	maritozzo	cornetto
5. spremuta	aranciata	cola	acqua minerale
6. olio	aceto	zucchero	sale
7. patata	ananas	mela	uva
8. vino	formaggio	acqua	latte
9. avvocato	dietologo	dentista	dottore
10. merenda	colazione	doccia	cena

B. Derivati. Seguendo il modello, formate dei nomi dai seguenti verbi. Spiegate il significato del sostantivo.

verbi	nomi
passeggiare	passeggiata
pedalare	______________
nuotare	______________
scalare	______________
cavalcare	______________
mangiare	______________
dormire	______________
frenare	______________
suonare	______________

C. Gli opposti. Cercate nella seconda colonna l'antonimo di ogni parola della prima colonna.

A	B
1. riposante	a. intero
2. serrare	b. calmo
3. calmare	c. dannoso
4. teso	d. stringere
5. combattere	e. eccitare
6. magro	f. aprire
7. allentare	g. faticoso
8. scremato	h. ingrassare
9. dimagrire	i. grasso
10. benefico	j. aiutare

D. Definizione. Spiegate in italiano il significato delle seguenti parole o espressioni. Quando vi è possibile fornite anche degli esempi precisi.

1. frutta di stagione
2. erbe medicinali
3. spizzicare
4. dieta bilanciata
5. spedire una ricetta
6. diagnosi
7. ingerire
8. condire

E. La salute ed io. Iniziate le seguenti frasi in maniera originale esprimendo le vostre idee sulla salute.

1. ... perché non mi piace mettermi a dieta.
2. ... perché ho problemi di stomaco.
3. ... perché ho bisogno di proteine.
4. ... perché contiene troppe calorie.
5. ... perché nuoce alla salute.
6. ... perché prendo molti raffreddori.
7. ... perché ho paura d'ingrassare.
8. ... perché fra un mese vado al mare.
9. ... perché non mi piace andare dal dentista.
10. ... perché preferisco fare gli esercizi a casa.

appesantirmi, *to make me feel full*
melenzane, *eggplant*

F. Guardate la pubblicità-vignetta.

1. Secondo voi perché si sente appesantito il signore? Cosa starà guardando alla tivù? Quanto avrà mangiato? Come cucinerà la moglie?
2. Vi sentite mai «pesanti» voi dopo un pranzo? Perché? Cosa prendete? Vi aiuta? Potete menzionare alcuni prodotti americani simili a Digerseltz?

G. Lo stress nella vita moderna.

1. Volete sapere quanto siete stressati? Leggete la seguente lista di eventi stressanti per determinare il vostro livello di stress. Rispondete al test tenendo conto soltanto degli avvenimenti degli ultimi 12 mesi.

SCALA DI EVENTI STRESSANTI

Punti	Eventi stressanti
10	morte del partner
7	separazione/divorzio dal partner
6	prigione
5	malattia o incidente
4	malattia di un parente stretto
4	problemi finanziari
4	cambiamento di lavoro
4	discussioni col partner
3	successo personale
3	inizio/fine scuola
2	cambiamento di casa/scuola
2	cambio di abitudini
1	vacanze/festività

Se avete totalizzato meno di 15 punti, il vostro livello di stress è decisamente normale. Tra 15 e 20 punti correte il rischio di contrarre malattie stress-dipendenti. Tra 20 e 30 punti, il rischio di ammalarvi di stress aumenta. Più di 30 punti, vi trovate in un'area di rischio fisico e psichico. È forse ora di cambiare qualcosa nella vostra vita e di consultare un medico.

2. Secondo le vostre esperienze personali, siete d'accordo con il punteggio attribuito ad ogni categoria? Fareste qualche cambiamento? Indicate dove e spiegate il perché.
3. Ci sono altre circostanze e avvenimenti nella vita che causano tensione? Menzionatene alcuni e indicate dove li mettereste nella scala dello stress.

Literary Credits

The author is indebted to the following sources for permission to reproduce this material.

Advertisement, Amiga 500 by Commodore, *Amiga,* Milan, Italy.

"Tutti i Figli di mamma TV", Fulvio Scagliona, © *Famiglia Cristiana,* Milan, Italy.

Foto di Fausto Tagliabue, © *Famiglia Cristiana,* Milan, Italy.

"L'Italia della Terme", Neri Fallani, © *Famiglia Cristiana,* Milan, Italy.

Advertisement, *Instituto Leonardo da Vinci,* Sorengo-Lugano, Italy.

Advertisement, *Alitur, Centro Internazionale Specializzato in Viaggi Studio All'Estero,* Rome, Italy.

Cartoons, © *Famiglia Cristiana,* Milan, Italy.

Advertisement, *Campus* magazine.

Advertisement, *Carabinieri.*

Rubric, *La Repubblica* newspaper, Rome, Italy.

Rubric, *La Gazzetta dello Sport,* Milan, Italy.

Rubric, *Corriere della Sera,* Milan, Italy.

Rubric, *Il Tempo,* Rome, Italy.

Rubric, *Il Messaggero,* Rome, Italy.

Rubric, *Il Giornale,* Milan, Italy.

Rubric, *Corriere dello Sport,* Rome, Italy.

Rubric, *La Nazione Firenze,* Florence, Italy.

Advertisement, *Radio Televisione Italiana.*

Advertisement, SONY Infra-red Transmission System, *SONY Corporation.*

Advertisement, *Zapping* TV Guide, © *La Repubblica,* Rome, Italy.

Advertisement, *ViViVideo: Cinema, Cultura, Spettacolo.*

"Cinema Paradiso", *Europeo,* November 17, 1989.

"Kriptonight", Francesco Troncarelli.

"Inchiesta", *Panorama,* July 12, 1987.

Centocitta advertisement, *Ferrovie Italiane.*

"Under 26", *Ferrovie Italiane.*

Carta Famiglia, *Ferrovie Italiane.*

Carta d'Argentio, *Ferrovie Italiane.*

Advertisement, *Europ Assistance,* Milan, Italy.

"Autofacile", *Europcar,* Paris, France.

Advertisement, *KLM Royal Dutch Airlines,* New York.

"MDII, il nuovo gioiello", *Alitalia Airlines,* Rome, Italy.

Tanka Village advertisement, *ATA Hotels,* Rome.

"Marocco è Comitours", *Comitours.*

Advertisement, *Prestige Cruises.*

Advertisement, *Il Negresco Hotel,* Lungomare, Italy.

Advertisement, *Baia di Conte,* Alghero-Sardegna.

Advertisement, *Regalati il Veneto.*

Articles: L. da Ponte, New York Opera House, *Italy Italy,* April, 1990.

Aigné emblem.

Battistoni emblem.

Krizia emblem.

Gucci emblem, © Gucci, Florence, Italy.

Salvatore Ferragamo emblem.

Bulgari jewelry.

Tea-bagging machine, *IMA.*

Pleasant Hill, Marco Nese and Pierluigi Balzamo.

Book cover, *Buona Tavola—Enciclopedia della Cucina,* © *European Book,* Milan, Italy.

Book cover, *Cucina Regionale Italiana* by Ada Boni, © *Newton Compton,* Rome, Italy.

Book cover, *37 Ricette d'Oro di Guidacucina: Paste Asciutte,* © *Mondadori,* Milan, Italy.

Book cover, *Cucina Creativa: Focacce, tartine, pizze,* © *Sperling & Kupfer,* Milan, Italy.

Book cover, *Le Ricette del Sor . . . Riso* by Francesco Bergamesco, © *Lucarini,* Rome, Italy.

Pronto! Call Italy for Dinner advertisement.

Nativity scene, *Italy Italy,* November, 1989.

Advertisement, *SIP.*

Advertisement, *Lloyd Adriatico.*

Book advertisement, Gigi Avanti: *Il Grande Libro degli Sposi,* © *Edizioni Paoline.*

Advertisement, *Convagri.*

Advertisement, *Fernet Branca.*

Magazine cover, *VITALITY,* June, 1990.

Advertisement, Ginny exercise bike, *C. Rizzatto & C.,* Padova, Italy.

Advertisement, Gymstar exercise machine, *Carnielli & C.,* Rome, Italy.

Advertisement, *S. Bernardo* drinking water.

Advertisement, *Trieste & Victoria Hotel,* Padova, Italy.

Advertisement, *Terme di Comano,* Ponte Arche, Italy.

Advertisement, *Agruvit.*

Advertisement, *Aspirina Bayer.*

Advertisement, *Digerselz.*